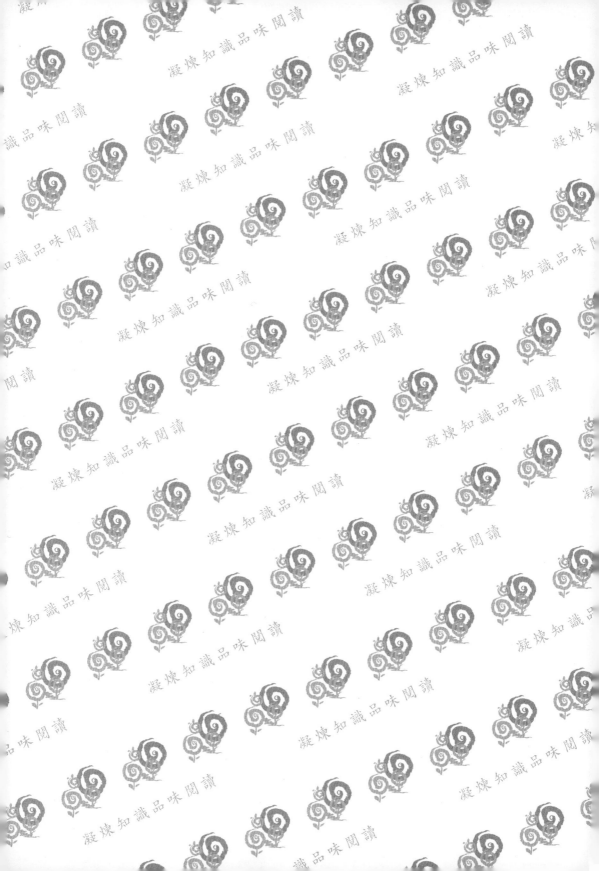

教育研究法

周新富　著

五南圖書出版公司 印行

三版序

　　現代化教師的角色不應只停留在教學、輔導、行政三方面，研究者的角色也日漸重要，無論是要解決教學現場的問題、要從事課程發展，或是要不斷地充實進修，教師一定要具備研究能力，才能勝任繁雜的教學工作。

　　一般人都會誤以為研究工作是大學教師的事，或認為要攻讀碩博士學位才要做研究，中小學教師教學時數那麼多，哪來的閒暇做研究、寫論文？其實這樣的觀念是不對的，大學教師與中小學教師的研究方向與主題是有所差別的，前者偏理論性，後者偏實用性；研究發表的園地也有所區隔，大學教師所投的刊物大都屬於學報，而中小學教師則偏大眾性的刊物。將來如果中小學教師和大學教師一樣要實施分級制度，研究成果必定會占有一定的分量。

　　目前的師資培育課程中，雖然將教育研究法列為選修，教育系大學部還會開這門課，而且是必修，在大學先奠定良好的研究法基礎，將來到碩士班就可以順利銜接。在研究所階段，教育研究法當然是列為必修課程，為避免碩士生違反學術倫理，教育研究法可以讓研究生知道如何撰寫學術論文，進而順利完成碩士論文的撰寫。

　　由於第一版的書籍是完成於2007年，離現在已有18年之久，很多資料都過於老舊，於是利用這次再版的機會對本書作一個大幅度的修改，原來的架構沒變，內容則是加入許多新的資料。本書的編寫是以量化研究為主，質性研究的篇章寫得比較簡單，精讀完本書，對於量化研究的執行應能駕輕就熟。最後，本書內容恐有多處謬誤未能發現，祈盼學界先進不吝指正。

周新富　謹識

2025.1.24

目　錄

第1章
教育研究的性質和特徵

━━━━━━━▶ 第一節 教育研究的意義與性質 ◀━━━━━━━

 壹 教育研究的意義

　　本小節主要在解釋教育研究的意義，先針對研究的定義與特徵作一說明，然後再說明教育研究的特性。

一、研究的定義與特徵

　　何謂研究？幾乎每個人都把「研究」二字掛在嘴上，例如：讓我們針對這個問題研究研究、這件事要再研究等，這裡的研究似乎等同於「思考」、「考慮」，在未作決定之前，再去廣泛蒐集資料，等疑慮消除後才作成決定。

　　《韋氏辭典》（引自王文科、王智弘，2017）對「研究」下了一個比較嚴謹的定義：「細心地、有系統地、耐心地執行探查或探究某知識領域，以發現或建立事實或原理。」研究在這裡的定義強調以科學的方法來獲得知識，獲得知識或資訊的方法很多，可以詢問專家、閱讀文獻資料、詢問有相關經驗的人士、根據個人的感官經驗、透過邏輯推理方式等，這些方式都有助於資訊或知識的取得，但是所得到的答案可能不是全部都可靠，專家可能受到誤導、資料的來源可能沒有參考價值、周遭的人士可能沒有相關經驗、個人的經驗或直覺可能不恰當或容易造成誤導，所以最有價值的方法

是科學（黃光雄譯，2005）。科學方法不一定就要在實驗室裡面做實驗，這是一種獲得知識的歷程，可以讓我們獲得正確而可靠的資訊，通常包括以下五個步驟：1.選擇與界定問題；2.閱覽文獻及陳述研究問題與假設；3.演繹推理與執行研究程序；4.蒐集並分析資料；5.詮釋發現與敘述結論（王文科、王智弘，2017）。

二、教育研究的意義

什麼是教育研究？吳明清（1991）認爲教育研究是一種以教育爲對象，以教育爲範圍及以教育爲目的的一種問題解決的歷程，而教育研究本身即具備了科學研究與哲學研究的雙重性質。王文科（2000）則認爲教育研究是採用科學方法探討教育領域的問題，基於研究重點的不同，分成理論的研究和實際的研究。

由以上學者的定義，可知教育研究與所有科學研究一樣，同時由三個基本要素組成，就是客觀事實、科學理論和方法技術，只不過是研究對象的特性不同。教育研究是以發現或發展科學知識體系爲導向，透過對教育現象的解釋、預測和控制，以促進一般性原理原則的建立與發展。所以我們可以對教育研究下這樣的定義：教育研究是以科學的方法，有組織、有計畫、有系統地進行教育現象的研究，以獲得教育科學的原理原則和理論。

三、教育研究的特性

教育研究是一種活動或一個過程，儘管研究的方法相當多元化，但是某些基本的特性是不變的，一般而言，教育研究具有以下的特性（葉重新，2017；裴娣娜，2004）：

1. 研究的目的在於探索教育的規律，以建立教育理論與解決實踐問題爲導向。故教育研究不是簡單的資料蒐集或言論的羅列，必須做出理論的說明和進行邏輯的論證。

2. 要有科學假設和對研究問題的陳述，研究的問題要明確並且可供驗證。

3. 有科學的研究設計，以有系統的方式蒐集可靠的資料數據，分析之後形成結論。

4. 強調方法的科學性，教育研究要運用科學的方法，遵循科學研究程序，其所得到的結果可應用到實踐中加以驗證。

5. 另一個重要的特性是創造性，研究者對原有理論體系思維方式及研究方法要有所突破。

6. 教育研究不但錯綜複雜，而且需要考慮很多可能的變數，因此教育研究具複雜性和多變性。由於教育內容的許多變項是相互影響的，因此在探討某一教育現象時，無法像自然科學那麼容易控制無關變項。例如：影響教育成效的因素繁多，舉凡教育制度、學校組織文化、行政管理、教學方法、師資與設備等，都是重要變項。

貳　教育研究的目的

我們在進行研究時，常常會具有不同的目的，可能是為了完成一項老師交付的作業，可能是為了完成學位，也可能僅僅只因為興趣而進行研究。為何要進行教育研究？其目的不外是要解決教育問題，但除實用價值之外，教育研究還有一些較為抽象的目的，例如：建立理論。教育研究的目的歸納如下（林重新，2001；葉重新，2017；唐盛明，2003）：

一、探索

以探索（exploration）為目的的研究一般是初步階段的研究，當一個比較新的事物或社會現象出現時，我們基本上對它們處於一種無知的狀態，這時，我們有必要對它們先作一些探索性的研究，以便在隨後的階段展開較深層次的研究。例如：當SARS正在流行時，學校要如何啟動危機處理，以避免學生受到感染，然而這方面的文獻極為欠缺，因此有必要進行探索性研究。探索性的研究很少給予明確的答案，它的最主要功能是使我們對新的事物或社會現象有一些初步的了解，因此我們在進行這類研究時，不一定要有預先

設計的研究計畫，即使有一些初步的研究構想，還是要依據情況不斷地變更。

二、描述

將研究過程中所蒐集的資料，利用語言或文字客觀地加以描述（description），只說明研究發現的客觀事實，不探究問題發生的原因，這樣有助於一般人對教育現象的了解。例如：視力保健的調查發現小學生的近視率達五分之二，由這個結果可以知道近視率人口的多寡。

三、解釋

教育研究者有時需要對受試者的行為做進一步的分析，以便探求該行為的可能原因，同時找尋理由來解釋（explanation）研究所得到的資料。解釋並不僅限於可觀得到的資料，有時候教育學者對學生內在的心理歷程進行推論，藉以詮釋該心理歷程的涵義。例如：某研究者發現焦慮程度愈高的學生，考試所得分數愈低，該研究者可能解釋為焦慮使人分散注意，因而使考試分數降低。

四、預測

有些研究或理論的目的是用來作為預測（prediction）之用，所謂預測，是根據現有的資料，推估某一事件將來發生的可能性。教育學者依據以往問題發生之後，所產生的因果關係資料，以科學方法來預測受試者發生同類行為的可能性，結果通常相當準確可靠。例如：依據高中成績可以預測將來大學入學考試的得分。

五、控制

教育研究者經由科學研究，就能操縱影響某一事件的因素，以使該事件產生預期的變化。對許多教育學者來說，控制（control）教育情境比預測更為重要，因為對教育情境的掌握，往往可以避免

不良後果的發生，或使可能發生問題的嚴重性減到最低程度。例如：學校加強交通安全教育，有助於減少交通事故的發生。

參　教育研究的範圍

基本上，教育研究的問題可以分為理論上的問題與實務上的問題，但這種分類的缺點是過於籠統。教育研究問題的另一種分類是分成對教育現象的認識及改善教育的技術兩大取向，一個是探討教育現象的問題，一個是探討實際應用的問題，以下分別說明之：

一、教育現象的問題

教育現象的研究主題包含的範圍相當廣泛，主要在探討教育理論及教育活動的運作，其內容有以下幾項（王文科、王智弘，2017；林重新，2001）：

(一) 教育目的或本質的問題

這類的問題多是從哲學、心理學與社會學的層面來加以探討，例如：教育的目的為何？是培養具獨立思考的個人或者具共同生活價值觀、善盡公民義務的個人？人性的本質是善？是惡？還是都有？教育是激發人的本性或是抑制導正人的惡性？

(二) 教育內容問題

即什麼材料是最有價值的問題，例如：學校應該要教些什麼課程？目前國小的課程中除了一般國語、數學、社會等科目之外，尚有鄉土教學、母語教學、資訊教育與英語教育等。目前社會充滿了怪力亂神，我們是否應該教宗教教育？如果是的話，宗教教育該如何教？教些什麼？

(三) 教育方法問題

即什麼方法是最有效的問題，教育方法種類繁多，如何根據教材需要，採用適當的方法指引學生。例如：建構教學是否優於傳統教學？如何以建構教學來培養學生問題解決的能力？建構教學如何評量？

(四) 教育方式問題

多半是指學制問題，像正規教育與非正規教育的問題、綜合高中與多元入學的問題即屬此類。此外，像常態編班是否優於能力編班？小班小校是否可以提升教學的品質？亦屬此類問題。

(五) 教育組織的研究

包括教育行政制度、教師會或教師評議委員會的功能等。

(六) 教師與學生特質的研究

例如：教師心理衛生、學生個別差異的探討、資優生與特殊兒童的心理研究等。

二、實際應用的問題

教育研究另一種類型為實際應用的問題取向，主要在研究教師如何運用教育理論到自己的教學工作之中，以提升教學的成效，這類型研究亦可稱之為行動研究。有關教學方法的實際問題，如能獲得解決，有助於教師作實際決策時的參考。這類的問題如下：

1. 教師如何實施多元評量？
2. 如何使用行為學派的理論來從事班級經營？
3. 教師自我預言如何影響師生間的互動？
4. 對資優生或特殊兒童如何輔導？

第二節　教育研究的類型

教育研究的分類可以有好多種的分法，本文介紹三種分類方式：第一種類型是基於研究的目的所做的區分，第二種方式是就蒐集與分析資料的技術所做的分類，第三種分類是依據研究的方法。

 壹　依研究的目的所做的區分

依據研究的目的，可以將教育研究區分為基礎研究和應用研究

兩大類，其中應用研究所包含的範圍較廣，像評鑑研究、研究與發展、行動研究皆可歸屬為應用研究。以下分別說明各種類型研究的內涵：

一、基礎研究和應用研究

教育研究的一般分類而言，可分為理論研究和實務研究，但這兩類又很難做明確的區分。理論研究又稱之為基礎研究（basic research），或稱為基本研究，這種研究以探索教育學術理論為主要目的，以提出新學說、新觀點和新方法，但不涉及實際教育問題的理解，也不提出解決或改進教育問題的建議。例如：自我肯定訓練、學生行為改變技術，都是由基礎研究所發現的理論，應用到教育上的實例。教育學者從事基礎研究的人數不多，這方面仍有極大的發展空間。應用研究（applied research）是基礎研究成果在教育實務中的延伸，它是運用基礎研究成果對具體教育問題進行理論分析，以解決現實中存在的某些問題。例如：小學轉學生生活適應、青少年休閒生活、教師教學方法等研究，均屬應用研究（葉重新，2017）。對於中小學教師而言，他們關注的焦點往往是實際問題的解決，因此在研究上所關注的重點不在理論研究或基礎研究，而在於應用研究，這些研究的結果可以直接應用到教育實踐之中，用來改善自己的教學環境。

然而，人們對於使用「基礎」和「應用」研究這兩個術語產生了誤解，許多人覺得基礎研究很複雜，而應用研究則較簡單；另一種誤解是認為應用研究是由那些非專業的實務工作者做的，而基礎研究則是由善於抽象思考的思想家所進行的；還有一種誤解是認為應用研究是粗糙的、無計畫的，但是有實用價值，而基礎研究則是精細的、準確的，但缺乏實用價值。之所以要區分成這兩類，主要是基於研究目的的不同，而不在它們的複雜程度或價值（Wiersma, 2000；袁振國譯，2003）。

二、應用研究細分

應用研究所包含的範圍極廣，除前文所提到的部分之外，以下三種類型的研究亦可歸屬於應用研究（袁振國譯，2003；Wiersma, 2000；Gay, Mills, & Airasian, 2006）：

(一) 評鑑研究

評鑑是有系統地蒐集和分析資料的過程，其目的在作決定，通常評鑑與以下的問題有關：1.這個特殊的方案是否值得實行？2.新的閱讀課程是否優於舊課程？3.某位學生是否可以安置到資優班？評鑑研究（evaluation research）即是透過蒐集和分析資料，對教育的相關活動做出價值判斷的過程。部分學者認為教育評鑑不是教育研究的形式，其爭議在於教育評鑑是否依據研究設計來進行團體的比較。

(二) 研究與發展

研究與發展（research and development, R&D）的主要目的在發展可應用到學校的產品，以滿足特別的需求，這些產品包括教師訓練教材、學生學習材料、教學媒體、一組行為目標、管理系統等。當產品完成後，還要進行實地測試和修改，直到符合先前預期的成效。

(三) 行動研究

行動研究（action research）是一種新的研究趨勢，這種研究可視為應用研究的一種，它是教師或行政人員用來解決工作上所存在問題的一種研究方法，強調的是日常問題的解決，所以行動研究的主要功能改進實際教學工作，解決教育實踐中的問題。行動研究因為研究的樣本不必太多、過程不必過於嚴謹、不太關心研究結果是否對教育情境具有普遍適用性，所以廣受中小學教師的歡迎。例如：理化教師想要使用新的教學方法，於是以自己任教班級的學生為對象，經過一段時間後，比較哪一種教學方法的成效較佳。

貳 依據蒐集與分析資料的技術

教育研究依據蒐集與分析資料的技術可以區分為量化研究（quantitative research）和質性研究（qualitative research）兩大類。

一、量化研究

量的研究或稱為量化研究，採用自然科學的研究模式，運用數學工具蒐集、處理研究資料，例如：問卷、統計分析，它是進行教育研究活動的重要研究方法之一。Black（1999）對於量的研究下了一個簡單的定義：量化研究是在處理數字，凡所蒐集的資料為數字、所分析的資料為數字，即稱為量的研究，其家族成員包括調查研究與實驗研究。

二、質性研究

質性研究或稱為質的研究，它是根據人種學、現象學、解釋學等的研究思想方法形成的一種社會學研究方法，這種研究提供歷程性、描述性、脈絡性的資料，只要懂文字的人，大概都能讀懂質性研究的報告，比起量的研究更能吸引更多的讀者（王麗雲，2005）。人種誌的研究即屬於質性研究。

三、量化研究與質性研究之差異

這兩種研究的典範（paradigm），在基本假設和預設立場方面有很大的差異，最簡單的區別方式如下：質性研究是指使用文字而不使用數字來描述現象的研究，量化研究則是相反，也就是使用數字和測量而不使用語言文字來描述教育現象。量化研究與質性研究有以下幾方面的差異（李克東，2003）：

(一) 與情境的關係

量化研究是與具體情境相分離，而質性研究是把自然情境作為資料的直接源泉。在質的研究中，研究者需要花費相當多時間深入

到學校、家庭和社會，了解有關問題，離開具體情境就不能理解教育活動的實際內涵及意義。量化研究是不要求研究者直接參與到教育活動中去，而是追求研究資料、研究結論的精確性。

(二) 對象範圍

　　量化研究比較適合於宏觀層面的大規模的調查與預測，而質性研究比較適合在微觀層面對個別事物進行細緻、動態的描述和分析。

(三) 研究問題的角度

　　量化研究注重研究對象、研究問題的普遍性、代表性及其普遍指導意義；質的研究則注重研究對象、研究問題的個別性、特殊性，以此發現問題或提出發現問題的新的角度。

(四) 研究的動態性與靜態性

　　量化研究是一種靜態研究，它將研究對象可以量化的部分，在某一時間範圍內固定起來後進行數量上的計算；而質性研究具有動態性，它是對研究對象發生、發展的過程進行研究，並且可以隨時修訂研究計畫，變更研究內容。

(五) 研究的假設

　　量化研究要有一定的理論假設，從假設出發，並透過分析數據來驗證假設；質性研究不一定需要事先設定假設，而是在研究過程中逐步形成理論假設。

(六) 研究者與研究對象的關係

　　量化研究基本上排除了研究者本人對研究對象的影響，儘量保持價值中立；質的研究則存在著研究者對研究過程和研究結果的影響，要求研究者對自己的行為以及自己與研究對象之間的關係進行反思。

　　需要指出的是，質化研究與量性研究，兩者又不是截然分開的，而是相互依存、相互滲透、相互補充的。事實上，質性研究也包含實證研究的因素。美國學者Wiersma（2000）在所著的《教育研究方法導論》一書中，將質性研究與量化研究的特性及差異作了簡單易懂的整理，茲引用於下：

表1-1

質性研究和量化研究特性對照

質性研究特性	量化研究特性
歸納探究	演繹探究
理解社會現象	探討關係、影響、原因
沒有理論或實在的理論	有理論基礎
整體探究	針對個別變項
背景具體	背景自由（普遍性）
研究者參與觀察	研究者不介入
描述性分析	統計性分析

註：引自教育研究方法導論（頁17），袁振國譯，2003，教育科學。

 ## 參 依方法區分的教育研究類別

　　依據研究方法來區分教育研究的類型亦是一種常用的方式，其用意在使人了解教育研究是以何種方法來蒐集資料，通常可以將教育研究分為歷史研究、調查研究、實驗研究及人種誌研究四大類，以下分別敘述之：

一、歷史研究

　　歷史研究（historical research）的歷程係將過去發生的事件進行研究、記載、分析或解釋，以求得新的發現，如此不但有助於對過去的了解，而且可以了解現在。例如：蔡元培教育思想、杜威教育思想、日據時代的臺灣大學教育等研究主題均屬之。但歷史研究在教育研究中所受到的重視不如調查研究、實驗研究及人種誌研究，其主要原因可能是：1.往者已逝，很少研究者能夠真正了解它，且現在或未來的問題也未必適巧與往昔所發生者相同；2.歷史研究要花費相當長的時日，是一種速度緩慢的研究工作；3.尋找和

問題有關的史料常遭遇到相當的困難；4.研究者缺乏歷史研究法的訓練（郭生玉，1997）。

二、調查研究

一般而言，調查研究（survey research）在於發現教育的、心理的和社會的變項的影響、分布及關係，這些變項是存在於自然情境，不像實驗研究中的變項是人為的，有些調查研究只侷限於現況，有些則試圖探討變項之間的關係和影響。許多的研究工作都可以放置在調查研究的名稱之下，例如：相關研究（correlational research）、事後回溯研究（expost facto research）。相關研究主要目的在決定兩個或多個可量化變項之間是否有關係存在，或進而依據此等相關作預測之用，例如：「探討學習動機與學業成就的關係」；事後回溯研究是在探索變項之間可能的因果關係，例如：探討就讀幼兒園對一年級學生成就的影響（王文科、王智弘，2017；袁振國譯，2003）。

三、實驗研究

實驗研究（experimental research）是研究者在精密控制的情境下，操縱一個或多個自變項，並觀察依變項隨自變項的變化而發生的變化情形，只有實驗研究才能確定現象的因果關係，但是研究的結果較難適用於自然的教育情境中（郭生玉，1997）。故教育方面的實驗研究通常是採用準實驗研究（quasi-experimental research），其與實驗研究最主要的差別是研究樣本未被隨機分配，而遷就現有的「班級」。例如：要實驗直接教學與傳統教學在教學成效上的優劣，就要運用準實驗研究來進行研究，研究者以一個班級進行直接教學法的實驗教學，通常稱這組為實驗組，另一個班級以傳統的教學方法進行教學，這組稱為控制組，實驗一段期間後再作成就測驗，比較二組的分數是否有顯著差異。

四、人種誌研究

　　人種誌（ethnographic research）或稱爲俗民誌，是在廣義的文化概念下對特定的文化情境作深入、解釋性的描述。就教育的情況來說，人種誌的研究是對特定情況下的教育制度、過程和現象的科學描述過程。在執行人種誌研究時，通常要在自然的場所進行，使用觀察、訪談和記錄的方式來蒐集資料，而且不需要強而有力的理論基礎，也不必提出研究假設。例如：要探討國中科學教學的實施情況，研究者需要在科學教室中執行長時間的觀察，而且要與教師和學生進行晤談，研究者還要撰寫大量的田野札記，才可以對這所學校的科學教學提出準確的描述與詮釋（王文科、王智弘，2017；袁振國譯，2003）。

第三節　教育研究的基本過程

　　教育研究的過程包括了一連串連續性、有系統、嚴謹的活動，本節將詳細說明進行一項學術研究須包含哪些步驟。圖1-1是研究過程的詳細步驟，本節依據該圖說明研究歷程所應包括的各個步驟如下（林生傳，2003；郭生玉，1997；袁振國譯，2003；Gay, Mills, & Airasian, 2012）：

壹　形成研究問題

　　形成研究問題是研究過程中第一個也是最重要的一個步驟。先選擇一個自己感興趣的問題，而且這個問題是可以經由資料的分析而得到驗證或答案的，剛開始可以是一個不明確的問題，或是一個理論作爲思考的目標或方向，再經由文獻的閱讀與整理之後，會使得研究的問題愈來愈明確，因此在研究過程中，壹和貳兩步驟是交互進行、相輔相成的。在構思研究問題時，同時也要考慮到研究所

圖1-1

教育研究過程的步驟

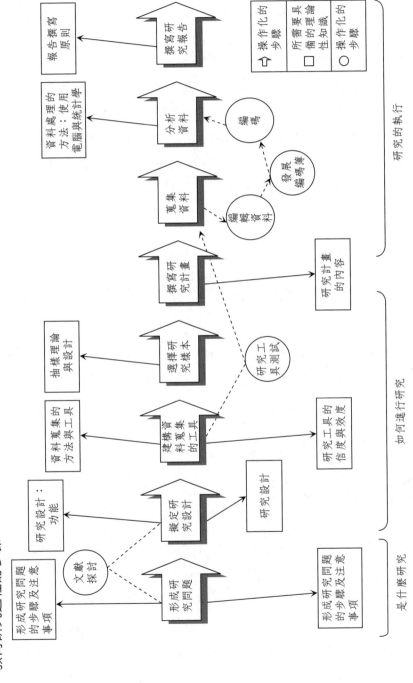

註：取自研究方法（頁21），胡龍騰等譯，2000，學富。

需用的經費、研究時間、研究者本身的能力，以及是否有誰可以指導等問題，例如：想進行量化研究，但統計學太弱，就要考慮如何補強自己欠缺的能力，或是改進行質性研究。

貳　檢討相關文獻與尋求學理基礎

在問題確定或有了大方向以後，就要蒐集重要的文獻資料，並且詳細閱讀整理，使自己對於研究問題的相關理論及研究結果具有深厚的知識，同時可以了解前人的研究設計有何缺失，自己可以提出比前人更具前瞻性的設計。經由相關文獻的探討，除可以使研究主題更加明確外，也可以發展出自己的研究設計與方法。

參　擬定研究設計

研究設計主要的功能便是在解釋或說明自己所要研究的問題，將要採用何種研究方法來尋求答案。一項研究設計應該包含：研究假設、研究步驟、所將進行事項的邏輯性安排、測量的程序、抽樣的策略，及資料分析的架構與時間。而且研究者需要了解這項研究設計的優缺點及限制，一項錯誤的設計將誤導研究發現，並且浪費人力及財力資源。

肆　建構資料蒐集的工具

任何成為研究資料蒐集方法的事物都稱之為研究工具，例如：觀察表、訪談大綱、問卷等。建構研究工具是研究進行時第一個實踐的步驟，研究者必須決定如何蒐集研究的資料，然後建構一項研究資料蒐集的工具。工具編製完成之後，要進行工具的預試，以確認工具的信效度。

伍　選擇樣本

研究推論的正確性與研究所選擇的樣本有極大的關係。任何抽樣設計的基本目標乃是盡可能節省預算，及減少樣本與母群體間明

顯的差異。抽樣的基本前提是：如果以科學方法抽出較少量的研究
對象，它便可提供母群體的眞實情況。因此抽樣理論基本上立基於
兩項原則：1.抽樣時避免偏誤；2.以有限的資源達成最大的成就。

陸　撰寫研究計畫

　　研究者在此階段要將所有研究的相關事項，以一種可以呈現完
整資訊的方式組合在一起，使研究的指導者及其他相關的人了解你
所要進行的研究，此便稱爲研究計畫。這個完整的計畫告訴讀者你
所想研究的問題，以及計畫如何進行調查、觀察或訪談。

柒　蒐集資料

　　在此階段便須確實地依據研究計畫蒐集資料，有很多方法可以
蒐集所需要的資訊。例如：使用人種誌的研究方法，研究者是透過
訪談、觀察等方法蒐集資料；如果正在進行一項實驗，實驗的處理
或實施之前或之後要蒐集哪些資料，研究者必須清楚了解；如果使
用調查研究，則須編製問卷來蒐集資料，並對問卷進行編碼，爲分
析資料做好準備。

捌　分析資料

　　這個階段是對所蒐集到的資料進行分析，資料的分析方式不
外質性與量化兩種，假如你的研究是以描述爲目的，則可以田野紀
錄爲基礎來撰寫論文或報告，或使用電腦程式來分析紀錄的內容。
假如想要以量化的形式來分析，便需要決定統計分析的方法爲何，
例如：次數分配、列聯表、迴歸分析、變異數分析或其他的統計分
析，並且要決定如何呈現分析的結果。在分析當中也有可能修訂或
發現有必要再擬定新的假設，並有必要進行進一步的資料蒐集，甚
至在進行資料蒐集與分析的同時，可能有新的疑問，因此再重新進
行另一波的文獻探討或理論建構，所以研究過程並非直線進行，亦
非既定不變。

玖　撰寫研究報告

　　分析資料後即得到研究結果及結論，接著就是撰寫研究報告，這是研究的最後一個步驟，也是研究過程中最困難的一個步驟。研究報告說明了你所做的一切，包括了你的發現及根據發現所做的結論與建議。在撰寫研究報告時，研究者針對結果必須詳細加以解釋，研究的結論也必須明白提出，這些重要內容不可遺漏。在撰寫報告時，應先詳細將綱要列出，然後依綱要撰寫各部分的內容，在結構方面須求嚴謹，推理需具有邏輯的關係。待初稿撰寫完畢後，再審閱全文，加以潤飾，並力求全文前後連貫。

問題與討論

一、以下主題屬於何種研究？

　　1. 教師對教師會的態度

　　2. 社經地位對自我概念的影響

　　3. 班級大小對學業成就影響之研究

　　4. 學生上課共用電腦的互動情況

　　5. 晏陽初的教育思想

　　6. 教師效能對學生成就的影響

二、為什麼要進行教育研究？

三、教育研究要研究哪些問題？

四、何謂量化研究？何謂質性研究？二者有何差異？

五、依方法的不同，教育研究可分為哪些類型？

六、請簡述教育研究的基本過程。

第2章

選擇研究主題

第一節　研究主題的來源

　　從何處可產生研究的概念或發現可研究的問題？這是一個初學研究法的學生所共同關心和想知道的事。因爲選定研究題目是一件相當不容易的事，在進行研究之前，研究者經常要花費相當多的時間來尋找研究主題；而且題目合適與否關係到一項研究的成敗甚巨，故在決定研究主題時不可不愼。以下提供一些思考的途徑供作參考（葉重新，2017；郭生玉，1997；吳和堂，2024）：

壹　從有關理論中探索研究問題

　　理論係由概括的通則和概念所構成，所謂概括的通則，就是指兩個或兩個以上現象間關係的敘述，它可用來預測現象。例如：個別指導會增加學生的學業成就，這個敘述就是概括的通則，如果此通則是正確的，則可預測接受個別指導的學生，其學業成就將較高。理論在於指引研究的方向，從一個良好的理論中，研究者可以推演出很多種的預測，這些新的預測就成爲可研究問題的重要來源。在進行教育研究時，研究者可以從以下的理論去尋找題目：1.學習理論；2.人格理論；3.社會心理學理論；4.教學理論；5.行政與管理理論；6.社會學理論；7.行爲改變理論等。此種依據理論而做的研究論文，或者是爲了驗證理論而作的研究，往往認爲比較有

深度。或則是引進其他領域的理論，例如企管理論，將會促進研究的創新與活化。

貳　從實際經驗中發現問題

研究問題的另一個來源，是從實際的教育工作情境中選擇需要解決的問題加以研究。這類問題的發現對於具有實際教育工作經驗者似乎比較容易。教師、教育行政人員、學校行政人員、輔導人員或臨床心理學家，為了解決自己在工作情境中所遭遇到的問題，常常從事這類的研究。就教師而言，從每日與學生的接觸中，可以觀察學生的各種行為及學生間的互動，這些觀察將是提供研究問題的豐富來源。例如：某位小學教師根據平日教學經驗所得，對資優兒童深感興趣，故以「國小中年級資優兒童的社會適應狀況」為題進行研究。

參　從相關文獻中尋找題目

凡是前人所做過的研究，所撰寫過的書籍、論述、期刊、雜誌、論文集等資料，都可以作為尋找研究題目的參考文獻。雖然研究題目的決定先於文獻探討，但當題目尚未明確時，研究者可先產生研究方向，決定所要研究的主題屬於何種領域，然後再去瀏覽最近五年內的相關文獻資料，如此研究的範圍就會逐漸地縮小，最後就會形成所要研究的題目。在碩博士論文中，進一步研究的建議是不可缺少的一部分，研究者可依據論文所提到的缺失，或是沒有控制到的變項，重新規劃新的研究設計，增加新的變項或控制其他變項，以探討研究結果是否相同。從過去研究中，研究者可以得到許多研究觀念的啟示，而發現或獲得有價值的研究題目。

肆　重複他人做過的研究

選擇研究題目最簡單的方法是把別人做過的研究題目拿來重做一次，這種方式與閱讀相關文獻有密切關係。重複研究的基本根據

是因爲有些研究的重要發現和過去的研究或理論衝突，對這些問題重複研究，具有相當的研究價值，其所持的理由如下：1.可以查核與驗證別人重要研究發現的眞僞；2.研究對象不同，可以查核他人研究發現可否應用到其他的母群體；3.研究時間不同，可以檢驗過去一段時間的趨勢或變遷；4.採用不同方法重複他人的研究，可以檢驗原來研究發現的效度；5.文獻資料多，進行研究比較方便。不過以這種方式所得到的題目，會被人批評爲缺乏創意，或有抄襲他人研究之嫌。在從事重複研究之前，研究者必須考慮下列的問題：1.重複研究該問題是否具有重要的價值？2.重複研究該問題是否能澄清原來研究的疑惑？3.是否有理由懷疑原來研究的正確性或效度？

伍 從教育改革及創新措施去找尋題目

現階段的時代，無論民間或政府，無論國內或國外，皆不斷在檢討舊世紀的教育，也在意想建構未來的教育，於是各種教育改革的政策不斷推出，教育改革的實際行動也不斷地展開。從對教育改革的嚮往、爭議、批判、探討與展望當中，可以獲得許多研究的主題，因爲教育改革不是一般的社會運動，它需要教育學術研究爲其先導。此外，教師在課程與教學的創新亦是研究主題的來源之一，新課程與新教學法對學生學習有何影響，經由有系統地蒐集資料即可獲得結論。在實驗教育、翻轉教學、108課綱、多元入學等改革所引發的問題，皆是尋找研究主題的重要徐途徑。

陸 向學者專家請教

對於想從事研究工作的人來說，如能向較有經驗的教授、專家請教，將會獲得相當大的幫助。向專家學者請教的目的乃在於協助自己釐清思路、掌握重點，並將一個複雜模糊的問題，發展成可供研究處理的主題。例如：利用機會和有關課程的教授、指導教授或研究機構的專家，討論自己興趣領域中的問題，往往可以發現一些值得研究的問題。因爲這些學者專家經年不斷進行研究，對於該領

域中的研究趨向和情形有充分的認識和知識，隨時可以提供一些研究的觀念，或在某個領域中尚未解決的問題。

<hr />

第二節　選擇題目的原則

好的研究題目有以下四種基本特性：可行性、明確性、重要性及創造性，以下分別說明之：

壹　研究題目必須具可行性

所謂可行性（feasible），指的是題目是能研究的，能以可得到的資源完成研究。具體而言，可行性包含以下兩項條件（裴娣娜，2004）：

一、客觀條件

除必要的資料、時間、經費、技術、人力、理論準備等條件之外，還要有科學上的可能性，有些題目看起來是從教育發展的觀點提出，但由於不符合現實生活情況，以致題目沒有實現的可能性。例如：「高等教育納入義務教育之可行性研究」這個題目，可行性就不是很高。

二、主觀條件

指研究者本人原有知識、能力、專長、經驗等，是否足以勝任這項研究工作，也就是要衡量自己的條件，選擇能發揮自己優勢專長的主題來進行研究。例如：統計基礎薄弱的研究者，在選擇研究主題時，就要避免探討太多的變項，或者是思考採用質性研究來構思題目。

貳　研究題目必須具有明確性

選定的題目一定要具體化，界限要清楚，範圍宜小，不能太籠統，初學者選擇題目最常犯的錯誤是範圍太大，範圍太大則無從下手，以下列舉範圍過大的題目，並經修改為明確獨特的小題目，以作參考（郭生玉，1997）：

國小資賦優異學生社會行為發展之研究（原來題目）

國小資賦優異學生人際關係行為之研究（修正題目）

國中教師人格特質對學生的影響（原來題目）

國中教師人格特質與學生學習動機之關係（修正題目）

國小新數學教材的教育價值研究（原來題目）

國小新數學教材對兒童邏輯推理能力之影響（修正題目）

除範圍太大這項錯誤之外，初學者常犯的錯誤還有以下幾項：

1.問題太小，範圍太窄，例如：「父母對親子共讀態度之探討」、「外籍母親與本國籍母親子女學業成就之研究」、「親職教育實施的方式」等題目，研究起來意義不大。

2.題目在現有的條件下不易進行研究，因資料缺少，例如：以「國中小學教師評鑑制度實施狀況調查研究」為題，因國內中小學教師尚未正式實施教師評鑑，故無從蒐集資料。

3.經驗感想之談，不是科學研究題目，例如：「遊戲對兒童的重要性」、「多元智能在幼兒園之運用成效」、「對108課綱實施之我見」。

參　研究題目必須有重要性

研究的題目必須是值得探究的，我們必須思考這個題目是否值得花時間和精力去找尋答案，我們會問：探討這個題目有什麼價值？它對於教育的知識有什麼貢獻？雖然每個題目都是出自個人的興趣，但僅是個人的興趣並不足以構成探究某個主題的理由，因為大部分的研究都需要花費相當的時間、精力、材料、金錢等資源，

因此研究結果必須獲得一些有用的成果或相當的益處。因此,當我們在進行研究的準備工作之前,要仔細思考這個研究案的價值,以下有三個問題可以協助我們思考(楊孟麗、謝水南譯,2021):

    1. 這個題目的答案可以增進相關領域方面的知識嗎?

    2. 這個題目的答案可以改善教育實務嗎?

    3. 這個題目的答案可以改善人類的境況嗎?

第一個問題是強調研究主題要有學術的價值,是否可以檢驗、修正、創新和發展教育理論,甚至進一步可建立科學的教育理論體系。第二個問題強調應用上的價值,我們所選擇的研究主題是否符合社會發展、教育事業發展的需要,是否有利於提高教育的品質,或是促進青少年全面的發展(裴娣娜,2004)。針對這幾個問題想想可能的答案,就能幫助我們判斷研究問題的重要性如何(楊孟麗、謝水南譯,2021)。

肆 研究題目必須具有創造性

創新是科學研究的靈魂,亦是科學研究的生命,在科學研究過程中,我們必須選擇那些具有創造性或創新性的主題進行研究,單純重複別人的研究就失去了科學研究真正的涵義。像炒冷飯或趕流行都是缺少創造性的作為,研究者如能做到敢於想像、大膽創新、深入探索的程度,如此想做出開創性的成績是可以預期的。當然創新不是無中生有,必須透過廣泛深入地閱讀相關文獻之後,才能提出新穎的研究設計。研究的創造性表現在以下幾方面(張景煥等,2000):

一、具有時代感

教育研究主題的選擇要緊緊圍繞著時代、社會的需要和發展的趨勢,不同時代、不同時期的社會發展不同,教育研究的目標就有所差異,研究的主題就會發生變化,研究者必須追隨時代和社會發展的步伐,選擇富有創意的、表現時代特色的課題。例如:素養導

向教學、108課綱的研究、教育改革的研究、教育產業如何因應少子化現象的研究等，均具有較強的時代特色。

二、具有新內容

教育研究要選擇前人或他人沒有研究過的主題，或選擇教育領域中出現的新問題、新情況作為研究主題。例如：新式教學模式、各級學校教育的改革、新課程的實施、全球化與教育、多元文化教育等主題都具有新的內容。

三、尋找新角度

即從新的角度、用新的思路研究前人或他人已經研究或正在研究的問題。這類研究不是簡單地重複已有的研究，而是經過創新性思考，從新的角度去挖掘教育現象根源，賦予已有理論觀念以新意，或驗證、修改、發展已有的理論。例如：對教師專業能力的提升問題，很多研究著作多從教師應具備的條件方面進行研究，而我們則可以從教師的培養、選拔、聘任、考核、評鑑、流動等新角度進行再研究。

四、採用新方法

教育研究的方法論和方法學本身就是一個重要的研究課題，對同一個問題，採用不同的方法可能得到不同的結果。許多研究主題之所以難以取得理想的結果，其中一個重要的原因就是研究方法難以突破，若採用一種新的研究方法，即使是重複性的研究也會因新方法的使用而賦予新意。在選擇題目時，如能同時兼顧可行性、明確性、價值性及創造性，這將是一個相當值得研究的題目。

第三節　研究題目的陳述

　　了解選擇研究題目的原則之後，本節進行實務工作的探討，即討論如何撰寫研究題目。

壹　研究題目由概念或構念所組成

　　一個好的研究主題通常由一個或若干個概念（concept）或構念（construct）組成，概念是有關某些事件、事物（objects）或現象的一組特性，用來指出某個欲探討對象及本質，或解釋某行為現象。在各研究領域中，每門學科都有約定俗成所發展出來的概念，來當作大家溝通的專業語言（張紹勳，2001），所以研究通常是一種概念的活動，在試探、進行、檢驗若干概念的關係及其交互活動。一人、一事、一物內涵具有甚多屬性，可以作不同的抽象化，並給予不同的概念，例如：從學生身上可以抽象出身高、體重、胸圍、體適能、氣質、風度、品格、智力、性向、學習風格等概念。每個概念內涵有一定的屬性，應予明確定義，如此，即可利用概念來進行認知與研究（林生傳，2003）。

　　構念也是概念的一種，通常是由概念演繹而來，並不必對應於客觀存在實在界事物的屬性，可能純屬憑空杜撰，例如：意識形態、本我、自我、超我等稱之為構念（林生傳，2003）。構念與概念的區別除了構念未必真實存在之外，另一個區別是構念是可以測量的，例如：聰明是屬於概念，其對應的「IQ」就屬一個構念（張紹勳，2001）。

　　總之，概念或構念是科學研究的基本單位，如果從研究主題或論文題目，對它們作歸納分析，可以發現題目通常均是由概念或構念組成的，例如「國中學生智力、學習式態與學業成就的關係」，就是由智力、學習式態、學業成就三項構念及國中學生一項概念所組成。又如「教師角色期望」、「角色扮演」、「工作滿足感」皆

屬於構念，概念或構念愈清楚明確，愈能被接受為學術的命題（林生傳，2003）。

貳 釐清研究主題中重要名詞的定義

當我們在思考研究題目時，常會使用一些模稜兩可的用字，像「有效」、「人本取向的教室管理」、「主動學習」、「核心課程」等名詞，在第一眼會覺得是很容易理解的，但要去定義這些名詞並不如我們想像的那麼容易。儘管在某些情況下，模稜兩可是為了特定目的，因而有其價值存在，但對於想要研究問題的研究者就構成一個難題，研究者別無選擇地，需要對於研究主題中的名詞作精確界定，讓人知道到底要研究什麼（卯靜儒等譯，2004）。

有二種方式較常用來釐清研究主題中的重要名詞，第一就是使用概念性定義，第二是操作性定義，以下分別說明這二種方式：

一、概念性定義

概念或構念必須精確地界定概念的性質與範圍，以增加研究的嚴謹性。概念性定義（conceptual definition）比較通俗、抽象，適用的範圍較廣，一般辭典、百科全書上的定義屬於此類，例如：對於智力的概念性定義為「抽象思考能力」、「適應環境能力」或「學習能力」等；對學習動機的概念性定義，則有「努力用功」、「熱切投入」、「對某一工作持久用心」三種（卯靜儒等譯，2004；林重新，2001）。一般在進行研究時都會先針對研究的重要名詞下概念性定義，概念性定義必須符合下列條件：1.涵蓋完整（all inclusive），即強調定義的完整性；2.不能自我定義；3.不能用負面排除法，例如：要定義狗不能用「狗不是貓」的方式；4.該定義要能建立共識（shared meaning）（張紹勳，2001）。然而這種定義方式仍有其限制，並無法正確釐清重要名詞在研究中的真正涵義。

二、操作性定義

概念性定義比較籠統，不容易測量，不符合量化研究可以精確、具體衡量的標準，因此在實地進行研究時，都必須再將概念性定義再轉化爲操作性定義（operational definition）（林重新，2001）。所謂操作性定義是指某個概念是可以觀察、可以測量的，研究者要詳細說明測量這個概念必要的行動及操作，例如：以魏氏智力測驗的結果定義爲智力，以自我態度測驗的成績來代表一個人的自我概念的高低，以學生升學率來定義辦學的成效（林重新，2001）。當我們想測出學生的學習能力或閱讀能力，並使之量化，就必須採用一些工具來實現這一目的，通常是以問卷、測驗爲工具。以下是操作性定義的實例（袁振國譯，2003）：

1. 學習能力：在斯比（Stanford-Binet）智力量表LM表格中的分數。

2. 科學能力：在愛荷華（Iowa）基本技能測試科學層面分數。

3. 擴散思考：磚的用途（brick uses）測試的得分。

雖然操作性定義有其優點，但研究者若僅提供操作性定義，常會讓人無法完全了解，當你讀到「語言精熟度定義爲學生的TOLD考試成績」，可能不了解其意義爲何，除非你知道TOLD這個測驗，因此操作性定義必須伴隨概念性定義一起呈現（卯靜儒等譯，2004）。此外，我們也要知道並沒有方法來決定操作性定義是否有效，對於定義的適當性與否，研究者必須說服別人接受你的論點（潘中道等譯，2014）。確定研究主題之後，有必要將研究中的重要概念加以界定，讓讀者明白某個概念在本研究中是如何被界定的。通常學位論文在第一章之中，會有一節要撰寫名詞釋義，研究者就要將概念性定義與操作性定義同時並列。

參 研究題目標示重要變項

研究題目應將重要變項（variable）標示出來，讓人一看就清

楚了解我們所要研究的主題爲何。變項是社會科學研究中一個極爲重要的要素，變項是可能出現不同數值或不同性質，或不同評價概念，通常概念或構念除少數爲不變的常數外（例如圓周率），大部分都屬變項或變因，變項出現的數值稱爲變數（variance）（林生傳，2003），例如：年齡、身高、智商、種族背景、婚姻狀況都是變項。教育的研究是以群體爲主，而不是個體，因此變項是一個關於群體的概念，像性別這個變項，可以分爲男性及女性兩個群體（唐盛明，2003）。在組成研究主題的概念中，多數是以變項的形式來陳述，在研究主題所衍生出的待答問題，更是對焦於探討變項的變異及變項之間的關聯與影響（林生傳，2003）。變項的類別可細分爲以下幾類：

一、以變項間的關係區分

依據變項間的關係，可將變項分爲自變項、依變項、中介變項及外在變項。在研究主題或待答問題上，應明示變項的關係，並區分何者爲自變項，何者爲依變項，又何者爲中介變項，以便於研究的設計。

(一) 自變項與依變項

自變項（independent variable）是指一個變項獨立而且不受其他變項影響，因此又稱爲獨立變項，例如：性別、年齡、教育程度、婚姻狀況、系別、年級等屬於自變項。通常自變項屬於被處置變項或被操弄的變項，也就是研究者加以操弄的變項，以評估它們對另一個或多個變項可能的影響（林生傳，2003）。自變項被預設爲會對另一個變項有某種影響的變項，而在研究中會被影響的變項則稱爲依變項（dependent variable）（或稱結果變項、效標變項）。以一般的用語表示，依變項的性質是「依」自變項對其所作的影響而有所差異。並非所有的自變項都可被操弄，例如：研究兒時數學成就與成年後的職業選擇之間的關係時，研究者會將前者稱爲自變項，而成年後的職業選擇稱爲依變項，但是數學成就並無法

接受操弄。研究者亦可研究多個自變項，也可研究一個以上的依變項。但為了使我們的說明簡單明瞭，我們只舉一個依變項和一個自變項的例子：國中生學習興趣與學業成就關係之研究，自變項與依變項之間的關係可以圖2-1描述如下：

圖2-1

自變項與依變項關係

(二) 混淆變項

　　混淆變項（confounding variable）是指自變項以外，一切會影響到依變項的因素。在許多簡單的科學研究裡，大都僅在探討自變項與依變項的關係，例如：教學方法與學生學業成就之研究，研究所得到的結果是教學方法會影響到學生的學業成就，在這個研究裡，「教學方法」是自變項，「學業成就」是依變項。然而，事實上影響學業成就的因素並不只是「教學方法」而已，諸如學生的性別、智力、學習動機，甚至父母的社經地位都會影響到學生的學業成就，像這些會影響到依變項，而不屬於自變項的因素，就是所謂的混淆變項。混淆變項有時會被研究者加以操弄或控制，有時則不加以理會，當混淆變項被視為影響依變項的因素或原因，而加以操弄或安排時，則混淆變項又可稱為控制變項（controlled variable）（周文欽，2001）。混淆變項又可分為中介變項及外擾變項。

　　1. 中介變項

　　中介變項（intervening variables）是介於自變項與依變項之間的變項，對依變項而言它是自變項，對自變項而言它是依變項。中介變項在自變項對依變項的影響歷程裡面，屬於在兩者之間發生中

介作用的變項，也就是自變項與依變項的關聯或影響依中介變項而異（林生傳，2003）。例如：「高職學生人格特質、情緒智力與學習成就關係」這個題目裡面，人格特質可視爲自變項，情緒智力可視爲中介變項，學習成就則屬於依變項。

2. 外擾變項

外擾變項（extraneous variable）或譯爲干擾變項，在現實生活的情境中，有很多原因會影響到依變項的改變，這些因素卻無法在研究中被測量出來。所以外擾變項就是指自變項之外，一切可能影響依變項的客觀因素，例如：研究的物理環境、受試者的性別、年齡、教育程度、職業及社會地位等（周文欽，2001）。以「教學方法與學生學業成就之研究」爲例，「性別」、「父母教育程度」、「學習動機」等三變項也可能影響到學業成就，則各個變項的關係可以圖2-2說明之。

圖2-2

混淆變項、自變項與依變項之關係

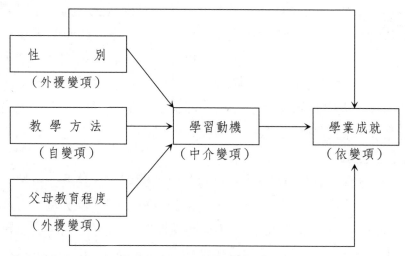

註：引自研究方法概論（頁38），周文欽，2001，空中大學。

二、以變項的性質來區分

依變項的性質，可以將變項分為數量變項與質性變項兩種。

(一) 數量變項

數量變項（quantitative variables）以不同程度的方式存在於一條數線上，由較少逐漸增加為較多，而且我們可以利用數字來表示某個物體或某人在該變項的多寡。一個明顯的例子就是高度或重量。我們也可以用數字來代表不同的人對於某個科目的「興趣」，例如：以5表示極感興趣，4表示感趣，3表示有點興趣，2表示興趣低，1表示興趣極低，0表示對該科目完全沒興趣。若以類似這種方法分派數字，我們就獲得了「興趣」這個變項（徐振邦等譯，2004）。

數量變項又可分成連續變項（continuous variable）和間斷變項（discrete variable），凡是在某一範圍內可得到特定數值的變項就稱為連續變項，例如：身高、體重、收入、學業平均成績及態度分數等，這些變項在測量時都能在測量尺度上得到一個數值，像收入可以元來測量，年齡可用年或月來測量（潘中道等譯，2014）。凡不能得到任何數值，而只能出現特定數值的變項則稱為間斷變項，也稱為不連續變項，例如：汽車數、人數、投票數等都屬於間斷變項，雖然我們會看到平均每戶有1.7部汽車，平均每天有11.1對夫妻離婚，不過那只是理論上的概念而已，事實上是不可能發生或出現那樣的數值（周文欽，2001）。

(二) 質性變項

數量變項常可再細分為更小的單位，例如：「長度」可用公里丈量，也可用公尺、公分，或任何比公分更小的單位丈量。質性變項（qualitative variable）就沒有量或程度上的變化，而是在質上有所不同，故質性變項又稱為類別變項（categorical variables），例如：眼珠的顏色、教育程度、性別、宗教信仰、職業、棒球隊裡的守備位置，以及研究中的「處理待遇」（treatment）或「方法」

均屬之。假設有個研究者想研究使用不同教學法的老師教學成效有無差異，就可以去找使用不同教學法的老師，並將之分類成：純粹講課、利用投影片教學及使用分組報告三種（徐振邦等譯，2004）。在一般的研究裡，自變項通常是質性變項，依變項則常是數量變項，不過有時為了研究的需要，也可將數量變項轉化成質性變項，例如：可將月收入在十萬元以上者界定為「高所得者」，五萬至十萬元者為「中所得者」，五萬元以下者為「低所得者」（周文欽，2001）；第二個實例是研究者將「焦慮」這個變項只分成兩種：「高」焦慮的學生與「低」焦慮的學生，這時這位研究者就是將「焦慮」視為類別變項。雖然這樣做沒什麼不對，但最好的情況是將這種變項以數量變項處理，因為在觀念上，我們覺得焦慮這種變項是程度的問題，而不是「有」或「無」的情形（徐振邦等譯，2004）。辨別數量變項與質性變項的最簡單方法如下：可以進行加、減、乘、除四則運算者為數量變項，無法進行四則運算者為質性變項（周文欽，2001）。

肆　研究題目在探討二個變項以上的關係

大部分的教育研究，研究的變項不外以下三種情況：1.兩個（或兩個以上的）數量變項關係；2.一個（或兩個以上）類別變項和一個（或兩個以上）數量變項間的關係；3.兩個或兩個以上的類別變項間的關係。以下是這些組合的例子（周文欽，2001；徐振邦等譯，2004）：

一、兩個數量變項

- ·年齡與喜歡上學的程度
- ·閱讀成就與數學成就
- ·教室內的人本主義氣氛與學生的動機
- ·看電視所花的時間與攻擊性行為

二、一個類別變項和一個數量變項

- 教導閱讀的方法與閱讀成就
- 輔導的方法與焦慮的程度
- 國籍與喜歡上學的程度
- 學生性別與教師所給予的讚美

三、兩個類別變項

- 種族與父親的職業
- 教師的性別與所教的科目
- 行政風格與大學時的主修科系
- 宗教信仰與所屬政黨

四、三個以上的變項

- 國小教師自我效能、班級經營策略與班級經營成效
- 父母教育期望、家庭文化資本與兒童學業成就
- 學校文化、組織氣候與組織效能

伍　研究題目可標示研究對象及方法

　　研究對象就是研究結果所要應用的範圍，通常研究對象可以標示在研究題目的前端。例如：國中教師工作壓力之研究、國小教師教學態度之研究，國中教師及國小教師即為研究對象（葉重新，2017）。有時題目的後端也會加上本研究所使用的方法，清楚地告訴讀者其所使用的研究方法是什麼。例如：全國高職鑄造實習工廠安全衛生調查之研究、國民小學教師兼任文書職務之工作滿意度調查研究、創意教學之實驗研究等。

　　此外，研究對象所屬地區亦可以標示在研究題目的最前端，例如：臺北市國中轉學生學校生活適應之研究、臺灣中部地區國中轉學生行為困擾之研究。如果不標示地區，容易使讀者誤以為研究

範圍是某一所國中，或全臺灣地區的國中。如果研究題目不標示地區，研究者應在論文第一章緒論的研究範圍部分詳加說明（葉重新，2017）。

 ## 陸 研究題目參考範例

以下列舉幾篇碩士論文題目作爲撰寫題目的參考：

- 國中生國文科學習態度、學習困擾、因應策略與學習成就關係之研究
- 技術型高中學生課程認同、學習態度與學習困擾之相關研究——以製圖科學生爲例
- 國中技藝教育學程學生的生活壓力、因應行爲及其相關因素之探討
- 幼教師對正向管教之教學信念與策略研究
- 大學生多元智慧與職業興趣關係之研究
- 國小學生道德教學之實驗研究
- 桃園市高中職學生吸菸行爲之相關探討
- 英國中小學教師評鑑制度研究
- 國小高年級學生英語課全語言教學之行動研究

第四節 選擇研究題目的再思考

當選擇了一個研究問題或主題後，仍有許多注意事項必須牢記在心，這些注意事項可幫你保證所將進行的研究是可控制的，並且可以維持自己的研究動機（潘中道等譯，2014；郭生玉，1997；葉重新，2017）：

壹 研究興趣

選擇一個自己眞正有興趣的主題：這是最重要的注意事項之

一，一項研究所投注的心力經常需要耗費許多時間，並且涉及許多艱困的工作，以及一些不可預知的問題。假如你選擇了一個自己不是很有興趣的主題，則此將很難維持研究所需的動機，因此研究完成的時間恐將受到影響。

貳　研究的廣度

對於研究的過程你應該具備足夠的知識，才能預見完成研究時所需牽涉到的工作有哪些，儘量縮小研究的範圍，直至問題可掌控、夠明確且非常清晰的程度。選擇一個在時間與資源上你都可以掌控的主題是非常重要的。

參　概念的測量

在研究中若涉及到某一個概念，必須確定自己對此概念的指標及測量非常清楚，例如：假設你準備去測量一項兒童健康促進方案的實施成效，則你必須對於決定成效的因素及這些因素該如何測量非常了解，不要在自己的研究問題中使用不知該如何測量的概念。有時在沒有適當的工具可測量的情況下，研究者要有試著發展測量某個概念的心理準備。

肆　專業的程度

確定自己對所要完成的工作有足夠的專業知識，除教育學術知識外，研究設計與統計分析的技術，都是研究所需的專業知識。事實上，從研究過程中學到很多東西，而且會得到研究指導者及其他人的幫助，但也不要忘記畢竟大部分的工作還是需要自己完成。

伍　與自己的所學專長相關

要選擇一個與自己專業相關的主題，且確定研究可以增加自己已具備的知識體系，填補自己現有的不足，或是可對政策的形成有所助益，如此將可維持自己研究的興趣。

陸 研究的倫理

在形成研究問題時，另外一個重要的注意事項便是所牽涉到的倫理問題，在進行一項研究時，研究者應考慮研究題目是否違背專業倫理道德、違反人性或侵犯人權，凡是研究會傷害受試者身心健康、侵犯個人隱私者，均不宜進行研究。研究在進行這類研究時，該構思要如何克服這些問題，這些將在研究問題形成的階段來探討。

第五節 選擇研究題目的流程

選擇題目要從產生研究動機到決定研究方向，從初步的研究構想到產生明確的研究問題，均要經過一段嘔心瀝血的歷程，以下五個步驟是用來選擇研究題目的流程，因為這些項目都有密切關係，要同時做處理。

壹 確定研究之領域方向

在一般情況之下，選擇研究題目的第一個步驟多是從個人興趣的範圍，或個人的專業目標中，確定研究主題的領域，這個領域通常是屬於比較廣大的問題類別，例如：課程發展與設計、學校行政、師資培訓、學習歷程與方法、輔導與諮商、青少年問題等；或者是以學科領域做分類，像教學、教育社會學、教育心理學、教育行政學等。研究者必須先問自己對哪一個類別最有興趣，而且最有能力和經驗背景從事該問題的研究（郭生玉，1997）。

貳 分析研究問題

方向確立之後，就要對這個方向上要研究的問題進行分析、篩選，在這個方向或領域可能有很多的問題需要研究，例如：研究學生的學習問題，是要從學生心理方面來探討？還是要從教學策略、

教學方法或班級經營來切入？研究者要針對這些問題進行分析梳理，選取其中一個主題進行研究（張民生、金寶成，2003）。

參 分析研究背景

　　主題選定之後，要透過分析研究背景來確立這一主題有沒有研究的必要，如果一提出主題就貿然投入很多的精力進行研究，很可能只是重複別人早已進行過或結論已被公認的研究，研究者要思考以下的問題（張民生、金寶成，2003；張景煥等，2000）：

　　1.題目有什麼理論價值和實務價值？

　　2.是否有人進行過同類問題或相關問題的研究？取得了怎樣的成果？

　　3.本主題與別人已經或正在研究的同類主題，在目的、對象、方法等方面有什麼不同？

　　4.哪些已有的理論、觀點、方法可供本研究參考或應用？

　　我們可以透過蒐集文獻資料、向有關領域的專家諮詢、與指導老師或同學討論等方式，來評估研究題目之適切性如何。

肆 確定研究題目與範圍

　　確定研究方向，也對問題背景有了大致的了解以後，接著就要確定研究題目與研究範圍。這裡的研究範圍包括研究目的、研究變項及研究問題，依照研究目的形成研究問題（或待答問題），使研究問題更加具體化。

伍 選擇研究方法

　　在選題的過程中，要根據具體研究目的、研究問題和研究對象的特性，決定要用哪種研究方法來蒐集和處理資料。例如：要研究幼兒的學習問題，用問卷調查法可能不適合，因為幼兒無法閱讀，較恰當的方法是用深度訪談法。

問題與討論

一、從哪些途徑可以找到所要研究的題目？

二、以下是幾個變項，哪些是數量變項？哪些是類別變項？

　　1. 汽車廠牌

　　2. 學習能力

　　3. 種族

　　4. 凝聚力

　　5. 心跳速率

　　6. 性別

三、請為「學習動機」下一個概念性定義及操作性定義。

四、在決定研究題目時，我們要注意哪些原則？

五、依變項的關係，可以區分成幾種變項？

六、請依本章所述之原則將以下題目修改成實證研究之
　　題目：

　　1. 九年一貫課程之我見

　　2. 如何實施親職教育

　　3. 最佳學習英語之年齡

　　4. 多元智慧在教學的應用

　　5. 社經地位與學業成就之關係

第*3*章
文獻探討

===== 第一節　文獻探討的性質 =====

　　研究過程的前期工作之一是查閱及閱讀與主題相關的文獻，這是教育研究中的一個重要步驟，甚至伴隨著教育研究的全部過程。本節主要在針對文獻探討在研究過程的重要性作一說明，分別從文獻探討的意義、功能兩方面來闡述。

壹　文獻探討的意義

　　文獻（literature）是把人類的知識用文字、圖形、符號等手段記錄下來的有價值的典籍，是記載及傳遞人類知識的重要形式（張景煥等，2000）。文獻的涵義極廣，泛指一切以紙本或電子媒體所呈現的資料，主要包括：期刊、報紙、摘要、評論、圖書、雜誌、研究報告、微縮單片（microfiche），以及在網際網路上的電子資料等。而review一字，其字義不僅是閱讀而已，尚含有回顧、檢討、整理、批評之意（吳明清，2004）。

　　文獻探討（literature review）乃是針對一個研究問題的相關文獻進行蒐集、評鑑、分析、歸納和統整的工作。也就是與研究問題有關的文獻，作有系統的鑑定、安排與分析後，再予以評述（review）、綜合（synthesis）或摘述（summary）。文獻探討旨在使研究者熟悉與主題有關的知識，了解與研究主題有關的概念、理論、重要變項、各構念（constructs）的概念型定義及操作型定

義，並掌握其他人已經研究過的問題、研究假設及研究方法，以充實理論架構及引導研究設計（董奇、申繼亮，2003）。

貳 文獻探討的功能

　　文獻探討的過程集中於三個問題，即：1.在哪裡可以找到需要的資料？2.資料找到之後，需做什麼？3.資料要如何整理？第一個問題最容易回答，研究所需的資料或文獻大部分可在圖書館找到，通常是透過查閱如索引之類參考工具書，或透過電腦檢索取得所需的資訊；所提到的第二個問題涉及資料的蒐集與撰寫摘要的問題，若所發現報告的內容與正在進行研究的問題有關，資料需以適當的方式予以處理；至於第三個問題比前兩個問題顯得抽象，前兩個問題，研究者只要尋找資料，以及確立取得資料的程序即可，第三個問題則需要研究者就所獲得的資料加以判斷，哪些部分是與研究問題有關？研究的資料要如何呈現？也就是在作文獻探討時，需要就有關資料稍作批判性分析，然後再將有關的資料結合起來（袁振國譯，2003）。由以上的分析可知，文獻探討負有以下重要的功能（王文科、王智弘，2017；Ary, Jacobs, & Razavieh, 2002）：

　　1. 研究者藉由充分閱覽有關的理論與研究，方能掌握研究問題的重要觀點。

　　2. 研究者透過閱覽有關文獻，可以限定問題的範圍，以免失之廣泛或失之狹隘，且有助於釐清與界定研究涉及的概念。

　　3. 研究者運用批判性閱讀方式來閱讀有關的文獻，就可以對某一問題的矛盾結果提出合理的解釋。

　　4. 研究者經由研讀有關研究文獻，可得知哪些方法論已被證實有用，哪些方法論似較值得斟酌。

　　5. 研究者充分地閱讀有關文獻，可以了解某一領域的研究成果，也可避免複製前人的研究。

　　6. 研究者藉著研讀相關的文獻，在解釋自己研究結果與發現時，可以引用他人研究成果來加以印證與比較，所得結論更具說服力。

第二節　文獻的種類與來源

壹　文獻的種類

由於教育研究成果的記載和傳播方式相當多元化，因此教育文獻的種類也是相當多元，依照不同的觀點可區分為幾種不同的類別：

一、依文獻的公開性來劃分

依文獻的公開性，可將文獻分為正式文獻和非正式文獻：

(一) 正式文獻

正式文獻指正式出版的專書、論文、期刊、教科書、學報、專刊等，一般而言，正式文獻是由政府或出版社遵循出版品的管理程序，向國家圖書館登記，並取得一個ISBN號碼，這樣的文獻才屬於正式文獻。

(二) 非正式文獻

非正式文獻指未正式出版的各種論著、研究報告、技術報告、統計資料，以及私人的通信、日記、筆記、手稿等。一般被引用最廣的文獻之一是各研究所的碩博士論文，因未正式出版，所以屬於此類。

研究者在從事資料的查閱和引用時，應該以正式出版的文獻為主，因為這些資料較容易獲得，較符合科學的可驗證性；非正式文獻因未在市面上流通，故取得不易，有時難以判定資料的真偽，除非是在正式文獻中找不到相關的資料，否則儘量少引用非正式文獻。

二、依文獻的加工程度分

依文獻的加工、整理程度，可以將資料來源分為以下三種類型（卯靜儒等譯，2004；McMillan & Schumacher, 2001）：

(一) 一般性參考資料

一般性參考資料（general references）經常是研究者首先參考的資料，研究者可從一般性參考資料中了解，要去哪裡搜尋其他與研究問題有直接相關的資料來源，例如論文、專論、書籍和其他文件等。最常用的一般性參考資料，一種是「索引」（indexes），它列有論文的作者、題目、出版地點和其他資料；另一種是「摘要」（abstracts），它列有各種出版品的簡短摘述，當然也有作者、題目還有出版地點。教育研究常用的「索引」是 *Current Index to Journals in Education*，而心理研究常用的「摘要」是 *Psychological Abstracts*。

(二) 初級文獻

初級文獻（primary literature）或稱為第一手資訊（firsthand information），是指研究者將他們研究結果提出發表的出版品，作者將他們的研究發現直接告訴讀者。教育方面大部分的初級文獻來源是「期刊」（journal），例如：《教育研究集刊》、《當代教育月刊》、*Journal of Educational Research*、*Journal of Research in Science Teaching* 等，這些期刊通常是月刊、雙月刊或季刊，登載的論文多半是實徵性研究的結果報告。學報及各種專題研究的研究報告和學位論文也是屬於此類資料。

(三) 次級文獻

次級文獻（secondary literature）或稱為第二手資訊（second hand information），是指對初級資料加以分析、比較和整理後所提出的綜合資料，次級文獻可提供某一學術領域的綜覽、某一主題的一般知識，在教育方面最普遍的次級資料來源是教科書（textbooks）。例如：教育心理學的教科書，可能會描述心理學所做的研究，藉以闡明觀念和概念。其他常用的次級資料來源包括：「教育百科全書」、「研究評論」（research review）和「年鑑」（yearbooks）。

在進行文獻探討時，最好直接參考第一手資訊，當研究者決

定論文題目開始找尋資料時，通常先參考一種以上的一般性參考資料，以找尋初級和次級資料來源，有時也可透過次級資料再找出初級資料來參考。如果想迅速了解對一問題的研究大概，次級資料來源可能是最佳的選擇，但若要詳細了解其他人已經做過的研究資料，當然要參考初級資料來源。

貳　文獻資料的來源

文獻資料的載體形式可分為：文字文獻、音像文獻、機器閱讀文獻，但紙本、微縮影片（microfilm）及電子檔案這三種文獻是教育研究中較為重要的資料形式，紙本資料主要的來源是圖書及期刊，期刊的種類相當多，要尋找想要的文章有如大海撈針，因此一些的索引和摘要就是要來協助讀者如何找到想要的文章，索引和摘要就是前文所稱的「參考資料」。本小節僅就紙本資料說明文獻資料的主要來源，至於電子資料部分則於下節專門介紹（王文科、王智弘，2017；吳明清，2004；卯靜儒等譯，2004；張景煥等，2000；McMillan & Schumacher, 2010）：

一、圖書

圖書包含：教育名著、教育專書、教科書及通俗性讀物，資料性工具書，如辭典及百科全書本書則列為參考資料。圖書是教育文獻中品種最多、數量最大、歷史最長的一種資料來源。圖書之中以教育專書在文獻探討上最具參考價值，故最適合應用在教育研究之中，雖然專書大都屬於次級文獻，但從專書所附的參考文獻目錄，研究者可以找到初級文獻。教科書包含教育學某一分支有關理論與研究成果的介紹、分析，具有較強的科學性、系統性，當研究者欲了解某領域基本概念與理論時，教科書可以提供公認的觀點。

在圖書館尋找圖書時，往往先由電腦查詢該書的索書號碼，然後到放置圖書的位置去取書。圖書的放置一般是依照圖書類別分別放置，如能對分類法有粗略的認識，在找書時會比較迅速。中文

圖書的分類法有二：「中國圖書分類法」、「中國圖書十進分類法」，教育類圖書在「中國圖書分類法」是編爲520-529，在「中國圖書十進分類法」則是編爲370-379。西文圖書的分類則分「杜威十進分類法」、「美國國會圖書館分類法」兩種，「杜威十進分類法」與中文的「中國圖書十進分類法」相同，教育類圖書編在370-379；「美國國會圖書館分類法」則將圖書分爲二十一類，每一類均以英文字母爲標記，每一類再細分爲若干類，例如：教育類以英文字母「L」來分類，LA爲教育史、LB爲教育理論。

二、百科全書

百科全書（encyclopedia）是一種綜合性資料，其內容包含知識的全部領域，而其表達方式則是深入淺出。因此在涉獵某一知識領域，而期望有輪廓性的了解時，可以參閱百科全書。目前國內圖書館大都可以找到《大美百科全書》（*Encyclopedia American*）或《大英百科全書》（*Encyclopedia Britannica*），這是一般性的百科全書。至於專業性的百科全書在從事研究時則較具價值。中文方面目前尙無教育方面的百科全書，只有商務印書館出版的《雲五社會科學大辭典》及文景出版社出版的《教育大辭典》具有類似的功能。至於英文方面的百科全書，比較重要的有：*The Encyclopedia of Education*、*Encyclopedia of Educational Research*、*International Encyclopedia of Education*、*International Encyclopedia of Teaching and Teacher Education*等。

三、學位論文

學位論文是大學碩博班的研究生，對某一學門內的主題進行研究，所提出的書面研究報告。學位論文主要有碩士和博士論文兩種，在英文的用法上，前者稱爲thesis，後者稱爲dissertation。學位論文有指導教授的指導，須經專家學者的審核通過（口試），所以具一定的水準，是一項值得參考的資料。但大多數的學位論文都

未公開出版，以致在參考或使用上並不方便，還好電腦網路的興盛，國家圖書館開發應用的《臺灣博碩士論文知識加值系統》，可以檢索到論文摘要及下載部分論文的全文。不少大學也建立學位論文電子資料庫，直接由網路上即可下載所需要的論文摘要或全文，可以節省許多檢索資料的時間。國外的學位論文以美國、加拿大地區的博士論文較受重視，澳洲大學的學位論文近幾年也受到臺灣地區的重視。國外的學位論文可以透過"ProQuest Dissertations & Theses Global"這個網站購買及下載。

四、手冊、年鑑與統計

手冊（handbooks）和年鑑（yearbooks）是對某一特殊學科領域的實務和研究的彙編，類似百科全書，但沒有百科全書的龐雜，從手冊和年鑑，可以清楚了解到教育特殊領域的研究概況。例如：《學校領導者研究年鑑》（*Annual Review of Research for School Leaders*）可由"Evidence Reviews"這個網站查閱到相關資料；原先出版紙本的《心理測量年鑑》（*Mental Measurement Yearbook*）也都轉型爲網路版。年鑑與統計都有時間性，從年鑑中可以全盤了解某一定期間的發展情形，從統計中則可以知道有關的數字資料。因此閱覽年鑑與統計，不僅可作歷史的追溯，也可作未來趨勢的分析。從事教育研究工作，宜隨時查考《中華民國教育年鑑》與《中華民國教育統計》，兩者均爲教育部所編的官方資料。如果關心世界多國教育發展狀況，則宜查閱聯合國教育科學文化組織所編印的《世界教育年鑑》（*World Yearbook of Education*）。

五、期刊

期刊是定期或不定期的連續出版物，有週刊、月刊、雙月刊、季刊等，其性質可分爲：學術理論性期刊、情報性期刊和普及性期刊。教育期刊主要有三類：一類是雜誌，內容刊載有關科學論文、研究報告、綜述、評述與動態；一類是集刊、學刊、學報，內容刊

登理論性、學術性較強的文章；另一類是文摘，這是一種資料性及情報索引刊物，由專人精心選編成冊定期出版，可幫助研究人員及時掌握某一特定課題的文獻概況。期刊的出版週期短，內容新穎，論述深入，發行量大，常反映有關學科領域研究的最新動態，是教育研究者查閱文獻最有效且簡便的主要來源。國內外的教育期刊相當多，爲了標示出期刊在各學門的重要程度，會將期刊劃分爲幾個等級，國內期刊的分等由國家科學及技術委員會人文社會科學研究中心主導，社會科學方面仿照國外「社會科學引註索引」（Social Science Citation Index，簡稱SSCI）形式，評選出「臺灣人文及社會科學核心期刊」，教育學有27種期刊獲選爲「社會科學核心期刊」（Taiwan Social Sciences Core Index，簡稱TSSCI）。所收錄的期刊專業學術性最強、論文品質較佳，可至下列網址查閱入選的期刊名單：https://www.hss.ntu.edu.tw/zh-tw/news。

六、美國教育資源中心所編的索引

索引（index）是檢索文獻資料出處的主要工具，它將各種文獻資料的出處分門別類彙編成冊。在出版事業發達的時代，每一定期間即累積大量的圖書、雜誌與研究報告，索引的功用即在將各種出版刊物中的論文，按一定順序編成目錄，以便於查閱。中文方面較著名的索引有臺灣師大圖書館編印的《教育論文索引》。英文資料的索引部分，因建立得較爲完備，是在撰寫研究論文時一定要使用到的，其中比較著名的索引有前面提到的SSCI及美國教育資源資訊中心（Educational Resources Information Center, ERIC）所編的索引。ERIC於1964年由美國聯邦教育署所設置，由美國國立教育研究所支持運作，ERIC有兩種主要的出版品，一爲《教育資源》（RJE），另一爲《現代教育期刊索引》（CIJE），前者收錄各種教育研究文獻索引，後者收錄七百五十多種教育專業期刊之文獻索引。自2003年12月以後，隨著美國教育部的重組，關閉了ERIC資訊中心，此後RJE和CIJE索引便不存在，改由電腦科學公

司（Computer Sciences Corporation）創設並維護一套新型的電子化ERIC系統，建立檢索ERIC資料庫和連結購買全文文件的網站，網址為：http://www.eric.ed.gov。當吾人搜尋文件時，可以發現標示ED或EJ類別的名稱，ED通常是未經出版的文件，如報告、課程計畫等，通常可以透過學術性圖書館線上取得全文；標示EJ的文獻是在專業期刊發表的論文，可在學術性圖書館的ERIC資料庫取得全文。

七、全文資料庫

許多文獻可以透過中西文的資料庫取得，不只可以列印摘要，有些還可列印全文。「中華民國期刊論文索引影像系統」由國家圖書館期刊文獻中心所建置，資料庫收錄臺灣及部分港澳地區所出版的中西文期刊、學報約2,700種，資料內容涵括各學科領域，除了論文篇目外，還提供期刊電子全文的文獻傳遞服務。「華藝線上圖書館」整合兩岸學術資源，收錄內容涵蓋期刊論文、學位論文、會議論文集等重要全文內容。各大學圖書館英文資料庫目前以EBSCOhost資料庫最多學校使用，這個資料庫是EBSCO Information Services公司於1994年所發展之線上資料庫檢索介面系統，涵蓋了人文、教育、語言、商管、大眾傳播、科學等各類學科，為一多元的大型資料庫，提供大量西文期刊全文資料。經費較充裕的大學圖書館所購買的資料庫比較多，在線上檢索時，宜先了解圖書館購有哪些資料庫。

━━━━━➤ 第三節 **文獻探討的步驟** ◄━━━━━

文獻探討是一個持續進行的過程，它經常開始於一項特定研究主題形成之前，而且直到研究報告完成為止，所以整個研究歷程都在不斷地蒐集、閱覽文獻。以下僅就利用電腦進行文獻查詢的步

驟說明之（周文欽，2001；王文科、王智弘，2017；McMillan & Schumacher, 2001）：

壹　分析問題敘述

分析問題敘述（analyze the problem statement）是進行文獻探討的第一個步驟。問題敘述包含概念或變項，這些概念或變項是文獻探求的項目，例如：研究問題是：影響高中生數學計算能力的補救教學方案因素為何？所要搜尋的專有名詞有數學補救教學方案、高中生、計算能力等項。

貳　尋找和閱讀次級資料

研究者先閱讀百科全書、教科書、論文或專書，以對研究的問題有初步的印象。由於次級資料可為某主題的研究發展，提供迅速瀏覽之所需，並協助研究者以較精確的術語界定研究問題。

參　決定搜尋的形式

搜尋的形式一般可分為兩種：初步的搜尋（preliminary search）和澈底的搜尋（exhaustive search）。初步搜尋是為選擇研究問題或使研究問題更加明確，通常需要十份左右的最新文獻資料，因為問題尚未侷限在某一個範圍，所以研究者可以擴大標示項（descriptors）的搜尋範圍，只要限制資料庫的年代即可。當問題的焦點明確之後，從多個資料庫中來搜尋十年內（或以上）的資料。在執行搜尋之前，研究者先要將問題敘述轉換為搜尋語言（transform the problem statement into search language），因為研究的問題敘述都比較冗長繁瑣，文字敘述也較通俗且不專業，而索引與資料庫查索時的字詞有其特殊規範和限制，故必須將之轉換為「搜尋語言」。這些語言就是所謂的「關鍵字」（keywords），檢索時特別稱之為標示項或專門術語（terms），如此方能在資料庫的檢索過程中，確保找到所期望的文獻資料，如果所界定的變項不符合索引的要求，研究者將無法使用該名詞搜尋到初級文獻。

肆 選擇適當的資料庫

選擇適當的資料庫或索引可以檢索到比較重要的初級文獻資料。就大部分研究問題或主題來說，為確定最重要的主要文獻之所在，研究者通常要選擇二至三個資料庫來檢索文獻資料，索引或資料庫的類別和數目多寡，視所要探討的目標與範圍而定。研究生在撰寫碩博士論文時，通常只從中文資料庫搜尋資料，例如：中華民國碩博士論文資料庫是最常用的，這類資料屬於未出版的文獻，可信度不高，不宜引用太多，應該多搜尋西文資料庫的期刊文獻，如EBSCOhost，訓練英文閱讀能力。

伍 執行檢索

從資料庫中檢索出與研究主題有關的摘要或全文後，經由儲存或列印即完成文獻的檢索。電腦的搜尋引擎如Google，也是搜尋文獻資料的利器，在進行搜尋時可使用布林邏輯，例如：「AND」只要在Google中輸入"教師效能" + "有效教學"，資料必須兩個關鍵詞都出現才會被找出來，且關鍵詞要記得用" "括起來。「OR」則輸入"教師效能" | "有效教學"，資料只要有「教師效能」或「有效教學」的關鍵詞出現都會被找出來。「NOT」則輸入"教師效能" -"有效教學"，資料中有「教師效能」的關鍵詞而且沒有「有效教學」關鍵詞的資料才會被找出來。雖然透過搜尋引擎可以找到文獻資料，但研究者要能判斷資料的可靠性如何，對於過時的資料或參考價值不高的資料則要捨棄不用。

陸 閱讀及整理初級資料

經由電腦檢索找到許多的初級資料之後，接著就要開始閱讀有關的初級文獻資料。研究者把與研究問題有關的初級資料的內容摘要，寫在載有參考文獻目錄（bibliographic citation）的卡片上。當卡片上的摘要累積到某個程度，接下來就要組織筆記（organize notes），實證性的研究可採用的歸類方式有二：對問題的看法或方法論。

柒 撰寫文獻探討

文獻探討的最後一個步驟是撰寫文獻探討（write the review），這個步驟將在下節中詳加說明。文獻探討僅引用與問題敘述有關的研究、理論與實務，在資料的引用上，要以初級資料爲主，因爲這類的期刊論文大都有審查機制，尤其是TSSCI或SSCI所收錄的期刊具有很高的聲譽，有較高的研究可信度。整個文獻探討流程可以圖3-1來說明。

圖3-1

文獻探討流程

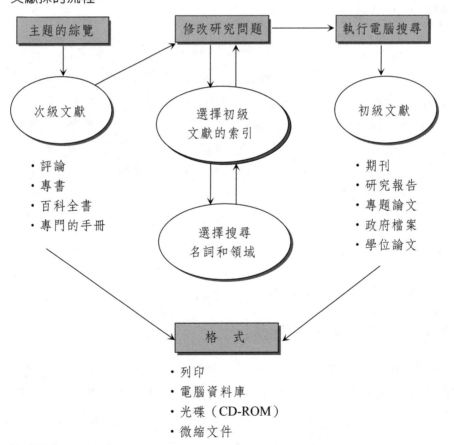

註：引自 *Research in education: A conceptual introduction* (p.120), by J. H. McMillan & S. Schumacher, 2001, Longman.

第四節　文獻的閱讀與整理

通常研究的程序是選定題目後，則要圍繞題目進行蒐集與主題有關的文獻，然後要對文獻進行閱讀、歸納、整理的工夫。要做好文獻探討有兩個基本條件：一是所選擇的文獻要具有代表性，二是閱讀文獻時要掌握文獻的精髓。為掌握文獻的精髓，在閱讀文獻時，要懂得閱讀文獻的方法和如何摘錄文獻重點，然後整理出內容充實的文獻內容。以下就文獻閱讀與整理的要領作一說明。

壹 文獻的閱讀與分析

文獻的閱讀與分析是文獻探討的核心內容，文獻的閱讀方法有許多種，包括瀏覽、泛讀與精讀等，不同的閱讀方法具有不同的作用。瀏覽旨在抓住要點，用以初步判斷文獻的價值，掌握文獻的大致內容；在繁忙緊張的教育工作與研究工作中，我們仍要隨時參考新近的書籍與期刊，可先隨便翻翻，甚至只看目錄，當發現比較好的內容，可將資料留存建檔，有時間再細看。泛讀旨在了解文獻的基本思想與結論，用以判斷文獻利用價值，概括了解研究焦點、動向與新進展，從文獻中獲得啟示；精讀旨在全面、具體掌握文獻的實質內容，在理解的基礎上進行評價、質疑，甚至挑出文章中的錯誤之處，這種讀法又稱為批判性閱讀。在實際的文獻閱讀過程中瀏覽、泛讀、精讀總是結合使用、交替進行（張景煥等，2000；董奇、申繼亮，2003）。

不同類型的文獻，其閱讀的方式也有所不同。在專書、教科書的閱讀方面，因為資料較多，研究者限於時間、精力，很難將全書看完，因此透過瀏覽目錄，先初步判斷該書內容是否與研究課題相關，再挑選相關的章節詳細地閱讀與分析。在實證研究報告的閱讀方面，研究者要掌握以下四個要點：1.了解研究目的、相關研究的概況及研究問題的構思；2.了解研究的設計；3.了解實證分析結果

對研究問題的回答情形；4.了解作者對主要結果進行的理論解釋適當與否（董奇、申繼亮，2003）。

貳 文獻紀錄

文獻紀錄是借助於符號、文字，保留文獻中有價值的訊息。適當記錄可提高文獻閱讀效率，並有助於對文獻進行分析。文獻紀錄最基本的方法是作記號，將文獻的重點、疑點畫上各種記號；另一方法是眉批，在資料的空白處寫上自己的見解、評語、解釋或質疑。較有系統的記錄方法是作摘要和札記，這兩種方法對文獻分析尤有助益（王文科、王智弘，2017；董奇、申繼亮，2003）：

一、摘要

摘要是對文獻基本觀點、論據、方法等的概述，以供自己今後寫作時論證、引證之用。摘錄時不要斷章取義，其內容應當與原文獻保持一致。對研究報告的文獻，研究者所要記錄的要點有以下幾項：1.書目登記，記載文獻名稱、作者、出處；2.研究問題，即研究主題為何；3.研究設計，包括：使用研究方法、蒐集資料的工具、研究的母群體以及抽樣的方法等；4.主要結果與解釋要點，要把影響研究發現的變項以及無關變項找出來；5.結論。這裡要補充說明的是，結果與結論是不同的，結果指發生了什麼，例如統計的分析結果；結論是指研究者如何運用結果。同時要留意研究中是否有應可避免但卻造成疏忽的錯誤，如果有進一步研究的建議也要寫下來。

二、札記

札記是研究者在閱讀文獻過程中或閱讀後，將自己的認識要點、聯想、疑問、評價、啟示等予以記錄，想到什麼就記什麼。可以將札記寫在文獻摘要同一卡片或筆記本之中，以方便對照與保存。

參　文獻書目的整理

對文獻所進行的分析務必言之有據，故研究者要提供文獻的書目。儘管參考文獻書目總出現在研究報告或論文的最後，但是準備書目的工作不能等到研究的末期才著手，平常在做文獻整理時，就應該把文獻的作者、名稱、出處寫在卡片上或在電腦上建立書目檔案，才不會參考文獻遺漏太多。通常學術論文會對書目的格式有所限制，至於參考文獻目錄的寫作格式會在「研究報告的撰寫」一章來說明。

肆　撰寫文獻探討的建議

研究論文的第二章要撰寫文獻探討，這是一種文獻分析報告的表現形式，其內容是對某一研究領域或某一研究問題在一時期內的研究狀況，進行較全面、系統的綜合概括與評論，它不等同於研究結果的簡單彙總或堆砌，而是要依據一定的邏輯關係與框架歸納整理已有的相關研究成果，且對當前研究中存在的不足予以剖析，還可指出研究的發展方向，並提出改進研究的建議（董奇、申繼亮，2003）。通常文獻探討的內容應包括兩部分：理論與相關研究概述。只要與研究主題相關的理論基礎都要作一個綜述，而與研究相關的文獻，要就其研究設計與主要發現作一概要的評析，同時要就一致的與不一致的發現分別敘述，研究者對以前的研究愈熟悉，愈有助於對研究結果的解釋。以下為撰寫文獻探討的寫作建議（吳和堂，2024）：

一、文獻應最先完成

研究應最先著手撰寫文獻，因為讀完文獻後，第一章的緒論與第三章的研究設計已了然於胸。經由文獻探討可以讓研究者了解研究變項的內涵，使研究者不會漏失重要的研究內容，也便於與第四章的「結果與討論」進行討論。

二、文獻要儘量精簡

所謂文獻探討是研究者經閱讀相關文獻後，加以去蕪存菁，萃取出研究變項的相關內容，進行彙整、分析與比較。因此，文獻不重視資料的累積，而貴在精簡地呈現文獻。

三、變項的意義、層面與相關研究是文獻探討最重要的內容

文獻探討應將重點放在變項的意義、層面與相關研究，因為分析變項的意義，除可了解過去的定義外，並可形成本研究的定義；變項層面是研究的主要內容，也是編製研究工具的依據；相關研究探討本研究背景變項與主要變項，以及主要變項之間的關係，先了解前人的研究結果，方便於第四章進行討論。

伍 撰寫文獻探討的注意事項

由於文獻探討的寫作不同於讀書心得報告，因此在撰寫時應注意以下幾個問題：

1. 蒐集文獻應儘量齊全，掌握全面性、大量的文獻資料是寫好文獻探討的前提，否則，隨便蒐集一點資料就動手撰寫是不可能寫出好的文獻探討。

2. 所引用之文獻儘量是初級資料的內容，少用次級資料。

3. 引用文獻要忠於文獻內容，不能篡改文獻的內容。

4. 文獻探討要有作者自己的評論分析，避免使文獻探討的撰寫偏於流水帳或是研究結果的堆砌，失去其參考價值。

5. 撰寫摘要時不要直接抄錄報告內的摘要，因為內容太短。摘要內容不必寫得太過詳細，儘可能濃縮，但重要的細節不能漏掉。

6. 在引用他人的文獻時，要遵照教育研究的撰寫體例，明確標示出引用出處，以免被誤認為抄襲。

問題與討論

一、選擇一篇不超過五頁的期刊研究論文，撰寫500-600字
　　的內容摘要。

二、進行研究之前為什麼要作文獻探討？

三、圖書館內哪些資料可以找到我們想要的文獻？

四、如何檢索網際網路上的文獻資料？

五、最常使用的中文教育資料庫有哪些？英文教育資料庫有
　　哪些？

六、撰寫論文第二章文獻探討時，要寫哪些內容？要注意哪
　　些事項？

第4章
研究設計與研究假設

=========== 第一節　研究設計 ===========

在研究計畫（research proposal）或研究論文（research paper）中，研究設計（research design）是一項不可缺少的要素，這部分有時亦稱為研究方法（research methods）或方法與步驟（邱兆偉，1995）。研究者在進行研究前需要設想清楚，本研究要用什麼方法、什麼工具、如何做等細節，以構思出最佳的發展途徑（楊龍立，2016）。

壹　研究設計的定義

研究設計不等同於研究方法，更不是研究計畫，而是在蒐集或分析資料之前，用來評估所蒐集到的證據，是否可以回答所要研究問題的一種構想。研究設計的角色就如同要建造一棟建築物之前要先決定要蓋何種形式的建築、需要哪些建材，然後才能畫出設計圖、訂出工作進度，取得建築許可之後才能訂購建材、開始施工。在還沒有想好要蒐集什麼證據以回答問題時，就開始設計問卷或進行訪談，則研究結論往往會流於薄弱或無法回答研究問題（莊靜怡譯，2005）。以量化研究為例，要考慮樣本的選擇、資料蒐集方法、蒐集資料和執行實驗處理的過程之前，一定要先思索「我們需要蒐集何種證據回答研究問題」這項主題。

貳　構思研究設計的準則

　　一般人想到研究設計可能都會認為只有實驗研究才需要設計，所以研究設計只有在實驗研究時才需要，其實這種想法是不對的，無論是量化研究或質性研究都需要構思研究設計。研究設計的主要目的在說明進行研究的方式或要領，期能說服讀者信賴研究者有足夠的研究能力可以完成研究計畫（邱兆偉，1995）。研究設計的另一個目的是要讓讀者相信研究結果有很高的可信度（credibility），所謂可信度是有關結果接近真實且合理的程度。因此在構思研究設計要遵守以下兩項準則（McMillan & Schumacher, 2010）：

一、控制研究的誤差

　　研究設計要考慮潛在誤差的來源，減少結果的錯誤，但並非每一潛在誤差皆可受到完全控制，但至少可以讓誤差降到最低。量化研究的一項重要原則是思考變異量的來源，例如：每天的心情都會有變化如同學生的成績也是一樣，不會每次考試成績都一樣的。

　　開始設計時，研究者要了解變異性的來源有三種：系統的、誤差和干擾的（extraneous）。系統變異量（systematic variance）是有關研究所探討的變項，例如：研究投入的時間與學業成就的關係，就要設計如何測得研究變項較高的變異量。誤差的變異量（error variance）包括抽樣、測量的誤差和隨機事件（random events）使研究結果難以呈現預期的關係。干擾變異量（extraneous variance）是來自於外擾變項，這種變項必須受到控制，才能了解變項之間直接的影響關係，例如：要探討成績和班級大小的關係，學生的社經地位是外擾變項，會嚴重影響到學生成績，故必須加以控制。

二、提高研究的效度

效度（validity）是以科學的方式對觀察現象與眞實世界結合程度的解釋，也就是指研究結果的可靠性及普遍性。通常效度與研究所形成的命題（proposition）之眞假有所關聯，量化研究所要考慮的效度有兩類型：外在效度（external validity）和內在效度（internal validity）。內在效度是對外擾變項的控制程度，外在效度有關結果的推斷（generalizability），結果和結論能推論到其他或情境的程度。有些方法可用來減少干擾變項的影響，例如：隨機抽樣、統計修正等。當不同情境下所得到的資料可能會影響結果，研究時就要盡可能設計相同的情境。只有在研究設計具有高度的內在效度情況下，研究者才能有信心地說X導致Y的變化。

 研究設計的內容

研究設計是研究規劃的大體架構，要從研究定位、研究方法論、資料分析、研究結果的呈現與報導等四個面向來構思（Cohen, Manion, & Morrison, 2000）。McMillan和Schumacher（2010）認爲在設計量化研究必須思考：1.研究對象是誰；2.用什麼來測量（工具）；3.如何測量（過程）。如果是實驗研究設計，還要思考實驗處理要如何進行。筆者依照國內學位論文的寫作格式，分項說明研究設計所要撰寫的內容：

一、擬訂研究架構

研究架構（research framework）是描述研究變數之間關係的藍圖，論文如繪製研究架構，就可使讀者對該論文有清晰的概念。研究架構由自變項、中介變項、依變項所組成，如果沒有中介變項，只要標示自變項與依變項即可。習慣上將自變項擺在研究架構圖的左邊，依變項擺在右邊變項影響的方向以單或雙箭頭表示（葉重新，2017）。茲列舉研究架構說明之：

(一) 描述性研究架構

　　描述性研究因不在考驗變項間的關係，故可以不畫研究架構。但為使讀者了解研究的重要內涵，可考慮以類似研究流程圖的方式來畫研究架構，其範例如圖4-1。

圖4-1

描述性研究架構

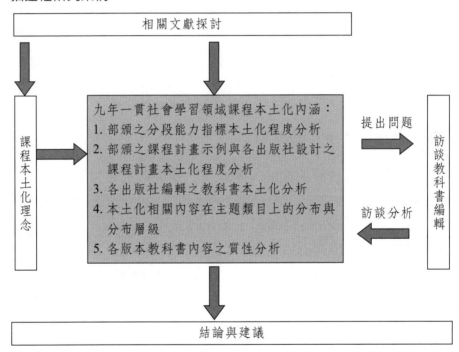

註：引自九年一貫社會學習領域課程本土化之研究（頁39），陳麗華，2003，臺北市立師範學院初等教育學系。

(二) 關係及因果性研究架構

　　如果研究變項包括兩個類群以上的變項，則其研究架構圖的畫法如圖4-2、圖4-3、圖4-4。

圖4-2

自變項與依變項關係架構

圖4-3

自變項、中介變項與依變項關係架構

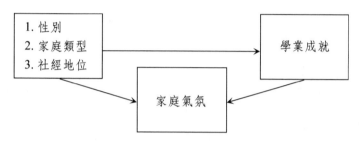

圖4-4

三組以上變項的研究架構

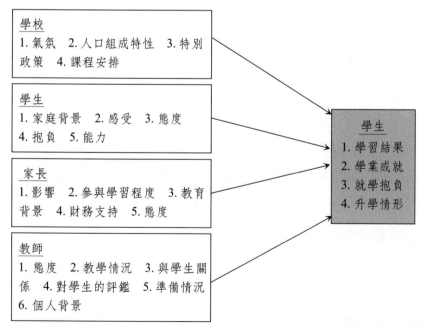

註：引自1997年臺灣教育長期發展研究研究設計，張善楠，1998，教育研究資訊，**6**，頁147。

二、撰寫研究假設

研究假設是依據研究目的及待答問題而來，其性質及寫法將在下節深入探討。

三、選取研究對象

研究對象包括：界定母群體、決定樣本大小、選取研究樣本，在選取研究對象時要避免抽樣誤差。

四、選擇研究方法

研究者依據問題性質，決定要蒐集何種資料來回答問題，因此要選擇是使用實驗法、調查法、觀察法或訪談法等來蒐集資料。

五、選擇研究工具

前面幾項確定後，接著要決定使用何種研究工具來蒐集資料，如果是使用量化方法來進行研究，則所需要的研究工具是問卷或量表；如果是要使用觀察法進行研究，研究者可能要使用錄影機及訪談表來蒐集資料。研究工具如果是自行編製的，則需詳細說明編製的流程及其信效度。

六、研究實施過程

研究的實施過程是要說明研究資料的蒐集程序，可以流程圖或文字敘述的方式來說明整個研究的實施過程。這個過程盡可能詳細地說明，使對此主題感興趣的研究人員可以複製這個研究。

七、考慮統計分析

在研究設計時還要考慮如何對蒐集到的資料進行分類整理，用何種統計方法進行分析，以考驗研究假設是否成立。第十三章將探討統計的考驗與分析此一主題。

====== 第二節　待答問題 ======

待答問題（the problems to be addressed）是研究者在研究中所要探討的問題，在描述性研究中，不易預期可能的發現，常偏愛使用待答問題的方式來說明研究問題；在質性研究上，秉持不以預先設定的假設來限制資料的蒐集與分析，也常用待答問題來引導研究的進行。

壹　待答問題與研究假設的適用時機

研究假設與待答問題在一般情況下擇一運用，對研究結果沒有一定的預期答案時，常使用待答問題，如市場調查或民意調查；反之，依理論已有預期的答案，如實驗研究或相關研究，通常對研究結果已有一定的預期的答案，則採用研究假設的寫法較為適宜。除非在同一個研究裡兼具上述兩種性質、兼顧兩種需求，就需要待答問題與研究假設兩種並陳，這個時候通常先呈現待答問題，再呈現研究假設（林生傳，2003）。在研究報告之中，待答問題通常是列在第一章緒論中，寫完研究目的後，緊接著就呈現待答問題；研究假設則是列在第三章研究設計中。描述性研究（包含質性及量化研究）通常只寫待答問題，不寫研究假設。

貳　待答問題的寫法

在撰寫待答問題時，可以朝以下三個方向來思考（彰師大科學教育研究所，2006）：

一、以具體的研究變項來敘述

待答問題顧名思義，是以疑問的形式作為結尾的句子。待答問題可以具體、明確、能夠辨識研究變項的方式來撰寫，以便於待答問題能舉出客觀的數據或能以科學方法來驗證。例如：國中學生

學習態度與學業成績有何關係？這個問題可以加以驗證，相反地，「不同學業成就學生的命運有顯著差異」則無法驗證。其他的寫法列舉如下：

　　目前國中生的健康狀況理想嗎？

　　目前國中生的健康狀況如何？

　　目前國中生最易罹患的疾病有哪些？

　　目前國中生的視力不良的比例如何？

二、依問題的層次性來敘述

　　待答問題也可依問題的層次來敘述，在大問題之下，再區分為幾個具體的小問題。例如：研究題目為「國中生的健康狀況調查研究」，待答問題可分三個層次來敘述：

　　(一) 學生的身高分布狀況？

　　1.身高次數分配情形如何？

　　2.身高的次數分配性別有無差異？

　　(二) 學生的視力分布狀況？

　　(三) 學生的心理健康狀況？

　　1.學生的平均焦慮分數多少？

　　2.男女的焦慮分數有無差異？

三、依研究目的作敘述

　　待答問題亦可視為「研究問題」，在第一章緒論中呈現，如此可依研究目的來敘寫，研究者可針對每一個研究目的提出若干個待答問題。例如：研究目的之一為探討國小轉學生的學習態度，待答問題即可寫成「國小轉學生的學習態度如何？」如果研究目的有四項，待答問題即可列出四項。

　參　待答問題的種類

　　待答問題依所要探討問題的性質與變項之間的關係，可以分成

以下四類（周文欽，2001）：

一、敘述性問題

指呈現某些個別變項的現象、特徵、狀況或事實的問題。例如：空中大學學生的主要就學動機有哪些？各種主要疾病的好發率各為何？

二、關聯性問題

是指在探討兩個（或以上）變項間之相關程度的問題。例如：物理成績與數學成績存有正相關嗎？收入和樂善好施之間有必然關係嗎？

三、預測性問題

指在探討多個變項對一個變項的預測能力，或多個變項對多個變項的解釋能力的問題。例如：數學、英文、國文、地理、歷史和生物各科目，解釋聯考成績的程度如何？哪些心理因素最能預測人們的生理健康？

四、因果性問題

指在探討兩個或多個變項間的因果關係的問題。例如：以適應問題為先決變項，因應方式為中介變項，適應狀況為後果變項的臺北市高中學生之生活適應模型是否存在？

第三節　研究假設

在當決定好主題之後，研究者要根據文獻資料，提出待答問題和研究假設，這是建構研究設計重要的一環，依據研究假設開始展開研究行動。研究假設與待答問題有密切的關係，研究假設是使待

答問題進一步具體化，並爲操作化的另一種表達方式，常應用於實驗法、事後回溯研究、相關研究法（林生傳，2003）。在了解待答問題之後，本節接著探討研究假設的性質、寫法及驗證方法。

壹　研究假設的涵義

所謂研究假設（research hypothesis）就是根據一定的觀察事實和科學知識，對研究的問題提出假定性和猜測性的看法和說明。其實，研究假設也就是待答問題的暫時答案。因爲你透過對周圍事物的觀察後，會產生一些疑問，進而對這些疑問進行思考，你會根據自己的理解，或查閱有關資料，或請教有關人員，然後提出假設，對你的疑問作一種臨時性的回答；假設與定理或結論本沒有很大區別，只不過假設是有待證實的定理或結論，定理或結論是已經證實的假設。二者只有程度上的差異，沒有性質上的區別（張景煥等，2000）。研究假設一定是要可以探究、可以操弄的問題，也就是可以對自變項和依變項下操作性定義，以科學的方法獲得資料後再加以驗證，無法以科學方法探討的問題就不能寫成研究假設。

貳　研究假設與統計假設

假設依撰寫方式的不同，可分成研究假設和統計假設（statistical hypothesis）。研究假設又稱爲科學假設（scientifically hypothesis），它是指運用一般文字所撰寫而成的假設；所謂的統計假設（statistical hypothesis），則是指運用統計符號或統計語言所撰寫而成的假設，並對未知的母群體性質作有關的陳述。包括虛無假設（null hypothesis）與對立假設（alternative hypothesis）。虛無假設的寫法爲：

$H_0 : \mu_1 = \mu_2$（表兩個團體的平均數沒有差異或沒有關係）；對立假設的寫法爲：$H_1 : \mu_1 < \mu_2$ 或 $H_1 : \mu_1 > \mu_2$ 或 $H_1 : \mu_1 \neq \mu_2$（表兩個團體的平均數有差異或有關係）。

假設雖分成前述二種，惟在研究報告或論文裡所呈現出來的

假設，幾乎都是使用研究假設，統計假設通常只用在統計考驗裡，而且只是概念性的存在，並不呈現在研究報告的文字中。一個理想的研究假設都必須具備下述七項特徵（林生傳，2003；周文欽，2001）：

1. 至少須包含有兩個或兩個以上的變項。
2. 研究假設須為正面的敘述命題。
3. 研究假設必須說明各變項間的互相依存的性質。
4. 能呈現未來的預期研究結果。
5. 須依研究問題與理論推演而來。
6. 研究假設所包含的概念變項應給予操作性的定義。
7. 可用實徵性的證據加以考驗，並顯示該假設是真實或不真實。

 ## 研究假設寫法與考驗

通常任何一個研究假設都必須涵蓋二個要點：一個是假設中的重要變項；另一個是重要變項間的關係。若依是否知悉變項如何測量來分，研究假設可分為文義型假設（literacy hypothesis）和操作型假設（operational hypothesis）兩種，所謂文義型假設，是指不知道重要變項或概念是如何測量或計算出來的假設，下列二個假設都屬於文義型假設：1.男生數學能力比女生來得好；2.高的人之短跑速度比矮的人來得快。操作型假設，是指可以知道重要變項或概念是如何測量或計算出來的假設；亦即凡能以具體和明確之文字敘述，使人一看便知其意義的假設，就是操作型假設。操作型假設的呈現方式見下二例：1.男生在數學成就測驗上的得分高於女生；2.身高180公分以上的人跑百米的時間，少於身高在160公分以下的人。從前二例可發現，操作型假設的敘述比較冗長與繁瑣，因此，只要在研究報告之「名詞詮釋」中，對每個變項都能下操作型定義的話，還是以提出文義型假設為宜。像絕大部分之研究報告裡，所提出之假設大都是文義型假設（周文欽，2001）。這種假設的陳

述方式可分爲以下三種（林生傳，2003；葉重新，2017；董奇、申繼亮，2003）：

一、差異性

差異性研究假設或稱爲比較性假設，在回答不相類屬的分群體，如性別、黑白種族、社會階級、不同組別之間的差異。例如：學習風格不同的學生在學業成就的表現有顯著差異、男生與女生在語文能力上有顯著差異。差異式假設的原型爲「A與B存在差異」或「A高於或大於B」。

二、函數式

函數式的研究假設在敘述變項間的相關或相互間的關聯性，故又稱爲相關性假設，其基本形式爲$Y = f(X)$，或Y依X而有一定的變化，通常以「A與B成正相關」、「A與B相關」等形式出現。例如：學業成績優劣與學習動機的強弱有正相關；智力、學習動機、家庭社經地位可以有力地預測學業成就的高低；學生的智力與學校生活適應有顯著相關。

三、條件式

條件式假設或稱爲因果性假設，即對變項之間的因果關係進行推測的假設，此類假設通常以「如果A那麼B」、「如果A就B」（if A, then B）等形式出現，A爲某種條件，B爲其他條件，A爲B的先決條件，B爲A的後果條件。例如：如果白化症的老鼠暴露在微波輻射線之下，那麼牠們的食物攝取量將會下降。實驗研究的假設大都採用這種形式的寫法（Kirk, 1995）。

這三種假設的考驗以差異性假設最簡單，條件式的假設最難。量化研究通常用統計學的方法來考驗研究假設，其步驟如下：1.依研究假設提出統計假設；2.選擇統計方法；3.決定顯著水準；4.進

行統計分析與裁決。經統計分析後，若錯誤小於.05的顯著水準即研究假設成立。

肆 待答問題與研究假設的關係

研究假設是依據待答問題而來，二者均依據研究目的來擬定，故三者應該相互搭配，往後的研究主要發現與結論，也要與研究目的、研究假設相呼應。在撰寫研究假設時要能涵蓋所有變項，不可遺漏任何一個變項，例如：假設研究的自變項包括性別、年級兩項，依變項包括學習態度、學校生活適應、學習成就三項，依上述變項，研究假設要包括以下幾個（葉重新，2017）：

1. 不同性別學生的學習態度有顯著差異。
2. 不同性別學生的學校生活適應有顯著差異。
3. 不同性別學生的學習成就有顯著差異。
4. 不同年級學生的學習態度有顯著差異。
5. 不同年級學生的學校生活適應有顯著差異。
6. 不同年級學生的學習成就有顯著差異。

撰寫研究假設時要注意假設不要太多，太多會令讀者厭煩，基於研究需要，研究假設不能太多的時候，要設法整合或分理層次，加以整理並做簡化。研究假設在書寫時應力求簡約，各研究假設之間須按邏輯前後順序排列（林生傳，2003）。通常量化研究要清楚地列研究假設，在質性研究或描述性研究中就不用提出研究假設。

==== 第四節 研究倫理 ====

教育研究經常牽涉到觀察或測量人的行為或特質，藉以了解教育的現象，因此教育研究學者特別注重以人作為研究對象時應遵守的規範，這種規範就稱為研究倫理（research ethnic）。所謂研

究倫理係指進行研究時必須遵守的行為規範，這部分是目前國內教育研究比較不受重視的一環。隨著人權意識的高漲，以及教育研究的普及，研究者如何確切了解研究倫理，以避免與研究對象及相關人員發生衝突，並提升教育研究的品質（林天祐，2002）。基於上述理由，有必要在此對研究倫理作一闡述。教育研究人員在從事教育研究應遵守的規範有以下幾點（林天祐，2002a、2005；黃光雄、簡茂發，2003；劉世閔，2005；顧瑜君，2006；McMillan & Schumacher, 2010）：

 ## 壹　尊重個人的意願

從事以人為對象的研究，對於研究對象的正常作息會造成某種程度的干擾，基於保障個人的基本人權，任何被選為研究對象的個人，都有拒絕接受的權利。換言之，未經徵得當事人的同意，研究者不得逕行對其進行研究，即使徵得同意，當事人亦可隨時終止參與。對於未成年者更須獲得其家長或監護人的同意，並取得同意書。

 ## 貳　尊重隱私權

為保障同意接受研究者的私人興趣及特質，進行教育研究時要遵守匿名（anonymity）及私密性（confidentiality）原則，前一項原則是指研究者無法從所蒐集到的資料判斷出提供此資料的個人身分，後一項原則是指外界無法探悉某一特定對象所提供的資料。研究者不但事前要向研究對象保證守密，而且蒐集資料後一定要確實做到。

參　不傷害研究對象的身心

任何研究都應該保護研究對象的身心安全，避免受到生理或心理上的傷害，包括：造成身體受傷、長期心理上的不愉快或恐懼等。研究對象可能受到的身體傷害，一般人都比較注意，但心理的

傷害像自尊心降低、安全感減弱、自信心失去，由於不易發現，往往受到忽視，值得特別予以重視。研究完成後，研究者也應該檢討是否有未預期的不良後果產生，有的話應設法尋求補救措施。

肆　遵守誠信原則

許多教育的研究，尤其採取實驗的方法時，有時必須善意欺騙研究的對象才能進行，例如：隱瞞自己的身分、研究的目的、研究的程序等。欺騙基本上是不道德的行為，不僅不符合研究倫理，更違反了社會規範中的誠信原則，也可能對研究對象造成不愉快的後果，不可不慎。故儘量選擇不必隱瞞研究對象的方法，來進行研究，如果不可避免使用隱瞞的途徑，事後應儘速向研究對象澄清整個研究的性質，以免研究對象長存誤解，但在說明時要極為謹慎，避免讓對方留下「受騙」的不愉快感覺。要使用暗中觀察方式進行研究，研究者應在獲得許可之下進行，避免被指為偷偷摸摸的行為。

伍　客觀真實的分析及報導

教育研究人員在確保讀者的相關權益方面也有一定的規範。這方面的規範主要包括研究結果的分析與報導兩項。在結果分析方面，研究者應客觀地將所獲得的有關資料，依據研究設計進行客觀分析，不可刻意排除負面的以及非預期的研究資料，使讀者能完整地掌握研究的結果。在結果報導方面，研究者要真實並正確報導研究結果，不得製造假資料，或為了支持預期的假設而修改資料，出版後如發現有誤，必須公開更正。研究者更有義務將研究設計的缺失及限制詳細條述，使讀者了解研究的可信程度。

陸　尊重智慧財產

其他比較重要的研究倫理是尊重智慧財產、不抄襲他人著作，其規範如下：正確引註他人資料、不抄襲他人著作、不一稿多投、不得重複發表出版過的著作、對研究參與者給予適當排名、保存原

始資料等。

　　研究倫理有如職業道德，是從事教育研究者專業精神與專業態度的重要表徵，如缺乏研究倫理的規範，研究的結果可能會危害教育學術的發展，也可能影響教育的實務，研究者不可不慎。在研究設計之初，研究者須審慎考慮人性尊嚴的價值；在研究實施的過程中，研究者要遵守意願、安全、私密、誠信等原則；研究完後，研究者要能客觀、正確分析及報導研究結果。研究人員在進行研究時，應重視研究倫理的問題，並隨時進行檢核。

第五節　研究設計實例

　　研究論文的第三章要清楚交待本研究的「研究設計與實施」，其內容包含研究架構、研究方法、研究對象、研究工具、實施程序、資料處理與分析等項。茲以周新富（2004）的一篇論文為例，說明研究架構、研究假設及資料處理與分析的寫法，其他項目則在以後的章節中會陸續說明。

研究架構

　　本研究之架構如圖4-5所示，由圖可知研究變項之間的關係。

圖4-5

研究架構圖

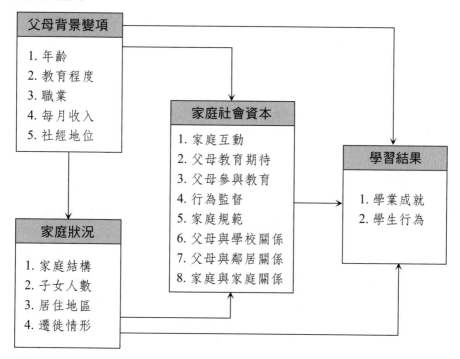

貳 研究假設

依據研究動機、研究架構，提出以下幾項假設，以實證方法驗證之：

假設一：不同的父母背景變項，則家庭社會資本會有顯著差異。

假設二：不同家庭結構的家庭，其家庭社會資本會有顯著差異。

假設三：家庭社會資本各層面與子女的學習結果會有顯著的典型相關。

假設四：父母背景、家庭社會資本變項與子女之學習結果有顯著交互作用。

假設五：家庭結構、家庭社會資本變項與子女之學習結果有顯著交互作用。

假設六：父母背景、家庭結構、家庭社會資本各層面對學業成就有顯著的預測力。

假設七：父母背景、家庭結構、家庭社會資本各層面對學生行為有顯著的預測力。

假設八：控制父母教育程度，則家庭結構、家庭社會資本能顯著預測學習結果。

假設九：控制父母社經地位，則家庭結構、家庭社會資本能顯著預測學習結果。

假設十：父母背景透過家庭結構，影響家庭社會資本，再影響學習結果，其影響路徑有一定的順序。

參 資料處理與分析

資料輸入電腦後即進行統計分析，研究者根據研究假設而採取適當的統計方法，再以套裝軟體SPSS 10.0 for Windows進行各項考驗，茲將所使用的統計方法說明如下：

1. 假設一、二：以單因子多變項變異數分析。
2. 假設三：以典型相關考驗之。
3. 假設四、五：以二因子變異數分析考驗之。
4. 假設六、七、八、九：以多元逐步迴歸分析考驗之。
5. 假設十：以徑路分析（path analysis）考驗之。

問題與討論

一、某研究者進行「臺北市國民小學校長領導風格與教師工作滿足關係之研究」，其研究主要變項為領導風格、工作滿足，請回答下列問題：

1. 請就其主要變項說明其概念性定義和操作性定義
2. 請畫出這個題目的研究架構圖
3. 請就你所知，說明其待答問題和研究假設

二、某研究者要進行「國民中學學生次級文化之研究」，首先請你列舉出這個題目的研究目的，其次根據研究目的寫出待答問題（研究問題），最後再寫出研究假設及資料分析之內容。

三、為使研究設計更加完善，我們在構思時要考慮哪些因素？

四、請說明待答問題與研究假設二者的關係。

五、請比較研究假設和統計假設有何異同。

六、從事研究工作要遵守哪些研究倫理？

七、任選一篇碩博士論文，參閱其研究架構、研究假設與統計考驗三者的關係，依其研究目的評論此一研究設計之優缺點。

第5章
抽樣方法的設計

━━━━━━━━▶ 第一節　抽樣的基本概念 ◀━━━━━━

　　在執行研究時，研究者要從大團體中，抽取出有代表性的個人、試題或事件，組成一個稱之為樣本（sample）的團體，經由樣本的測試之後，將結果推論到大團體，這個選擇樣本的過程稱為抽樣（sampling），而這個大團體就是母群體（population）。雖然所有的研究都會用到樣本，但樣本的數量、特性及抽樣的方式是不一樣的（Gay, Mills, & Airasian, 2012）。以下即針對抽樣的基本概念作一介紹：

壹　母群體

　　當我們從事一項研究時，都期望研究結果具有相當程度的普遍性，而能解釋某一個「特定群體」的情形，這個「特定群體」就是研究的全部對象，稱為母群體，母群體代表有著共同顯著特徵的一群人或事件的集合，這個特定群體，就是研究的推論對象。母群體可大可小，依研究目的決定，母群體愈小取樣愈多，但是所得到的研究結果僅能推論到這個有限的小群體，而研究價值亦相對地降低了，所以研究的母群體不宜太小（吳明清，2004；Fraenkel & Wallen, 2019）。例如：研究者以我國技職校院學生為研究對象，我國公私立技職校院全部大學生即為母群體；研究者以某一縣市國小教師為對象，該縣市的全部國小教師即為母群體。

母群體又可以分爲「標的母群體」（target population）和「可接近母群體」（accessible population），若研究者對我國臺灣地區中小學教師的在職進修情形感到興趣，則在中小學任教的所有教師即稱爲標的母群體，但整個標的母群體通常不可能完全處理，因此研究者將標的母群體中可以接近處理的母群體，選取研究所需的樣本進行研究，這個部分即稱可接近母群體。研究者無法對全臺灣中小學教師進行學習研究，於是以臺灣省中部地區中小學的所有教師爲可接近母群體，然後從幾個特殊群體中抽取樣本（王文科、王智弘，2017）。母群體的另一種分法是分成有限與無限母群體，有限母群體（finite population）包含數得出來的樣本，例如：在某年某城市的所有合格選民；無限母群體（infinite population）包括無限數目的樣本，如無限次數的擲銅板。教育研究中大都爲有限母群體，至於母群體的大小，則視研究者所界定的範圍而定（劉湘川，2003）。

貳 抽樣

母群體的人數眾多，研究時因爲諸多因素所限，而無法對母群體進行研究，因而必須根據一定的原則，從母群體中抽取一些有代表性的個體或元素，這些個體或元素就稱爲樣本。在教育研究中，構成母群體的基本單位不限於個人，可以是個人、學校、家庭或機構，甚至大到城市和國家，樣本也可以是文章、雜誌，甚至歌曲。不管樣本是由什麼組成，樣本必須從母群體中抽取，樣本不能獨立於母群體而存在。例如：研究家庭的收支情形，抽樣單位就是家庭，研究國家與國家之間的學業成就差異，抽樣單位就是國家（高義展，2004；陶保平、黃河清，2005）。從母群體中抽取樣本的過程，即稱爲「取樣」或「抽樣」，依抽樣原理，就所要研究的某特定母群體中抽取一部分作爲樣本，然後根據對樣本的研究結果去推論母群體的有關情況，這種研究方法稱爲抽樣調查（sampling survey），樣本愈具代表性，則愈能正確推論母群體。良好的抽

樣，可以極少比例的樣本數來充分表現母群體的性質，所以抽樣調查不但節省人力物力，也縮短資料取得與整理的時間，並且便於深入分析，故已成爲教育研究的主要方式（吳明清，2004）。反之，就母群體中每一樣本進行調查則稱之爲普查（census），其優點爲精確，缺點爲耗費不貲，故普查適用於全體範圍較小，或國家重要事項的調查研究問題上，如戶口普查、農漁業普查及工商普查等（葉重新，2017）。

 抽樣架構

　　一旦研究者已經界定母群體，接著就要從一個抽樣架構（sampling frame）抽取足以代表母群體的樣本，所謂抽樣架構是指整體抽樣單位的詳細名單，可供抽樣之用。如果以學校班級爲抽樣單位，則學校60班的班級名冊便是抽樣架構。民意調查通常以電話簿作爲抽樣架構，雖然電話簿不包含所有的樣本，因爲有些人不將電話號碼登錄在電話簿上，不過就理論而言，所有人都可用電話聯絡到，而且電話已是日常生活的必需品之一，故電話簿仍是一種相當理想且具代表性的抽樣架構（周文欽，2001）。

　　理想上抽樣架構應包含母群體中的所有抽樣單位，但實際上是不可能的，例如：在大型的全國性研究，要取得居住在臺灣的所有個人的清單，這是相當困難的一件事。在小範圍的研究中就比較容易做到，例如：抽樣架構可以取自電話簿、機關團體名冊。樣本的準確性主要是依賴抽樣架構，研究者應該確保在抽樣架構與母群體之間有高度的對應性。一個抽樣架構是否合適，視調查目的而定（潘明宏譯，1999）。

抽樣誤差與抽樣偏差

　　研究者爲了獲得有代表性的樣本，就要依據抽樣架構進行抽樣，通常抽樣的方法可以兩大類：機率抽樣（probability sampling）與非機率抽樣（nonprobability sampling）。因抽樣時，

樣本可能會偏離母群體，產生抽樣誤差（sampling error）與抽樣偏差（sampling bias）的現象，這兩個術語的意義完全不同，但是經常會被混淆。抽樣誤差與統計學上的變異量有關，因為隨機變動（fluctuation）的原因，抽樣誤差是一個變異量，在運用統計分析的特殊情況下，我們能夠獲得一個抽樣誤差的估計值。一般來說，增加樣本的數量，會減小抽樣誤差。例如：假定我們要從總數為1,675人的五年級學生中，選出150人的隨機樣本來進行科學成就測驗，測試的平均成績為86.3分，我們可以說全部五年級學生的平均分數正好就是86.3分嗎？當然不可以！但我們可以相信母群體的平均分數大約在86.3左右，因為樣本平均分數與母群體平均分數之間存在著「抽樣誤差」（Wiersma, 2000）。抽樣方式的不當是產生抽樣誤差的原因之一，如果抽樣與母群體的差異愈小，抽樣誤差就愈小，一般說來，抽樣誤差不能完全避免，除非以全部母群體為對象（朱經明，2024）。

抽樣偏差是一種扭曲，這種扭曲是由選擇或形成樣本的方式所引起的，當選取的樣本未能代表母群體時，抽樣偏差因而產生。偏差可能是由多種原因造成的，只要使用了非隨機抽樣，或者即使是使用隨機抽樣，但母群體的來源存有偏差，抽樣偏差就會發生（Wiersma, 2000）。也有學者認為抽樣誤差可以包含抽樣偏差，這是將抽樣誤差作廣義的解釋。導致抽樣偏差的因素相當多，其中抽樣架構可以說是最重要的因素，抽樣架構的重要性可由「文摘民意調查」（Literary Digest Poll）這個典型的例子看出。美國的《文學文摘》雜誌從1920年開始進行總統選舉的民意調查，1924、1928、1932年因成功地預測了四次總統大選而聲名大噪。利用相同的方法，他們在1936年郵寄1,000萬封投票紙，詢問民意來預測總統選舉結果；約有230萬封回覆，從這些回覆的答案中，他們非常有信心地預測，蘭登（A. M. Landon）將會以57%對43%的得票率獲得勝利。但事實上結果則是，羅斯福（F. D. Roosevelt）獲得62%的選票，贏得大選。事後檢討失敗的原因，

得知這1,000萬的樣本，是從電話簿和自有汽車登記名單中挑選出來的，在當時擁有電話和汽車的選民算是高所得者，民意調查所抽出的樣本中，高收入者占很高的比例，和實際的母體並不相同；且在1936年時，美國正值有史以來最嚴重的經濟蕭條末期，收入和黨派傾向有強烈的相關，很顯然地，該次選舉窮人大部分支持羅斯福，窮人特別支持他所提出新政中的經濟復甦計畫。因為《文學文摘》這個樣本調查，排除了窮人，其樣本無法代表所有母體的投票意圖，抽樣的不均衡導致民意調查的失敗（Babbie, 2005）。此事件失敗的原因是選擇錯誤的樣本，而非樣本數，如果抽樣架構沒有選對，再多的樣本數也不會減少抽樣誤差。抽樣誤差可以用抽樣設計的方法加以控制，也可用統計方法來估計誤差的大小。

伍　抽樣的步驟

一般而言，抽樣的完整流程需包含以下五個步驟（吳明清，2004；周文欽，2001；陶保平、黃河清，2005）：

一、確定母群體的範圍

在研究過程中先要界定母群體的範圍，可從以下幾方面來清楚地界定：

(一) 考慮並說明特定群體為母群體的理由

譬如一項有關山地學生學習動機之分析的研究，研究者想以「山地國中生」為母群體。為什麼？理由安在？研究者必須想清楚，而且也要說明清楚。

(二) 考慮並說明不採用其他群體為母群體的理由

在上述的例子，何以不採用都市學生為母群體來探討他們的學習動機？何以不採用國小學生為母群體？研究者也要有充分的理由，而且要盡可能列舉說明。在充分考慮「採用」與「不採用」的理由或標準後，母群體的決定就比較容易，而且能符合研究目的、突顯研究的特色。

(三) 考慮研究的預期效果

通常我們對研究效果的大小都有某種程度的預期。有時候為彰顯研究效果，必須採用特定群體為母群體這種情形尤以實驗研究以及教育方案的評鑑研究最為常見。例如：數學科補救教學的實驗，選擇低成就學生為對象，實驗的效果就比較容易顯著。

(四) 考慮研究的可行性

可行性（feasibility）是研究的必要條件，任何不可行的決定都無法付諸行動。因此，在決定母群體時也要切實評估未來蒐集資料的可行性，雖然範圍較大的母群體具有較高的普遍性但也需要更多人力、時間及資源。

二、備妥抽樣架構

抽樣架構的定義已於前文敘述，研究者盡可能得到樣本單位最具可能性的全部名單，例如：對某大學學生進行抽樣調查，則該校全部學生的學籍名冊就是抽樣架構，要研究全國（縣、市）小學教師對教學評鑑的看法，那就必須從教育部或縣市教育局取得各校教師人數清單。

三、決定樣本的大小

所謂樣本大小（sample size）是指樣本內之樣本單位的個數。理論上，樣本愈大愈能代表母群體，但是決定樣本大小除要顧及抽樣誤差外，研究者還要考慮到時間、人力、財力、群體內個體的相似度等。

四、選擇適當的抽樣方法

當前述三個步驟都完成後，就要選擇適當的抽樣方法，並隨即進行抽樣的工作。教育研究要落實隨機取樣有其困難，但最起碼在學校層級方面能符合隨機取樣的要求。

五、評估樣本

　　樣本抽出後要評估樣本的準確性，評估抽樣的程序是否有偏差，例如：未嚴格遵循隨機原則、抽樣架構已經過時等，並且可以排除偏差較大的樣本。

第二節　隨機抽樣的方法

　　機率抽樣又稱為隨機抽樣（random sampling），所謂機率抽樣是按照隨機原則進行抽樣，不加主觀因素，組成母群體的每個單位都有被抽中的機率，從母群體抽取部分樣本來進行調查、觀察，用所得到的資料來推論母群體（Borg & Gall, 1989）。機率抽樣在調查研究法最常被使用，其主要優點有以下三項：1.所得之樣本可以統計方法詳估其價值，可以抽樣誤差大小解釋樣本之可靠程度；2.可以避免主觀安排樣本數所造成的誤差；3.可以獲得較具代表性的樣本，因而可將研究結果推論到抽樣所依據的母群體（劉湘川，2003）。

壹　簡單隨機抽樣

　　簡單隨機抽樣（simple random sampling）是一種最典型與最具代表性的機率抽樣方法，乃指抽樣時不摻入人為因素，而且母群體中每一個體完全獨立，彼此之間無一定的關聯性和排斥性，且被抽中的機會均相等。但須注意的是「隨機」並非「隨意」，而是指個體依機率原理自然出現的情形（詹志禹、賴世培，2005）。簡單隨機抽樣又可分為抽籤法和亂數表（random-number table）法，以下分別說明之：

一、抽籤法

在進行此方法時，通常將所觀察的母群體內每一個體加以編號，從1開始一直到N號，接著隨機地從這N個號碼中抽出我們想要的樣本數，再找出母群體號碼中與這抽出的隨機號碼相同的個體作為施測的樣本。例如：研究者想從45個學生中抽取10個人為樣本，研究者先取45張撲克牌，每一張寫上號碼，以人工洗牌的方式充分均勻混合，再盲目抽取10張牌的號碼，牌洗得愈均勻，樣本愈有代表性（詹志禹、賴世培，2005）。抽籤法又可分成二種：第一種稱為置還抽樣（sampling with replacement），它是指將所抽到的號碼牌登記號碼後，重新放入箱內，再抽取另一個號碼，重複抽到的樣本只能計一次；第二種稱為非置還抽樣（sampling without replacement），它是指不將所抽到的號碼牌重新放入箱內，就繼續進行抽樣。這兩種方法以置還抽樣法最能確保每個抽樣單位被抽中的機率是相等的（周文欽，2001）。

二、亂數表法

最容易挑選隨機樣本的方法是使用亂數表（random number table）。亂數表非常容易取得，在許多統計學教科書和數學書籍都附有此表，許多電腦套裝軟體也可以產生亂數表。表5-1是亂數表的一部分，亂數表所列的每一個數字出現機率均等。根據亂數表隨機取樣的步驟如下：1.將母群體中的所有單位都編號；2.依隨機方式決定亂數表的頁數及起點；3.決定查表的行進順序及走向；4.依抽樣架構的個數決定所要之數字的位數；5.進行樣本抽取（周文欽，2001）。例如：想從835個母群體數中選取30個樣本，研究者閉眼睛，用手指或鉛筆在亂數表上點出一個數字作起點，若以第一數字「2」為起點，向右以三個數字為一個數的樣本，抄錄亂數表上的數字，得到292、803、965、518、902、925、319、037等8個號碼，如碰到重複出現的數或比母群體數（835）還大的數就

捨去不用，直到全部選取所需的樣本數爲止。若母群體數爲99，則從01-99中選兩個數字的號碼，若母群體從0001-9999，則選四位數字的號碼。抄錄亂數表上數字不一定由左而右，也可由右而左，或由上而下及由下而上（王文科、王智弘，2017；朱經明，2024）。

表5-1

摘錄的亂數表

29280	39655	18902	92531	90374	07109	26627	59587	84340	98351
20123	82082	55477	22059	43168	12903	13436	25523	21090	73449
66405	35287	33248	67657	07702	01474	66068	01125	59258	30138
97299	83419	13069	17826	76984	48906	10567	17829	00723	46700
83923	92076	98880	33942	46841	58731	36513	16681	88722	61984
11258	92175	94894	97606	11134	51941	43733	00514	06694	27706

　　簡單隨機抽樣是其他各種抽樣形式的基礎，當母群體名冊完整時，簡單隨機抽樣樣本抽取方便，這是此法的一大優點，但當完整母群體名冊不易取得，或取得成本很大時，則此法實行困難，例如：母群體名冊有幾萬人；當樣本單位差異大時，樣本代表性恐有不足，例如：所得差異、智商的差異等。故此法適用於以下兩條件：1.母群體內樣本單位不多，且有完備名冊可資編號；2.母體內樣本單位差異不大時。

貳　系統抽樣

　　系統抽樣（systematic sampling）又稱等距抽樣、機械抽樣，是將母群體各單位有系統地每隔等量的樣本點抽取一個組成樣本，樣本與樣本之間的距離或間隔相等，所以又被稱爲等距抽樣。例如：某製造燈泡的工廠，計畫生產5,000個燈泡，想從中抽取50個樣本，以了解不良品的比例，若採取系統抽樣，則依5,000個燈泡

生產的順序，作為假想的編號，其次決定抽樣區間 k，$k = 5000/50 = 100$，然後從1至100中以簡單隨機抽樣抽出一數，作為起始點，如抽出35，最後只要每生產第100個燈泡，便將該燈泡抽出，即生產順序為35、135、235、335……4,935的燈泡，就被抽出作為樣本。教育研究的用法也是一樣，先準備好國小全校學生名單，決定要抽取樣本的數量後，再計算出 k 值（$k = \dfrac{N}{n}$，n 代表樣本數，N 則通常代表母體總人數）。抽出起始點後，每隔個樣本點抽出一個樣本（合作經營綜合研究，2000）。

系統抽樣法包含了機率和非機率抽樣兩部分，嚴格說來並非完全符合隨機抽樣的原則。因為除了第一個樣本點是隨機樣本外，其餘取得的樣本點均在第一個樣本點抽出後，亦即第一個抽中的樣本點決定了其餘所有樣本點，故此法不符合隨機獨立之原則。不過，如果母群體原有的抽樣名單為完全隨機性排列並無週期性關係，而第一個樣本點又由隨機方法決定，則依此法抽得的樣本仍為隨機樣本（劉湘川，2003）。

參　分層隨機抽樣

當母群體內樣本單位之差異較大，且可依某衡量標準，將母群體區分成若干個不重複的次團體，我們稱之為「層」（strata），且層與層之間有很大的變異性，層內的變異性較小，這時我們就要採用分層隨機抽樣（stratified random sampling）進行抽樣（Gay & Airasian, 2000）。例如：依據性別可將母群體區分為男性團體及女性團體，這兩個次團體的特徵存在很大的差異性；兒童的智力也存在很大的差異性，有較高智力者，也有較低智力者。在樣本差異性大的情形之下，如果採用簡單隨機抽樣就沒有把握取到能反映母群體中次團體結構的代表性樣本，因此要先將母群體中的次團體區分出「層」來，然後再分別從每個層之中，以隨機方式抽選樣本，這樣的方法稱為分層隨機抽樣（吳明清，2004）。

　　分層隨機抽樣的方法，大約可分爲下列幾個步驟（郭生玉，1997）：

　　1.先決定分層所依據的標準，例如性別、年級、學院別等。

　　2.確定母群體的總人數、每一層（類）的人數和取樣的人數。

　　3.計算每一類別所占的人數比例，並以抽樣總人數乘以此比例，以得到每一類別所應抽取的人數。

　　4.採用簡單隨機抽樣法，從每一類別中抽取應取的人數。

　　以下舉一實例說明此種抽樣的過程。某教授對甲大學的學生調查對性別角色的態度，全校學生有5,000人，想要抽取樣本500人，以年級爲分層標準，按比率原則抽出各年級的樣本數。假設各年級的學生如下：一年級2,000人、二年級1,500人、三年級1,000人、四年級500人，則所抽取的樣本數如下：一年級200人、二年級150人、三年級100人、四年級50人。

　　這種抽樣不但顧到隨機原則，同時也兼顧到每類人員在母群體中所占的比例。但使用這種抽樣之前，研究者要思考以下問題：要依據什麼變項或特徵作爲分層的標準？這個標準適不適當？如果分層標準不適當不但無法使樣本具有代表性，反而會增加抽樣的誤差（郭生玉，1997）。有時分層的標準不是只有一個變項，也可以有兩個或兩個以上，例如：性別之外，再加上年齡爲分層標準，如果年齡分爲老年、中年、青年三層，如此就形成男性老年人、男性中年人、男性青年人、女性老年人、女性中年人、女性青年人等六個分層。其他常用的分層標準有教育程度、社經地位、居住地區等。

肆　叢集抽樣

　　叢集抽樣（cluster sampling）又稱爲整群抽樣或群集抽樣。所謂叢集抽樣是將母群體依特質分成若干類，每一類稱爲一個團體，再以隨機方式抽取若干小團體，抽中的小團體全體成員均爲樣本（McMillan & Schumacher, 2001）。例如：欲調查某大學大四學生升學或就業的意願，假設大四有35班，從中隨機抽取五班，然

後就這五班的成員全部施測。又例如：從全臺灣省所有的國民小學中，隨機抽取30所小學全部學生接受學業成就測驗，這也是叢集抽樣法。

　　叢集抽樣與分層隨機抽樣存在以下的差異：1.分層隨機抽樣要保證各層間的異質性，而叢集抽樣則要保證各層間的同質性；2.分層隨機抽樣的對象是層內的個體，而叢集抽樣的對象是「團體」，即被抽取到的團體成員均是樣本。叢集抽樣適用母群體範圍大、數量多的情況，它主要的優點是抽樣方法簡單，同時，對於抽取到的樣本可以進行集中處理，使研究實施更加節省人力、物力和時間（董奇、申繼亮，2003）。但值得特別注意的是，叢集抽樣與系統抽樣一樣，常不符合簡單隨機抽樣的獨立原則，尤其是當各叢集內的樣本點不一樣多時，連等機率原則也不符合（劉湘川，2003）。應用叢集抽樣時，同時要考慮到母群體中的次團體之間是否同質，如果同質性較低，就不適合使用，例如：以班級為單位進行叢集抽樣時，如果是常態編班的班級，彼此之間就具有較高的同質性；如果是能力編班的班級，彼此之間的同質性就低，因此就不適用叢集抽樣（吳明清，2004）。

伍 多階段抽樣

　　在實際進行研究中，當要從母群體抽取樣本時，因為數量龐大，我們根本無法根據目的將所有元素表列成冊，此時，研究者必須提出更複雜的抽樣設計，因此多階段抽樣（multi-stage sampling）就廣受使用。多階段抽樣可以與上述幾種方法相結合，其基本特點是將整個抽樣過程分成幾個階段，在每個階段採用不同的抽樣方法，逐漸縮小取樣範圍，最後抽出所需的樣本。多階段抽樣的實施，通常是在第一階段將母群體進行分組，構成初級抽樣單位，用簡單隨機抽樣或其他方法從母群體中選取一定數量的組；第二階段則在每個抽中的組內，再按照一定的標準將組分成多個小組，作為第二級抽樣單位。如此類推，產生各級次團體，然後從各

級次團體中選取所需要的樣本（董奇、申繼亮，2003）。也就是
將母群體先粗分，再細分，其次再微分，然後從各類組中隨機抽出
樣本，就是最後進行調查的樣本。當此法與叢集抽樣相結合時，就
成為「多階段叢集抽樣法」（multi-stage cluster sampling）。

　　華人家庭動態資料庫（Panel Study of Family Dynamics，簡稱
為PSFD）即使用這種抽樣方法，除可避免簡單隨機抽樣所需要的
母群體清單，也避免抽取樣本過於分散的缺點，同時解決了叢集抽
樣誤差太大的缺點。在母群體數量多、分布廣的情況下，能夠解決
分層抽樣一次分層的偏限。同時，多階段抽樣簡便易行，節約經
費，在研究母群體範圍大，單位多的複雜情況下非常有用。但是，
多階段抽樣的設計相對較為複雜，需要對研究對象有更多的了解，
如果不能選擇有效的標準，將會導致更大的抽樣偏差（朱敬一，
1999）。

第三節　非隨機抽樣的方法

　　在使用質性研究進行小樣本的訪談或觀察時，就不適合使用機
率抽樣，這時就該採用非機率抽樣（nonrandom sampling）。這是
憑主觀的判斷來選擇樣本，故其樣本選中機率無法以統計機率理論
計算。這種抽樣法會使樣本代表性降低，而統計推論的誤差也比較
大，但其支出的成本較低，運用較為方便，因此亦不失為一種好的
抽樣方法（Cohen, Manion, & Morrison, 2000）。非隨機抽樣法有
以下五種：

壹　方便抽樣

　　方便抽樣（convenience sampling）又稱權宜樣本、隨意樣本
（haphazard sampling）或臨時抽樣（accidental sampling），是指
研究者根據現實情況，以自己方便的形式抽取偶然遇到的人，或者

僅僅選擇那些離得最近的、最容易找到的人作為調查對象。例如：大學教授以選課學生為樣本，或者是研究者到離他們最近的公車站，把當時正在那裡等車的人選作調查對象。其他類似的方便抽樣還有在街口攔住過往行人進行調查、在圖書館閱覽室對當時正在閱讀的讀者進行調查、利用報刊雜誌向讀者進行調查等。方便抽樣與隨機抽樣的差異在於最方便找到的對象進行調查，沒有保證母群體中的每一個成員都具有同等的被抽中的機率。其優點為方便、省錢，適用於母群體的同質性較高的團體，可以在探索性研究中使用，另外還可用於小組座談會、預測問卷等方面的樣本選取工作。缺點為抽樣偏差較大，不適用於要做母群體推論的任何民意調查、描述性或因果性研究（朱柔若譯，2000；潘明宏譯，1999）。

貳　立意抽樣

立意抽樣（purposive sampling）或稱為有目的抽樣或判斷式的抽樣（purposive or judgmental sampling），即研究者依據主觀判斷選取可以代表母群體的個體作為樣本，這種樣本的代表性取決於研究者對母群體的了解程度和判斷能力。當母群體規模小，所涉及的範圍較窄時，樣本的代表性較好，但母群體太大且涉及的範圍較廣時，其代表性將顯著降低。判斷抽樣通常適用於母群體之構成個體極不相同，而樣本數又很小的情況下，例如：在問卷設計階段，為檢驗問題設計是否得當，常有意地選擇一些觀點差異懸殊的人作為調查對象；或者是研究者想了解國中教師的服務士氣，他可根據個人主觀的判斷，從一些平常的學校選取某些教師做調查研究，同理，他也可以從一些較差的學校選取某些教師來研究。在無法確定群體的邊界或因研究者的時間、設備有限而無法進行抽樣時，可以採用這種方法。但這種抽樣法最大的問題是所得到的結果無法解釋普遍的事實，因為研究的樣本不能保證是隨機的（郭生玉，1997；劉娜，2006）。

參　滾雪球抽樣

滾雪球抽樣（snowball sampling）顧名思義便是如同滾雪球般，樣本愈抽愈大，當調查母群體的個體資訊不充分時常採用這種方法。首先研究者先利用隨機方法選出起始受訪者，然後從起始受訪者所提供之資訊去取得其他受訪者。例如：要研究貧困學生，先從少數成員入手，對他們調查，並向他們詢問還知道哪些符合條件的人，再去找那些人並再詢問他們知道的人，依次類推，像雪球滾動一樣，由小變大（Gay & Airasian, 2000）。又例如：要研究退休老師的生活，可以清晨到公園去結識幾位散步老人，再通過他們結識其朋友，不用很久，你就可以交上一大批老年朋友。但是這種方法誤差也很大，那些不好活動、不愛去公園、不愛和別人交往、喜歡一個人在家裡活動的退休老師，你就很難把雪球滾到他們那裡去，而他們卻代表著另外一種退休後的生活方式。這種方法適合於當我們無法了解母群體，或是所要研究的樣本在母群體中很難尋找或十分稀少的情況下時採用（劉娜，2006）。

肆　配額抽樣

配額抽樣（quota sampling）的主要目的，是以人為方式盡可能選定一個與抽樣母群體相似的樣本，其方法是按調查對象的某種屬性或特徵，將母群體中所有個體分成若干類或層，然後在各層中抽取樣本。例如：假定我們知道母群體內有15%是黑人，則樣本的15%將是黑人。又例如：某大學有4,000名學生，其中男占60%、女40%，文學院、理學院各占50%，一、二、三、四年級學生比例為40、30、20、10%。現在要抽取100人為樣本，樣本要符合母群體的特徵，故其配額架構如表5-2。如要增加樣本數，則依比率增加人數（燕山大學，2006）。

表5-2

某大學配額抽樣架構

性別	男生60人		女生40人	
院別	文學院	理學院	文學院	理學院
年級	一二三四	一二三四	一二三四	一二三四
樣本人數	12 9 6 3	12 9 6 3	8 6 4 2	8 6 4 2

　　配額抽樣與分層隨機抽樣看起來十分相似，所不同的是分層抽樣中各層的子樣本是隨機抽取的，而配額抽樣中各層的子樣本是非隨機抽取的。配額抽樣是以代表母群體為目的，因此必須對母群體的性質有充分的了解，如不同的性別、年齡、教育水準、種族的人數在母群體中所占的比例等。配額抽樣有一些先天的問題，首先是配額的架構必須正確，但是實際運作中，我們獲得最新的資訊是困難的。其次，即使正確預估出每一個細格在母體所占的比例，對每一細格之樣本元素的選取，仍可能是偏誤的。配額抽樣較立意抽樣、方便抽樣更能代表母群體，但與其他非隨機抽樣的方法一樣，還是依賴研究者的主觀判斷（潘明宏譯，1999；McMillan & Schumacher, 2001）。

伍　自願樣本

　　調查研究需要從廣大的母群體中隨機抽取樣本，例如：民意調查測驗。然而民意調查只問幾個問題，時間也是短短幾分鐘，受訪者比較會接受調查，而教育研究經常需要長時間、大樣本的調查，如果採用隨機抽樣的樣本，很可能遇到樣本不肯合作的情況，因而影響到研究結果的真實性。雖然自願樣本（volunteer samples）存在著抽樣的偏差，但在教育研究中仍然經常被採用（Borg & Gall, 1989）。所謂自願樣本即自願接受調查、訪談或實驗的人所組成的樣本，像叩應節目中的民眾意見、讀者投書、網路問卷等均屬之。假如研究者想要採用自願者為研究對象，以下方法可以提高自

願者的人數：1.邀請函或公告應力求吸引人，同時避免任何威脅性字眼；2.將研究的重要性說清楚、講明白；3.讓自願者了解他參與研究的貢獻；4.提供小禮物、紀念品或酬勞金給自願者；5.邀請函署名者的職位或知名度愈高愈好；6.找一些有魅力的人士協助邀請（葉重新，2017）。

<hr>

第四節　樣本的大小

　　研究受試者的數量稱為樣本的大小（sample size），通常以英文字母表示之，N代表母群體大小，而n表示樣本大小。研究者必須決定樣本的大小，以提供足夠的資料來回答研究問題。一般而言，量化研究除實驗研究法以外，其餘研究法所需要的樣本數較大；質性研究所需的樣本則較小，且所用的抽樣方法大都是非隨機抽樣法。本節主要是針對量化研究部分作一探討，尤其是針對調查研究。

壹　決定樣本大小的因素

　　樣本大小的決定是複雜的，因為有很多因素需要同時考慮進去，這些因素包括以下幾項（王文科、王智弘，2017；McMillan & Schumacher, 2001）：

一、研究的類型

　　不同類型的研究需要的樣本大小亦不相同，一般而言，相關研究至少要有30名樣本。因果比較研究因為要比較團體之間的差異，所以每個團體至少要15個樣本。調查研究所需要的樣本數更多，每個主要次團體（major subgroup）至少要有100名，次要的次團體（minor subgroup）至少要20-50個樣本。實驗研究如有嚴密控制，如心理學實驗，每組至少需要15人，如果有30人則更為理

想，萬一取樣有困難，15人應是最起碼的要求；條件控制不嚴密的教育實驗，最好是一個自然教學班，不少於30人。

二、研究假設

假如研究者期望發現較小的差異或較輕微的相關，則所需要的樣本數愈大愈好。例如：研究指導課程（coaching courses）在標準化成就測驗成績的影響，會產生小而重要的差異，小樣本的研究是很難發覺的。

三、經費的限制

研究的經費會限制樣本的數量，最好在開始研究之前先估計一下所需的經費。

四、結果的重要性

在探索性研究中，小樣本是可以接受的，因為研究者可以容忍研究結果較大的誤差。但在研究兒童安置方案方面，或有較多經費可供使用，研究者需以較大的樣本數，使誤差可以最小化。

五、研究的變項數量

研究中有很多的自變項或依變項，或研究中有許多無法控制的變項，則需要使用大樣本。

六、資料蒐集的方法

如果資料的蒐集方法不具高度精確性或一致性，需要有大樣本數以抵消資料蒐集過程中所造成的誤差。

七、所需要的精確性

一般而言，樣本愈多研究結果的準確性就愈高，所允許的誤差就愈小。但如果母群體的同質性高時，只要小樣本便具有足夠代表

性；反之，母群體的異質性較大，則需要較大的樣本數，方可減少誤差，提升結果準確性。

八、母群體的大小

隨著母群體數的增加，研究者需以漸進方式從中選取較多的樣本數。

 以統計公式估算樣本大小

統計學中，通常以30為界，把樣本分為大樣本（30個及以上）和小樣本（30個及以下），之所以這麼分，是因為當樣本規模大於30時，其平均值的分布將接近於正態分布。但在教育研究來說，這是不夠的，在教育研究中，一般都是抽取大樣本，因為樣本的母群體和母群體異質性均較大。一般來說，教育方面的調查研究其樣本數都在50-5,000之間。但要精確地確定樣本數目，一是需要進行複雜的計算；二是要考慮到各種複雜的社會因素（燕山大學，2006）。

我們可以用公式來大致估算所需的樣本規模，該公式為（唐盛明，2003）：

$$N = \frac{(Z^2)(P)(1-P)}{(0.03)^2}$$

在公式中，N為想要求取的樣本規模，分子中的Z值為1.96，P為0.5；分母中的0.03是我們所要求的精確度。Z的數值與信賴水準有關，當信賴水準（confidence level）為95%時，Z值為1.96，表示我們對結論的正確性95%的把握。假設信賴水準為95%，精確度為±0.03，樣本的規模為1,067人；如果要把精確度由3%提高到±2%，而信賴水準不變，那麼樣本的規模代入公式可以得到2,401人。

$$N = \frac{(1.96)^2 \times (0.5) \times (0.5)}{0.0009} = 1{,}067.11$$

　　由於±3%的精確度在社會科學界是大家普遍接受的精確度，因此普通的調查研究樣本規模在1,000人左右就已經足夠。如果是一場大規模的調查，涉及的變項很多，那時就要考慮增加樣本的人數，但除非是有特殊的需求，一般而言，樣本的數量無需超過2,500人。這裡再提供一個經驗法則來判斷樣本數目的大致範圍，由表5-3可知，當母群體的規模愈大時，樣本所占母群體的比重可以低一點；反之，母群體的規模較小時，樣本所占的比重則要高一點（燕山大學，2006）。當我們要進行調查研究或相關研究時，樣本的數量當然是愈多愈好，但是樣本的代表性也要能兼顧。

表5-3

經驗法則判斷樣本數的範圍

母群體規模	100以下	100-1,000	1,000-5,000	5,000-1萬	1-10萬	10萬以上
樣本占母群體的比重	50%以上	20-50%	10-30%	3-15%	1-5%	1%以下

問題與討論

一、隨機抽樣有哪些方法？各種方法有何優缺點？

二、非隨機抽樣有哪些方法？各種方法有何優缺點？

三、何謂分層隨機抽樣？在教育研究中，通常採用哪些變項作為分層依據？

四、採用調查研究法進行研究，請問樣本人數的多寡要如何決定？

五、抽樣的誤差與抽樣的偏差是否意義相同？如果不同，二者有何差異？

六、量化研究和質性研究在選擇樣本方面有何差異？

第6章
研究工具的類型與編製

第一節　研究工具的種類

　　教育研究所用的研究工具主要以問卷（questionnaires）爲主，廣義的問卷包含量表（scale）、測驗、檢核表，要進行調查之前，一定要先編製良好的問卷，才能蒐集到所要的資料，反之問卷編製不當，則整個研究心血將付之流水。以下先介紹研究工具的類型：

 壹　研究工具的種類

　　以下分爲問卷、量表、測驗、檢核表等類型，來介紹研究工具的種類。

一、問卷

　　問卷是目前在獲得資料方面，被應用得極爲廣泛的一項工具，問卷是測量技術的一種，是一種爲了統計或調查上的應用而設計的問題表格，其內容通常包括多個問題，其目的不在測量塡答者的能力，而希望了解塡答者對問題的意見、興趣或態度。問卷中的題目沒有標準答案，允許個人表示主觀的意見（董奇、申繼亮，2003）。另有一種問卷格式設計成表格的形式，調查單位的人員、物品的數量、特性等，則稱之爲調查表。除了訪談問卷以外，通常問卷是由受試者親自塡寫。

二、量表

量表是透過一組問題來評量個人擁有的興趣、信念或感受的程度，例如：接受或拒絕、喜歡或不喜歡。較常用的量表是態度及人格量表，態度量表是由受試者回答一連串的敘述句，研究者由其回答可了解受試者的態度；人格量表是用來測量個人某些特性，或評量他們對自己的看法，例如：焦慮量表、自我概念量表。量表的實施方式可分為兩種：自陳式量表及評定量表。自陳式量表是問卷式量表的一種形式，簡單地說就是書面的問題和回答，這是由受試者自己作答。評定量表則是由研究者依據受試者的回答或對受試者的觀察而評分。通常量表的編製都是根據學者所提的理論來決定其編製的架構，譬如若要編製領導行為量表時，可根據領導理論來編製。在態度或人格量表中，受試者應按自己的實際情況作答，但有人為了給別人好印象或把自己裝扮成具有某種人格特徵，因而會做出不符合實際的回答，所以有時候無法獲得受試者真實的態度或感受（王文科、王智弘，2017；楊國樞等，2001）。

三、心理或教育測驗

心理或教育測驗也是蒐集研究資料的重要工具之一，這裡所指的測驗大部分是指標準化測驗，例如：性向測驗、人格測驗、智力測驗、學科成就測驗等，然而教師自編的成就測驗就不屬於標準化成就測驗，例如：段考、期中考等成績。標準化測驗是由專家學者經過一套嚴謹的流程編製而成，而且發展出常模作為參照，測驗的信度和效度都相當高，編製一份標準化測驗需要投入相當多的人力和財力，非一個人所能獨自完成；相反地，教師自編成就測驗的編製就比較簡單，通常教師一人就可完成測驗的編製，因著重教學上的需要，未對試題的好壞加以分析，故測驗的品質比較粗糙。研究者可依據研究題目選擇適當的標準化測驗，亦可向出版商購買這類型的測驗。

四、自我檢核表

　　自我檢核表（self-checklist）是表格上列了幾種特質或活動，請研究對象依據自己的實際狀況勾選出符合的特質或活動，當研究者希望學生自我診斷或評估自己的表現時，常會使用自我檢核表。使用觀察研究法也常會使用到檢核表，但觀察研究的檢核表是由研究者填寫，自我檢核表則是由受試者自己填寫。

　研究工具的來源

　　研究者從事研究時，不一定可以找到合適的工具來蒐集所需要的資料，研究者要知道哪裡可以找到與研究主題相接近的工具，以下提供研究工具的幾項來源途徑：

一、使用他人的研究工具

　　現成的問卷或量表，可以從學位論文、期刊、學報和書籍中去找尋，找到之後應先檢視這些工具的內容是否合乎自己的需求。在使用他人研究工具之前，為尊重智慧財產權，應取得原製定或修訂者的同意。平時在閱讀文獻時，研究者也要蒐集與研究變項相關的問卷或量表，可以從國內的心理測驗年鑑、手冊等參考資料取得相關測驗量表。

二、購買或借用

　　有些出版社會出版一些心理與教育方面測驗，例如：國內的心理出版社，研究者可以向出版社洽購，但基於測驗保密原則，購買測驗應由研究單位出具公函。各級學校的輔導室都有購買一些心理測驗，有時候研究者可以向學校借用。

三、修訂他人研究工具

　　在幾種情況之下，要對他人的研究工具進行修訂，例如：他人

研究工具的施測對象與自己的研究不同、研究工具的製定日期離現在十年以上、工具的信度效度偏低、工具的題目太少想多加題目、想更改作答方式、翻譯國外研究工具等。

四、研究者自行編製

如果研究的變項是最新的，在國內外的文獻找不到相關的研究工具，這時候研究者就要自行依據理論編製研究工具，這是取得研究工具最難的方式，研究者往往需要花費相當長的時間才能編製一份高品質的工具。

研究工具所測得的資料

前文提到教育研究所測得資料稱為變項，也將自變項、依變項、無關變項的定義和性質作一說明。當我們編好一項研究工具，若依照測量量尺（scale of measurement）的精密程度或測量水準（level of measurement）來區分，將可以得到類別變項、次序變項、等距變項與比率變項等四種資料，以下分別敘述之（余民寧，2012；林清山，2014；邱皓政，2019）：

一、類別變項

類別變項（nominal variable）或稱名義變項、名義量尺（nominal scale），是測量水準中最低的一種。凡變項資料本身的用途只具有作為辨識事物或表示類別用途的特性者，便是類別變項。例如：球衣的背號、學生的學號、性別、血型、宗教別、職業別、國籍、郵遞區號或身分證等，都是類別變項的例子。類別變項只是用來辨識事物或表示類別而已，並不能用來表示或比較事物與事物間或類別與類別間的大小、優劣、次序或差異，因此這類變項不能進行算術中的四則運算。以這個尺度來測量一個變項時，其所用的類別必須是互斥的（mutually exclusive）、周延的（exhaustive），且為同質性的（homogenous）。即必須把所有的

觀察值歸類到這個變項的某個屬性之中，而每個屬性都要互相排斥，例如：「就業狀況」這個變項分成「在職」和「失業」兩種屬性，研究者要思考這兩種屬性是否周延，即還有沒有其他的情況存在；也要思考這兩種屬性是否互相排斥，只能歸爲其中一類，不能同時可歸在兩類。

二、次序變項

次序變項（ordinal variable）或稱等級變項、次序量尺（ordinal scale），凡變項資料具有上述類別變項的特質，並且可用數值來表示事物或類別間之大小、多寡、優劣、高低、次序或等第，便可稱之爲次序變項，這類變項包括：社會階級、保守態度、疏離感、歧視及知識的成熟度等。次序測量程序有多種方式，最簡單且最直接的一種是等第順序法，受試者對一組刺激（包括物體、事物或現象）依某種屬性由最多排列次序到最少；例如：依畢業總成績將學生排名次，甲以第一名成績畢業，乙以第二名成績畢業。次序變項只用來描述事物與事物或類別與類別在某一特質上的次序，但並不能用來顯示其間差異量的大小，也不能表示前者比後者大多少或前者比後者小多少，而且也不告訴我們數字的間隔相等。

三、等距變項

等距變項（interval variable）或稱等距量尺（interval scale），凡變項資料具有上述類別變項和次序變項的特性，並且還可以數值計算出兩變項別間的差異量大小者，便是等距變項。例如：溫度、明暗度、音量、收入、投票率、智商和犯罪率等，都算是等距變項。等距變項除了具有辨識事物或表示類別之功能外，還可以比較事物或類別間的大小次序，並且具有「相等單位」（equal unit）的特性，即各段落之基本單位的間隔是完全相等的；因此，等距變項可以進行四則運算中的加法和減法的運算。例如：標準化智力測驗分數，得分在130-120分與得分在60-50分之間

的差距是相等的，但是前者的差異所顯示出的聰明程度，要比後者的差異所顯示出的聰明程度還大，這是由於智力的意義不具有相等單位的緣故，嚴格說來，智力應該算是次序變項。然而在實際的心理與教育研究領域裡，學者們為了方便使用起見，還是將智力視為一種等距變項；一般的測驗分數也如同智力一樣，被視為是一種等距變項。其餘許多心理學上的變項，也和智力一樣具有相同的特性，但除非它能滿足「相等單位」的條件，否則還是將其視為順序變項，以適用順序變項的統計方法來進行資料處理。

四、比率變項

比率變項（ratio variable）或稱比率量尺（ratio scale），是測量的最高水準，而且也是科學家的理想量尺。凡變項資料具有上述類別變項、順序變項和等距變項的特性，並且還可以數值計算和表示出兩變項間的差異量大小和相對比率者，便是比率變項。比率變項有個最大的特點，那就是它有「絕對零點」（absolute zero），因此任何一個比率變項數值均是代表從自然原點（natural origin）算起的一段距離，這種數值本身可以進行四則運算。例如：我們可以說獲得學業成績80分的學生是40分學生學業成績的兩倍。

實際上在教育學領域裡，真正屬於比率變項者不多，在測量態度的評定量表（rating scale）使用上，研究者常將評定量表中央位置視為絕對零點，並且各位置間的間隔都是相等的，因此，我們可以依續將評定量表上的「非常喜歡」、「喜歡」、「沒意見」（即中央位置，絕對零點）、「不喜歡」、「非常不喜歡」等五類選項，分別給予5、4、3、2、1分的得分，以代表各種不同的反應強度，同時可以把得4分者看成是得2分者的反應強度的兩倍。這些著重在概念及理論上意義的作法，雖然已引發不少爭議，但在使用時還是要特別小心謹慎，尤其是對研究結果的解釋。在實際使用中，研究者多半不去區分等距變項或比率變項，並且這兩者所適用的統計方法也並無不同，因此這兩者可以合而為一。故根據測量量

尺的精密程度來分的四種變項，便可以合併成三種變項：1.類別變項；2.順序變項；3.等距變項與比率變項。

第二節　研究工具的編製

本節接著敘述研究工具的編製流程，所探討的內容著重於問卷、量表及檢核表的編製，測驗的編製不在討論之列。問卷與量表的形式雖然並不相同，但其格式及編製過程極為相似，故本節所稱的問卷是包含量表及檢核表。

壹　問卷的結構

通常問卷的結構要包含五個部分，以下分別敘述之（董奇、申繼亮，2003；陶保平、黃河清，2005；Vockell & Asher, 1995；Wiersma, 2000）：

一、問卷名稱

問卷的首頁第一行要標示出這份問卷的名稱，也就是問卷的標題，標題是對問卷內容的概括性說明，受試者可由標題了解到問卷是要問哪些內容，例如：家庭文化活動參與調查問卷、國小教師教學效能問卷等。當問卷涉及個人隱私等敏感問題時，有時可以省略問卷名稱，只標以「調查問卷」；有時可以使用籠統的名稱來概括這份問卷，例如：家庭生活問卷、學校生活問卷、人際交往問卷等，讓受試者不知道你所要調查的確切主題為何，如果問卷名稱過於敏感，可能會引起受試者的反感、迴避或拒答等反應。

二、前言

前言是問卷最前面的一個開頭，前言的用意在向填寫者介紹問卷，並激勵作答。通常前言的內容包括以下幾項：1.稱謂；2.闡明

調查的目的和潛在價值；3.對完成問卷提供一個估計的時間；4.向填寫人保證所有的回答都是保密的；5.如果是郵寄問卷，寫明最遲寄回問卷的時間；6.表達對完成問卷的感謝之意；7.研究單位及研究人員署名；8.問卷印製的日期。通常前言的內容以不超過一頁為原則。問卷前言的範例請參見圖6-1。

三、指導語

指導語主要是用來指導受試者填寫問卷的一組說明或注意事項，如果需要還可以列舉一、二題作為範例。指導語要簡明易懂，使人一看就明白如何填寫。如果設計的問卷題型比較單一，這部分的內容可以與前言部分合在一起。以下為指導語的一個範例：

請您在所選答案前的（ ）內打上「√」：
您的孩子的性別是：（ ）(1)男 （ ）(2)女

四、基本資料

基本資料是指受試者的背景資料，通常包含：性別、年齡、年級、系院別、教育程度、職業、收入、居住地區、就讀學校等，基本資料的內容一般都是在研究中考慮到的變項，而且須與研究假設相配合。儘管這部分內容是事實問題，每個人都很容易填，但是有些人對這類問題存有戒備心理，特別是涉及一些人的隱私或弱點，例如：年齡、教育程度、婚姻、家庭收入等問題。因此在填寫問卷之前的前言中，應明確告訴受試者這是匿名填寫。

大部分的問卷都把基本資料放在正式題目之前，但Wiersma（2000）認為最好放在正式問題之後，其理由為可避免從前言到題目之間受到阻隔，而且可減少拒答的人數。

五、題目與選擇答案

答完基本資料之後,接著就呈問卷題目及選擇答案供受試者填寫,如果還有什麼特殊填答說明,要在正式題目之前作一說明。通常問卷題目的排列原則是由易而難,所以開放式的題目要放在封閉式題目之後;同時,問卷的編排不能給人擁擠的感覺。至於問卷題目的多寡,則要視研究對象而定,國中小學的學生一般以10-15分可以填完為原則,所以題目最好不要超過五十題。對於高中生以上的樣本,題目可以適度增加,但填答時間以不超過30分鐘為限。題目過少無法得到足夠的資料;題目過多則易引起受試者厭煩的情緒,導致敷衍塞責或不予以作答。如果必須編製較多題目,可以考慮把問卷拆成若干份問卷,分兩次以上進行施測。

六、感謝語

通常問卷的最後一部分是感謝語,也有人稱為結束語。一般是研究者對受試者表示感謝之意,以及提醒受試者檢查看看有無漏答的題目。例如:「問卷到此結束,請您再從頭到尾檢查一次,看看是否有漏答或錯答的問題。最後衷心地感謝您對我們調查的支持,謝謝!」

有時為了尋找接受訪談的樣本,可以詢問受試者是否願意接受訪談,如果願意請其留下姓名及聯絡電話,研究者再與之接洽;有時可以詢問受試者是否對研究結果感興趣,若感興趣,可請其留下電子信箱,待研究結束後將結果傳過去。茲附上圖6-1作為問卷的範例。

圖6-1

預試問卷的範例

學校生活預試問卷

各位同學您好：

　　很感謝您在課業繁忙之中填寫這份問卷！這項研究主要目的在探討高職學生學校社會資本影響因素及其與學習表現之關係，其用途僅供學術研究參考，不會對個別班級、學校加以比較。問卷的題目沒有所謂的標準答案，請您依自己的真實情況，回答問卷上的每個問題，答題時請先把每題的意思看清楚，再選出比較適合的答案，並在□內打√，請務必每題都作答，不要有空白的題目，您填寫的資料我們會保守祕密，不會讓研究者以外的人看到，請您放心作答，謝謝！

○○○○大學教育系博士班

指導教授：○○○博士

研究生：○○○敬上

○年○月○日

第一部分　個人及家庭基本資料

壹、個人資料

　　一、班級：　　年　　班

　　二、性別：□1.男　□2.女

　　三、所屬族群：□1.漢人　□2.原住民

貳、學校背景

　　一、學校屬性：□1.公立或國立　□2.私立

　　二、學校所在地：□1.都會（高雄市）　□2.城市（臺東市、屏東市）　□3.鄉鎮

　　三、學校班級數：□1.大（60班以上）　□2.中（30-59班）　□3.小（29班以下）

　　四、班級人數：□1.大（40人以上）　□2.中（26-39人）　□3.小（25人以下）

參、家庭狀況（略）

第二部分　學校生活問卷

填答說明：本問卷的目的主要是幫助你了解自己的學校生活情形，……。

	完全不同意	大部分不同意	部分同意	大部分同意	完全同意
	1	2	3	4	5
1.我與多數老師的關係良好。	□	□	□	□	□
2.學校老師關心我的學習情形。	□	□	□	□	□
3.為了學生的前途，學校老師均能認真教學。	□	□	□	□	□

（共二十題，以下略）

※本問卷至此結束，謝謝您專心地作答。請再檢查一下有沒有漏答或寫錯的題目，再把正確答案寫上去。

貳　問卷編製的過程

　　教育研究使用最廣的研究法是調查研究法，其中又以問卷調查應用得最為普遍，問卷設計的好壞將直接決定著能否獲得準確、可靠的資料。編製一份好的問卷，必須有周詳的計畫及符合科學的方法，否則隨意編製一份問卷是無法精確地測量到我們所想要測量的主題或特質。本部分我們將詳細介紹問卷編製與修訂的有關概念和基本技巧，以下就以心理計量的角度來看問卷編製的流程（姚開屏，1996；姚開屏、陳坤虎，1998；高義展，2004；鄭宇庭，2004；Bielick, 2017）：

一、確定研究的主題

　　在編製之前需釐清測量的目的及它所包含的範圍，根據研究

的目的確定問卷的施測對象為何,通常問卷的編製是在文獻探討之後,故研究者大都能明確掌握研究的主題與變項。

二、蒐集資料

當研究主題確定之後,研究者必須藉由幾種不同的管道或資訊蒐集問卷的相關資料,以便建立測量主題的架構。所使用的方法可能有:

(一) 文獻探討

所謂文獻探討是指蒐集過去至今有關研究該主題的相關資料,例如:理論或前人編製過的相關問卷,藉由文獻探討可幫助我們對該主題有進一步的了解,也有助於對該主題概念的澄清和理論的建構。

(二) 進行專家或相關人員的訪談

在進行問卷編製時,可以先對專家或相關人員進行訪談,因為專家通常對此某一研究主題有較深入的研究或探討,因此可以提供許多有關的資訊及建議。專家以外,也可以對調查對象進行訪談,了解某一主題的確切內涵。例如:研究者想要研究國小教師在班級經營最感困擾的事情,在編製問卷前先就不同類型學校的教師進行訪談,再依據訪談的內容編擬題目。

(三) 實際進行觀察

研究者也可透過自己對研究主題的實際觀察來蒐集相關的資料,來協助研究者編製問卷。例如:要調查國中生師生互動情形,研究者可徵求老師同意後,進入教室觀察。要調查國中生的次級文化,研究者可前往國中生經常出入的地方,觀察他們的舉止行為。從觀察所得到的資料,對編製或修改問卷有相當大的幫助。

三、擬定問卷架構

如果要嚴格對狹義的量表和問卷作一區別,通常量表的編製都是根據學者所提的理論來決定其編製的架構,假設領導理論把領導行為分為五個向度,問卷編製者可依照這五個向度編成一份有五個

分量表的領導行為量表。然而在編製問卷時，只要研究者先將所要研究的主題釐清，並將所要了解的問題羅列出來，然後依序編排即可。研究者在開始撰寫題目之前，要先分析研究變項是由哪些次級變項所組成，或分析研究主題是由哪些特質或行為所構成，先將問卷的整體架構先擬定出來。

四、決定問卷之形式

問卷中問題的形式要視調查主題、調查方式、調查對象、資料分析與解釋而定。問卷的類型可分為：結構式、半結構式和無結構式問卷，通常量化分析是採用結構式問卷，質性分析則採用後兩種形式；量表的類型則可分為：李克特（Likert）量表或語意區分（semantic differential）量表，語意區分量表是要求受試者勾選兩邊的極端值尺度上的對比形容詞，來測量受試者對某一概念或事件的反應。假設我們要研究對政府施政滿意度，在每一字組中間有六條測量線段，例如：非常有效率＿＿＿ ＿＿＿ ＿＿＿ ＿＿＿ ＿＿＿ ＿＿＿非常沒有效率。愈往左端的線段意味著政府公務員是愈有效率，愈往右端的線段意味著政府公務員是愈沒有效率。

一般常用的類型是李克特量表，可以分為：二點式至九點式量表，並不是使用愈多的點數，測量的精確程度就會因而增加，因為受測者的心智程度若無法區別到如此細微的差別，反而會降低了測量的準確度、可信度。一般而言用5至7點式的李克特量表效果最好，5點式量表通常標示為：完全符合、大部分符合、普通、少部分符合、完全不符合。同時，其他量表所使用的測量形式最好儘量一致，如此可以減少受測者在回答問題上的不便。

五、編擬問卷初稿

在問卷的形式決定之後接著就根據所要測量的變項實際撰寫問題，有些變項可能用幾個問題測量，而有些可能僅用一個問題而已。以下分撰寫題目、設定答案格式及編排等三部分來說明：

(一) 撰寫問卷題目的原則

撰寫問卷題目時要遵守以下的原則：

1.問題要清楚易懂。由於研究者往往都有一定的專業背景，設計問題時常會忽略受試者是否具有同樣的專業背景。因此問題設計時必須使所提的問題十分清楚，儘量通俗，讓被調查者明白調查者問的是什麼。

2.問題要簡短。問題要淺顯，讓受試者一看就明白，問題也不要過於冗長，以免讓受試者不想看題目就隨便作答。

3.題目需避免模糊的陳述。例如：我常常玩棒球。「常常」的定義不是很清楚，且依每個人的認知而有所差異，故避免使用。這樣的語詞有：通常、經常、偶而、很少、大概等。

4.多用肯定式問題，少用否定式問題。因為在以肯定句為主的問卷中，使用否定句時，一些受試者會受思維慣性的影響，漏掉了否定句中的「不」字，錯把否定句看成了肯定句，要用否定句最好把否定的字眼加上「」或字體加大加粗。同時，雙重否定句也不要在問題中出現，例如：我不認為放棄投票是不對的。

5.題目只有一個主題。一個題目只能問單一主題，不能問兩個或以上的主題。例如：我喜歡棒球及游泳，如果受試者只喜歡其中一項，則就不知該如何回答此題目。因此，問卷中的問題儘量只含有一個主題、一個概念或一個事件。

6.正向題目及反向題目最好各半。正向題目如「我喜歡棒球」，反向題如「我討厭棒球」，而不是「我不喜歡棒球」。

7.儘量避免使用敏感性或侵犯隱私的問題。一般人對於個人隱私性問題，容易產生心理防衛作用，而不願意真實回答。除非有特別的目的或需要，應儘量避免使用不必要的敏感性問題，例如：你是否有性幻想？你有婚前性行為的經驗嗎？

8.避免使用「社會期許」（social desirability）問題。例如：我會遵守交通規則。這類問題及隱私性問題應採用迂迴的問法（indirect question），方能探知受試者真正的想法。例如：想探知

受查者對逃漏稅的意見，可用以下之問句：

問題：有些人經常逃漏稅，您認為他們最主要逃漏稅的原因
　　　為？（單選）
　　　□1.認為目前的稅法不公　□2.心存僥倖的心理
　　　□3.認為國家沒有妥善處理稅款
問題：您贊同他們的想法嗎？
　　　□1.贊同　□2.不贊同

如此，我們便能由受查者對其他人的意見反射到受查者本身的想法。

　　9.避免使用引導性問題。例如：你是否同意軍隊應國家化？憑常識即可知道一般人會有什麼樣的反應。

　　10.避免使用假設性的用語。假設性或猜測性問題因充滿不確定性，或因沒有事實的根據，以至於一般的受試者很難回答，因此問卷中要儘量避免使用。例如：假如你當上教育部長，對於教育改革你有什麼看法？

(二) 設計答案格式

　　在設定答案格式方面，一般依據答案格式差異而分為開放式問題（open-ended question）、封閉式問題（close-ended question）及半封閉式問題（partially close-ended question）三種。所謂開放式問題即受試者可以不受任何影響自由作答，不須由問卷上所擬定之答案圈選。如：

請問您的職業是什麼（請受試者具體說明）？
公司名稱：＿＿＿＿＿＿＿＿＿＿＿＿＿＿
職稱：＿＿＿＿＿＿＿＿＿＿＿＿＿＿＿＿
工作內容的描述：＿＿＿＿＿＿＿＿＿＿＿

　　封閉式問題是讓受試者在事先擬定的答案中圈選答案，例如：請問去年您家中共有幾個人（包括您自己）工作賺取收入？□1.一個　□2.二個　□3.三個　□4.四個　□5.五個以上。

　　半封閉式問題因結合開放式及封閉式問題之優點，所以普遍使用在各式問卷中，即每題的選項之外，另外加上「其他＿＿」項供受試者以文字作答，如果受試者在備選答案中找不到適當的答案，則在「其他＿＿」項中填上自擬的答案。在設定答案時，研究者要依研究所需決定採用何種答案格式，因為答案的種類必須包括一切所有可能，所以不要忘了在答案的多種選擇的後面加上「其他＿＿」一項；除非是複選題，否則要確定答案之間必須是相互排斥，不能選一也可選二也可，只能選擇一項。

　　資料蒐集完畢後，緊接著便是問卷之編碼及輸入電腦（key-in）的工作，為方便作業，應在問卷設計之初就將問卷答案編碼確定，以方便日後的輸入工作。例如：您結過婚嗎？□1.有　□2.沒有，1和2就是答案的編碼。

(三) 題目的編排

　　問題順序安排得合理，有助於受試者回答問題。一般情況是把簡單的、一般性的、容易回答的問題放在前面，例如：年齡、性別、學歷、職稱、職務等；將專業性的、敏感的問題放在後面。這樣的安排使受試者能夠很容易地填寫完開頭幾個問題，從而願意繼續回答整個問卷。如果將不易回答或讓人難堪、尷尬的問題放在前面，就會讓受試者望而卻步，選擇放棄回答。

　　對問卷題目可採用隨機排列題目的方式進行編排，又可將性質類似的題目歸類放在一起，並將同類性質的題目作隨機排列。通常問卷的編排是將題目分為數大類，將相同性質或相同變項的題目歸為一類，明確地標示出各大類所欲蒐集之資料類別，如此受試者較能掌握回答的方向。而問卷題目的編排也需考慮美觀性及方便性，以吸引受試者樂意及方便回答問卷。

　　除此之外，問卷之中應儘量避免跳題，太多的跳題使訪問流程

不順暢,容易發生答錯題的現象。不得已一定要使用跳題時,應明確標示跳題的方向,最好用箭頭指示跳題方向,好讓受查者清楚地知道該答哪一個題目。在編製問卷初稿時,題數要愈多愈好,因為初期所編寫的題目要經過審題及量化分析的過程,刪去許多不適當的題目後,才成為最後的問卷題目。所謂審題即根據撰寫題目的原則來刪改或修正原先設計的題目,考慮題目的文字是否通暢而容易回答,語句之文法、用詞是否正確,有無不必要的重複性問題,或有無不符合此研究主題的題目等。編製者在編寫題目完成後幾天,可再回來重讀題目,看題目是否通暢、語法及用語是否適當。

六、邀請專家學者檢視及修訂問卷

問卷初稿完成後,需邀請與研究主題相關之各界專家,針對問卷給予意見。如此可以發現一些研究者從未想到的問題,發揮集思廣益的功能。最後,研究者依據專家們的意見適度地修改問卷初稿,讓這份問卷更臻完善。研究者可採用如圖6-2的格式供專家學者作修訂:

圖6-2

專家效度問卷

	問題重要性					問題適切性		
	極為重要	重要	可有可無	不重要	極不重要	適合	修正	刪除
1. 提升教師專業形象與社會地位………	5	4	3	2	1	☐	☐	☐
修正意見:								
2. 加強教師專業倫理……………………	5	4	3	2	1	☐	☐	☐
修正意見:								

註:取自教育研究法(頁5-16),高義展,2004,群英。

七、問卷的預試

　　預試的目的在發現問卷之內容結構、邏輯、用語等各方面是否有需要修正的地方；而量表形式的問卷則以量化的數據來篩選題目，同時也用來估計問卷之信度及效度。一般問卷預試是採用小量的調查樣本來填寫問卷，對象需配合母群體結構，不可針對某一特殊族群做預試。進行預試時，研究者需將受試者的所有疑問詳加記錄，亦可和受試者討論題目，看看是否有遺漏的選項或不易了解的地方，然後再修改問卷初稿。通常預試的次數爲一至二次，但如果問卷修改的幅度很大時，每修改一次就要進行一次預試的工作。在下節中，將要針對預試問卷的程序作一詳細說明。

八、問卷定稿

　　當問卷經過預試並確定無誤時，就可進入定稿的階段。研究者必須對這份問卷做最後一次的修正，檢視整份問卷的結構、內容、形式、版面安排、外觀等，以及是否有錯字。如果問卷需要聘請訪問員進行訪談，則需要訂定問卷的使用說明，說明訪問員所需注意的事項。一切確定無誤後始可送印。

第三節　問卷預試的步驟

　　預試（pretest）的目的在於了解題目的優劣，題目的選取不可僅憑問卷編製者的臆測而決定，必須根據經由實際預試所獲得的客觀性資料，加以分析後，由所得的結果而選取題目。通常狹義的問卷（不可加總分），其預試的目的僅在看看題目用字、修辭、編排邏輯的適切性，以及備選答案是否周延。而量表則需要使用比較複雜的統計方式來作考驗，如果是編製測驗，則所用考驗方法又與量表不同。本節僅以教育研究最常用的李克特量表爲例，來說明預試

所要進行的考驗方式。

 ## 壹　問卷初稿的施測

　　當問卷初稿編製完成，則抽取母群體樣本約100-150人左右填寫問卷，樣本在抽樣時應具有代表性。施測時的情境，如環境、氣氛、指導語及施測程序等要與將來正式施測時相同。進行預試時，應使受試者有足夠的時間作答，以大致了解完成問卷所需的時間，這可作為日後正式施測時評斷受試者配合度的指標，例如：一般人需花35分鐘才能完成問卷，但有人只用15分鐘就完成，這可能顯示出受試者輕率作答，這時此筆資料就需考慮其正確性。預試時會遇到受試者對量表上的題義或用字有不清楚或不了解的地方，研究者要對這些題目加以修改（王俊明，2005）。

貳　問卷資料輸入電腦

　　問卷回收之後，研究者先將問卷加以編號，資料編碼之後再輸入電腦統計軟體。對於缺答題目太多、答案都是同一個選項的量表，則視之為廢卷，不列入分析。輸入時要注意問卷中的反向題是否有反向計分，輸入完畢之後要加以校對，確定資料的正確性。SPSS統計軟體的「次數分配」可以用來協助校對。

參　進行項目分析

　　項目分析（item analysis）的主要目的是針對預試的題目加以分析，以作為正式選題的參考。進行項目分析時，通常有兩種方法可以使用：第一種方法是用t考驗法，第二種是用相關分析法。以t考驗而言，在進行項目分析時，是以該量表總得分的高分組（前27%的受試者）和低分組（後27%的受試者）在每一題得分的平均數進行差異比較，所得的值稱為決斷值（critical ratio，簡稱CR），CR值至少應達3以上且達顯著水準，才表示這個題目是個好題目。反之，低於3的題目應予以刪除。在進行相關分析時，首

先將每個受試者量表的總得分算出來，然後以題為單位，計算每一題與量表總得分的相關。一般而言，相關係數至少應達0.3以上，且達顯著水準，才表示這是個好題目。

肆 進行因素分析

接著要以因素分析算出量表的建構效度（construct validity）（或稱構念效度），但這種效度不是一個數字，而是要驗證量表與理論的適配性。所謂建構效度是指當研究者在編製量表而沒有理論作為根據時，只是由編製者依其概念將有關的題目編製出來，然後透過探索性因素分析，以了解所編的題目中究竟含有多少個因素。而當編製者採用某個理論來編製量表時，因為一個理論通常都會包含幾個向度，亦即所編的量表相對地也會包含這幾個分量表。為了驗證此項量表所包含的分量表是否和所用的理論一致，驗證性因素分析就可用來考驗這種建構效度。統計軟體的因素分析是採用主成分分析法選取特徵值大於1的因子，經轉軸法之後調整因素負荷量的大小，然後呈現出因素的數目及各個題目的分布情形，研究者要決定因素的數目，並決定每個題目所隸屬的因素，一個因素就是一個分量表，而每個分量表的題目，其因素負荷量至少要大於.30（吳明隆，2022）。

伍 算出整體及分層面的信度係數

項目分析、因素分析之後接著要實施信度分析，對於保留下來的題目進行信度的計算。最常使用的信度是內部一致性係數（克朗巴哈係數，Cronbach's α），假如所得的克朗巴哈係數愈高，則代表其測驗的內容愈趨於一致，信度愈好。

陸 編成正式的量表

經過以上五個步驟之後，就可以編製出一份正式的量表，經大量印製後就可以進行正式的施測。

第四節 研究工具的信度與效度

良好的研究工具一定要具高的信度和效度，當我們在選擇研究工具時，通常會將此項指標列爲重要參考依據。在所有的研究工具之中，不可加總分的問卷，其信度沒辦法以統計公式算出一個係數，來代表問卷信度的高低，量表、測驗及檢核表則有多種的信度及效度的考驗方式，本節特別針對這部分的信效度問題作一探討（余民寧，2012；葉重新，2017；楊國樞等，2001；傅粹馨，2002；Mertens, 2014）。

 壹 信度的考驗方法

一、信度的定義

信度（reliability）是指所測量的屬性或特性前後的一致性或穩定性，即多次測量的結果是否一致。一個人在多次進行某種量表時，如果得到相當接近的分數，即可認定該量表穩定可靠，我們可以稱這項量表具有良好的信度。測量的結果也應該具有一致性（consistency）和穩定度（stability），否則測量的結果便不可信賴，亦即缺乏信度。

二、信度的種類

估計測驗信度的方法有幾個方法，其中常用的基本方法有：再測法（test-retest）、複本法（alternative forms、equivalent forms 或parallel forms）、內部一致法（internal consistency）和評分者信度（scorer reliability），教育研究的問卷，其所使用的信度主要是內部一致性信度（internal consistency reliability）的α係數（coefficient alpha）。對於不是對錯的二分計分法要使用克朗巴哈的α係數，例如：態度或人格測驗所採用的「李克特氏五點評定量

表」即可使用α係數。教育研究方面所編製的量表大都使用這種考驗方式來評估量表內部一致性。其公式如下：

$$\alpha = \frac{n}{n-1}\left(1 - \frac{\Sigma SD_i^2}{SD_t^2}\right)$$

式中α是估計的信度，n表示總題數，SD_i^2表示每一題分數的變異量，SD_t^2表示所有題目總分的變異量。

三、信度的解釋

通常信度的高低受到以下因素的影響：團體變異、測驗題目多寡、試題難易及計分方式。異質團體比同質團體有較高的信度，題目愈多信度愈高，試題太簡單或太難，則信度偏低，計分方式愈客觀信度愈高。一份測驗的信度係數到底要多大才表示分數是可靠的？一般而言，標準化的成就測驗要達.85以上，課堂用的選擇題測驗要達.75以上，測量某構念的工具如果信度係數為.80即可接受。.90以上為高度信度，.80為中高信度，低於.60為不可接受的信度水準。智力測驗通常大約有.85或以上，人格測驗和興趣量表的信度約在.70和.80左右。

 貳　效度的考驗方法

一、效度的定義

效度（validity）是指一項測驗要能正確測量出所要測量的屬性或目的的程度，也就是指測驗分數的正確性，假如教師要測量學生在歷史的學習情形，那麼測驗項目中就不能包含其他主題（例如化學），否則這個測驗就算沒有效度。效度是科學測量工具最重要的必備條件，一項測驗如果沒有效度，無論其具有其他任何優點，都無法發揮出真正的功能，所以選用某種測驗或自行編製量表或測

驗，則必須先評定其效度。

二、效度的類型與求法

測驗的效度具有多種類型，一項測驗可以依據其需要而採用一項或多項的效度，茲將效度的類型及求法簡述如下：

(一) 建構效度

建構效度（construct validity）或稱構念效度，指測驗能夠測量到心理學或社會學理論的建構或特質的程度，亦即根據心理學或社會學的理論建構，對測驗分數意義所作的分析和解釋即為建構效度。理論是一個邏輯上合理化的解釋，能說明一組變項間的互動關係，依據不同種類的理論來編製測驗即可決定該測驗的建構效度。例如：某智力測驗測得的結果如果與該測驗所依據的智力理論相符合，那麼這個智力測驗就具有建構效度。教育研究大都採用這種效度，其方法為使用電腦統計軟體中的因素分析（factor analysis），來了解量表所涵蓋的因素是否與編製工具理論的概念相符合，若相符合的程度愈高，則該工具的建構效度也愈高。

(二) 表面效度

有一種效度稱為「表面效度」（face validity），是效度的基本形式，其意為當受試者略讀測驗的題目，這些題目看起來像所要考的測驗，可能測驗內容並未配合教學目標，但我們主觀認定這個測驗是適當的。所以表面效度顧名思義，即是從測驗的表面來看是有效的。測驗必須看起來是要能測量準確的變數，如此才可提高考試者的動機。假如教師給學生看一幅墨跡圖，說要測量智力，學生必定不會相信墨跡可以測量智力，而且不會認真回答問題，故用墨跡測量智力是不具表面效度。但如果教師用數學問題、字彙應用及物體在空間的排列問題來測量智力，學生就會相信這項測驗在測量智力，而且會認真作答。

(三) 專家效度

專家效度（expert validity）是將測量工具交給相關的專家、

學者，請其評估題目的適宜性，其評估的重點有二：題目是否與變項名稱相符合、題目的用字遣詞是否恰當。一般是邀請六至十位學者專家來評估一份研究工具，請其勾選問卷題目是否適當，若認為題目適合人數的百分比達80%以上，則可以認定該量表具有專家效度。但因這種方法缺乏客觀的標準，受到的接受度不高，所以在進行效度考驗時，不能只用專家效度一項，還要結合其他的效度，例如建構效度，則所呈現的效度會更具說服力。

三、信度與效度的關係

信度是對測量一致性程度的估計，而效度是對測量準確程度的估計，一個測驗要具有效度之前必須先有信度，因為當測得的分數本身都不可靠時，更不用談它的正確性。但是有信度的量表卻未必有效度，然而有效度的測驗可以保證某種程度的信度，效度與信度間的關係可以合理推論為：信度低，效度一定低，但信度高，效度不一定高；效度高，信度一定高，但效度低，信度不一定低。也就是說，信度是效度的必要條件而非充分條件，而效度是信度的充分條件；因為可信的量表並不一定是有效的量表，而有效的量表通常可信度一定很高。

<hr>

第六節　現成統計資料

現成統計資料指專門的機構所蒐集的統計數據與資料，這些數據與資料一般以數字與表格的形式出現，通常已經編輯成冊，例如：教育部統計處每年都有公布歷年來校數、教師、職員、班級、學生及畢業生數、學生占人口比、女性教師、就學率、升學率、在學率、大學招生錄取率、教育經費等的統計數據。內政部統計處每年也公布臺灣地區的人口結構、人口出生狀況、婚姻狀況等的統計數據。世界各國及聯合國每年也都會出版與教育相關的統計數據，

從網際網路上都可以取得這些資料。如果我們感興趣的主要變項在已出版的統計資料中已經涵蓋，我們就可以利用現成的統計資料進行跨年度的比較分析，或是與世界主要國家進行比較。

　　另外有一種二手問卷調查資料（secondary survey data）也是現成統計資料的一種，但這種資料不以出版物的形式出現，而是已經以統計軟體建檔完畢，再放在網站上供研究者下載，研究者就不用再編製問卷蒐集資料。研究者主要是依據資料進行統計分析，分析時研究者必須不斷地參考資料的編碼本或說明，以了解原始問卷的問題、變項的名稱以及每個變項編碼的方式。當我們在使用二手問卷調查資料時，經常會發現我們想研究的變項不在裡面，此時就要透過數據變換的方式得到我們想要的變項。例如：研究者想要研究「對生活的滿意程度」，但資料中卻沒有這個變項，在仔細查閱編碼本後，發現有一個變項是表達對經濟狀況的滿意程度，另一個變項是表達對自己職業的滿意程度，這時即可將此兩個變項組成「對生活的滿意程度」，然後再進行進一步分析（唐盛明，2003）。

　　因為二手問卷調查資料的樣本數都相當大（萬人以上），得到的分析結果可以推論到母群體，實用價值甚高，先進國家都建有相當多的資料庫供做研究。目前中研院、國科會與教育部共同合作，為建立臺灣教育的資料庫而努力，已建立的資料庫有「高等教育資料庫」、「臺灣教育長期追蹤資料庫」、「家庭動態調查」、「臺灣青少年成長歷程研究」等長期追蹤研究資料庫，可供研究人員免費下載使用。

問題與討論

一、在統計中,各種變項的類型會隨著其量尺的性質而改變,請簡述類別變項、次序變項、等距變項、等比變項的定義並舉一實例說明之。

二、教育研究所用的研究工具包含哪些類型?要如何取得這些研究工具?

三、一位研究生想編製「家庭文化活動問卷」,請問他要如何進行?

四、問卷初稿編好之後,要如何檢驗題目品質的好壞?整體問卷的信效度要如何計算?

五、請說明信度、效度的定義,並說明二者有何關係。

六、某研究者在發展檢核工具時,透過文獻分析,他認為反社會行為是由四個要素合成,並據此發展出一份由四個要素組成的檢核工具,若他要確認檢核工具是否真的反映出這四個要素,此時他應該關切何種效度?這種效度要如何驗證?

七、請說明撰寫問卷題目要注意哪些原則。

第 7 章
調查研究法

═══➤ **第一節　調查研究法的基本概念** ◄═══

　　調查研究即研究者採用問卷、訪談（interview）或觀察（observation）等技術，從母群體成員中，蒐集所需的資料，以決定母群體在一個或多個社會學變項或心理學變項上的現況，或變項間的關係（王文科，1996）。郭生玉（1997）則指出調查研究是根據母群體所選出的樣本，從事探求社會變項與心理變項的發生、分配及彼此相關的一種研究法。這裡的所謂社會變項是指個人在其所屬的社會團體中所獲的各種特徵，例如：性別、年齡、種族、職業、教育程度、收入、社會地位、宗教等；心理變項則包括：個人的態度、意見、信念、動機、需求及其他各種行為等（林新發，2003）。所以教育方面的調查研究，即是有目的、有計畫地蒐集有關教育現象的實證資料，再透過分析和解釋，正確地描述教育現象或探討教育問題。

壹　調查研究的功能

　　教育調查研究是研究教育發展的重要方式，是對教育的認識和改造的重要手段，因此在教育科學的研究中，調查研究受到廣泛應用。其主要功能可以歸納出以下四項（林新發，2003；葉重新，2017）：

一、蒐集現況事實

為了對某項問題有所了解，自須蒐集有關的現況或事實資料。例如：國民小學師生的比例、每年退休或離職的教師有多少人？校舍建築和設備需求及其使用情形等。要了解這些問題，必須蒐集具體的數據資料，或以數字、文字、照片或統計圖表來表示，才能有正確的了解。

二、了解教育人員的態度

教育相關人員包含：教育行政人員、教師、學生、職員、工友及關心教育的社區人士及學生家長等，這些人員對教育問題的看法，可以經由調查來獲得。

三、確立改進標準

由調查結果所獲得的現況資料，便可明瞭實況及問題的存在，經分析比較後，即可據以確立今後改進的標準，以免理想太高施行困難，或過於遷就事實。教育工作者在決定教育改革策略之前，若能事先進行調查研究，即可制定具體可行的改進策略。

四、提供研究依據

調查資料除可作為評估學校教育成效參考外，也可以提供進一步研究或作為分析比較之用。調查研究所發現的各種變項間的關係，應作為形成其他精密控制研究假設的依據（如實驗研究），藉著嚴格控制的研究，以了解變項間的因果關係。因此，調查研究可說是從事進一步或更精確研究的基礎工作，是一種廣度研究，不是深度的研究。

貳　調查研究法的分類

調查研究法依其研究目標、研究範圍、研究材料、資料蒐集

方法、研究方式、蒐集資料的時間長度等，可做以下之分類（王文科、王智弘，2017；馬信行，1998；郭生玉，1997；Babbie, 2005）：

一、依研究目標區分

依研究目標可以將調查研究區分成描述性調查（descriptive survey）及解釋性調查（explanatory survey）：

(一) 描述性調查

描述性調查是調查研究中最基本的方法，旨在描述或說明變項的特質，以了解研究問題的現況。例如：調查教師在課堂上發問的次數、調查學生的人際關係、調查家庭親子互動狀況等。

(二) 解釋性調查

解釋性調查是相關性研究的一種，通常是調查兩種以上的變項，再運用各種相關統計方法，確定兩者之間有無關係或關係程度如何。例如：自我概念與學業成績的相關、焦慮與學業成績的相關等。

二、依研究對象區分

依研究對象的性質，可以分為母群體調查（population survey）與樣本調查（sample survey）兩類。

(一) 母群體調查

母群體調查或稱為普查（census），是將母群體內的所有成員都加以調查的一種方式，藉以了解母群體的現況，研究結果不必做推論。然而，有時基於時間、經濟上的考量，普查有其實施上的限制。然而，若母群人數並不多時，普查是可以進行的。例如：欲調查臺北縣國民小學智能不足兒童之學習行為，以全臺北縣國小智能不足兒童為對象進行調查，則稱為母群體調查。

(二) 樣本調查

藉由抽樣的方式，從母群中抽樣具代表性的樣本，再由樣本的資料進一步去推論母群體的性質稱為樣本調查。例如：要進行國民

小學組織氣氛的研究，抽出一百所學校爲調查樣本，並以其結果推論全國國小組織氣氛的情況。

三、依調查的材料區分

依調查的材料則可區分爲兩類：

(一) 真實事物調查

眞實事物（tangible）是指有形的變項，眼睛看得到的事物，例如：學校的班級數目、學校編制內教師人數、桌椅、圖書、電腦等。

(二) 非真實事物調查

非眞實事物（intangible）通常是無形的變項，例如：工作士氣、教學態度、抱負、學習動機等，在教育研究中，多數的調查是屬於這類型。其困難之處在所使用的工具是否眞能測出所要測量之構念程度，例如：工作滿意度應如何界定其操作型定義。

四、依資料蒐集的方法區分

依資料蒐集的方法，可以區分爲四種：

(一) 問卷調查

問卷調查（questionnaire survey）係將研究的相關變項，諸如自變項、中介變項、依變項等，編製成問卷作爲調查工具，提供受試者填答，再將填答資料進行統計分析。最常用的方式有郵寄問卷、當場實施（集體填表）。

(二) 訪問調查

訪問調查（interview survey）係由研究者或受過訪問訓練人員，親自以電話或面對面方式進行訪問以便了解受訪者對問題的看法或態度。

(三) 調查表調查

調查表調查係將要調查的現況事實資料，編製成問卷或表格，交給相關人員填寫。例如：要調查學校有幾部投影機可以將調查表送請教務處設備組長填寫。

(四) 控制觀察

控制觀察（controlled observation）最簡單的形式是從學校紀錄中取得所需的資料，例如：健康檢查紀錄、輔導紀錄，也包括利用測量工具如成就測驗、態度量表等蒐集而得的資料。

五、依蒐集資料的時間長度區分

根據研究者蒐集資料所涵蓋的時間長度，可將調查研究分成以下兩種：

(一) 橫斷式調查

橫斷式調查（cross-section survey）係指在某一時間，從選取的樣本蒐集所需的資料，再分析比較這樣本之間的差異或關係。例如：研究者想要探討不同成員對教師組織的看法，則可以同時從教師、學校行政人員中抽樣選取樣本，分別進行調查工作。這種針對同一研究問題，同時從不同母群體中選取樣本進行研究可稱之為平行樣本設計（parallel-samples designs）。

(二) 縱貫式調查

縱貫式調查（longitudinal survey）乃在蒐集被研究群體一段長時間以及該時間內若干特定點的資料，這類調查有的要延續好幾年，有的時間很短，但在研究期間內至少須在二次或多次特定點蒐集資料。其實施方法可分成四大類：

1. 同時性橫貫研究

同時性橫貫研究（simultaneous cross-sectional studies）即用橫斷面的方式來蒐集縱貫的資料，例如：在一次的測量中，蒐集各年代組（cohort）的社經地位，來看年代組之間的社經地位是否逐漸上升或下降。

2. 趨勢研究

對於一般的母群體進行長時間的調查工作，而抽樣選取的樣本通常在不同時間隨機取樣而得。趨勢研究（trend studies）常用來研究在一段期間的態度，例如：研究某一社區對學校態度的改變情

形，每次測量時需從社區成員中隨機抽取樣本，每個人被抽取的機會可能不止一次。

3. 同一團體研究

同一團體研究（cohort studies）又稱為時間數列研究（time series studies），即對同一樣本做很多次的調查工作，以了解這個團體的態度與時間變化之間的關聯。例如：研究者以臺灣師大90級畢業生為母群體，從中隨機抽取300名為樣本，調查他們的工作滿意度，7年後再從同級畢業生中，抽取另一批樣本進行調查研究。

4. 整組縱橫研究

整組縱橫研究（panel studies）是將趨勢研究、同時性橫貫研究與同一團體研究合起來實施，或稱為連續固定樣本研究。例如：每一年都調查國小一年級到高三的各年級的平均近視率，連續測量若干年，研究者即可依據這些資料作分析。教育部的中華民國教育統計，每年都有學童近視率的資料，經過若干年之後可做整組縱橫研究。

第二節　調查研究的一般過程

調查研究法包括問卷、訪談等不同的類型，雖然方式有些差異，但都要遵循以下的實施步驟（林重新，2001；林振春，1998；葉重新，2017；Gay, 1996）：

壹　提出問題

研究是解決問題的過程，研究者先要找尋教育問題來進行實證研究，這就是前文所提到如何尋找研究題目部分。研究者在此階段要依據自己的專長或興趣，選擇所要調查的議題或領域，以確定研究題目。

貳　參閱有關文獻

研究者接著要參閱有關的文獻資料，了解其他專家學者對自己所提出問題的研究情況，並進一步確定所要研究問題的變項是什麼。

參　確定研究問題與目的

一般說來，研究者在閱讀相關文獻後，對於研究問題的性質會有比較深刻的了解，對於研究的範圍與重點也會有比較明確的認識。研究者必須進一步確定研究目的（purpose of research），作為研究行動的中心依據；然後再根據研究目的提出具體的待答問題（questions to be answered）或研究假設（research hypotheses），作為構思研究設計，以及蒐集研究資料的指引。

肆　選取標的母群體

在研究題目與研究目的確定之後，研究者需要思考所要研究的標的母群體（target population）為何，其用意在使調查研究的結果有相當程度的普遍性，並能解釋某一個「特定群體」。標的母群體的範圍可大可小，全由研究者依研究目的自行決定。

伍　選取蒐集資料的方式與工具

在準備進入實際蒐集資料的階段前，研究者應先決定這個研究要以哪種方式蒐集資料，才能夠蒐集到有幫助且完整的資料。一般而言，教育研究資料的蒐集，有兩個主要途徑：一是直接的；一是間接的。直接途徑係由觀察、訪問、問卷，以及各類測驗及量表之實施，直接與研究對象接觸，取得足以描述研究對象特徵的資料；間接的途徑則係從現成的資料著手，在相關的檔案（archives）及文件（document）中，蒐集研究所需資料。調查研究法最常用的方式不外問卷與訪談兩種，而問卷又可分郵寄、面訪、電訪、網路四種，至於該選擇哪一種，應視研究者對研究本身可運用的時間、

金錢等方面來作判斷。

至於研究工具選擇也是調查研究法的重要工作，一般而言，最常用的工具有問卷或訪問表，其次是測驗或是調查表，研究者可以採用現成的工具或者是自行編製。

陸 抽樣

依據人力、物力、經費的多寡及研究對象的屬性，構思是要採取普查或抽樣調查，如果不允許我們對母群體做全面性的研究，則需從母群體中抽取樣本作為蒐集資料的直接對象。

柒 進行正式調查

研究者將設計好的研究工具，針對所抽選出來的研究對象進行施測或訪談，在進行調查時，應注意到相關的研究倫理，以及設法提高問卷的回收率。

捌 資料處理

經由調查研究所蒐集到的資料只是原始資料（raw data），不僅數量多，而且內容複雜，所以必須做有系統的整理，並應用適當的統計方法加以分析，從中獲得研究發現，以及歸納出研究結論。

玖 提出研究結論與建議

此為研究的最後一個階段，研究者依分析的結果得到研究結論，再依結果提出建議，並將整個調查研究流程撰寫成研究報告。

第三節 問卷調查法實施要領

問卷通常是郵寄或直接遞交（當面實施）給受訪者，並在未接受研究者或訪問者的協助之下而予以填答。問卷調查法就是根據母

群體所選取的樣本，透過問卷來蒐集樣本的資料，以從事探討社會變項與心理變項的發生、分配及其彼此相互關係的一種研究法。林生傳（2003）認為問卷調查的成敗得失決定於兩項指標：一是回收率，一是調查的效度，故在從事問卷調查時必須遵守一些原則和要領，才不致發生重大的瑕疵。

壹　問卷調查的實施方式

　　問卷的實施步驟不外以下流程：1.確定調查目的與目標；2.選取目標母群體；3.決定抽樣方式；4.設計問卷；5.預先測試與修正；6.問卷發放與追蹤。收回問卷後的流程則是分析資料與撰寫報告。問卷的設計與發放是整個流程的核心任務，研究者不只要編製一份良好的問卷，以提高受試者填答的誘因，同時也要能掌握問卷發放與回收的要領，以提高問卷的回收率。一般而言，問卷的發放有郵寄、當面實施及電子問卷三種，以下分別說明實施的方式與要領：

一、郵寄問卷的實施方式

　　研究者將問卷及回郵信封寄給受訪者，由受訪者自行填答後寄回。在本質與形式上，郵寄問卷（mail questionnaire）與其他調查之問卷並沒有特別的差異，只是交遞問卷的方式不同，當樣本數量太大、分布的範圍很廣、為讓研究對象有足夠的時間思考答案、顧及受試者回答時的隱私權等情況，即可用此種方式進行研究。郵寄問卷的方式可分為個人及團體，依據抽樣原理抽出個人，再郵寄問卷請他填寫，教育研究較少使用這種方式。使用比較多的是抽取出學校的樣本後，將問卷郵寄給學校的負責人，請其發放問卷給老師或學生填寫，再請負責人寄回，為提高回收率，最好是找認識的人，並且要先以電話或信件聯繫好。以下就郵寄問卷的準備工作、郵寄問卷的執行工作加以說明（林振春，1998）：

(一) 郵寄問卷的準備工作

1. 郵寄名冊的準備

郵寄調查的受試者名單是最重要的一環,大致上可從各級學校的學生名冊、各機關團體的通訊錄等處獲得。上述資料可作為抽樣架構,從中抽選出研究樣本。

2. 郵寄問卷的檢查和編號

郵寄調查的主角是郵寄問卷,當問卷設計好準備郵寄時,應先逐一檢查有否漏印、缺頁、不清楚或摺角等缺陷的問卷,以便剔除,之後再逐一在每一問卷上打上編號,其目的在回收率不佳時,可寄催覆函。

3. 問候函的準備

郵寄問卷只能用問卷本身與受訪者接觸,問候函便承擔了溝通的責任,若溝通不良,問卷便被丟棄一旁。

4. 準備回郵信封並貼好郵票

貼好郵票的回郵信封是郵寄問卷必備的條件之一,因為研究者沒有理由期望受訪者幫你填問卷又花錢寄回。

(二) 郵寄問卷的執行工作

當籌備工作準備好之後,郵寄問卷的執行階段來臨,此一階段的工作大致有以下幾項:

1. 郵局交寄工作

採用限時專送或掛號交寄,以示慎重;如經費不許可,亦應以平信交寄,千萬不要以印刷品交寄,免得被丟入垃圾桶。

2. 被退回信件之處理

無論如何仔細,郵寄問卷幾乎都會遭受到退回信件。處理被退回信件,可在同地區或抽樣架構上隔鄰者,找另一位當受試者,再次寄出問卷,以免影響抽樣率。惟當事人在信封上註明拒答退回者,不應該再另找人替代,而應列入拒答人數統計。

3. 回收問卷之檢查篩選

問卷寄出後一至二週內是問卷回收的高潮,研究者從郵差處拿

到回收問卷後應先分區歸類，以了解各區之回收狀況，再逐一檢查填答的狀況，以判定可用卷及廢卷。

4. 催覆函的寄發

當每一封回收的問卷在名冊上畫記時，未被畫記者便成爲催覆的對象，催覆的作法與寄發問卷的作法一樣，必須具備催覆函、問卷及回郵信封。當問卷寄出之後，隔一週寄追蹤明信片，提醒受訪者寄回問卷；三週後針對未回覆者寄催覆函及問卷；有些研究者建議在七週後寄第二次催覆。

(三) 郵寄問卷的優缺點

郵寄問卷是屬於不與人直接接觸的調查方法，在某些情況之下，這種方法是相當好的，如同其他的研究方法一樣，郵寄問卷亦有其優缺點，說明如下（郭生玉，1997；潘明宏譯，1999；潘慧玲，2003）：

1. 郵寄問卷的優點

(1) 低成本

郵寄問卷最吸引人之處在於其低成本，因爲郵寄問卷並不需要訓練訪談人員，其成本只包括複製問卷及去回的郵資。當研究母群體是散布在一個大的地理區域時，郵寄問卷低成本的優點就更顯著。在同一情況之下，如果採用訪談的方式，其成本將極爲可觀。

(2) 偏差錯誤的降低

採用郵寄問卷得以降低因訪談者個人特質與訪談技巧差異所產生的偏誤（biasing error）。

(3) 較佳的匿名性

由於郵寄問卷無須出動訪談者，因此能對受訪者提供較佳的匿名性，當研究是有關性行爲或虐待兒童這類敏感的議題時，郵寄問卷的匿名性可讓受試者可以眞實地說出自己的情況。

2. 郵寄問卷的缺點

(1) 問題必須簡單

只有當問題非常簡單，受試者只要依據書面的說明或指示，就

可以了解如何填寫問卷，研究者方能使用這種方式作為資料蒐集的方式。

(2) 沒有進一步詢問的機會

研究者沒有機會解答受試者的疑惑，也沒有辦法對模糊不清的答案提供進一步的詢問，只能被動接受問卷的答案。

(3) 無法控制到底是誰填寫問卷

研究者無法確定是否由其選定的受試者親自填寫問卷，也許是委由別人代填。

(4) 低的回收率

郵寄問卷最嚴重的缺點是問卷回收率（response rate）偏低。一般郵寄問卷的回收率大約介於20-30%之間，如果回收率低於50%，則調查結果的可靠性就容易受到質疑。因此研究者必須寄發追蹤信件，提醒受試者迅速填寫問卷寄回。鼓勵受試者填答的最好誘因，是使他們相信研究的價值及他們協助的重要性。有時也可使用附贈小禮物或提供酬勞作為誘因，以鼓勵填答。或者可向受試者承諾寄送研究結果摘要，作為填答的誘因。

二、當面調查的實施方式

當面實施問卷方式，就是將調查對象集中在一起，然後分發問卷請其當面填寫，填寫完畢後當場收回，這種問卷調查的問卷回收率相當高。這種方式可分為二種：第一，由研究者直接向受試者實施問卷調查；第二，研究者委託他人協助施測（葉重新，2017）。例如：學生可以透過任課教師請其代為實施調查，或研究者親自前往實施，教師或家長可以利用開會時實施調查。當面調查方式的優缺點如下（葉重新，2017；郭生玉，1997）：

(一) 優點方面

1. 問卷回收率很高。
2. 受試者不明白題意時，調查人員可當面解釋說明。
3. 可以確定問卷由受試者親自填寫。

4. 節省調查時間及經費。

(二) 缺點方面

1. 調查對象僅適用於能夠集合來的團體，例如學生、教師。

2. 受試者不能在自由氣氛下填寫問卷。

3. 受委託實施調查者之個人因素，容易影響調查結果。

4. 調查對象缺乏代表性，調查結果推論到母群體須特別小心。

三、電子問卷調查的實施方式

由於網際網路的傳播影響無遠弗屆，在調查研究法中原本的信函調查、電話調查與面對面式訪談等方法之外，現在又有一項新的傳播媒介那就是利用電子傳播來傳送問卷，這種方式稱為「電子問卷調查」（electronic survey），又稱「電腦網路問卷調查」（computer network survey），透過網路，大量、同時而且直接地把問卷送到受訪者的個人電腦，受訪者填答並隨即回覆。資料的接收與傳遞完全在網路上進行，可說已結合了傳統面訪、電訪和郵寄的長處於一身（潘慧玲，2003）。根據Mann和Stewart（2000）之分類，線上方法中的標準化訪談（standardized interviews）可分為電子郵件調查（e-mail surveys）及網頁調查（web-page-based surveys）兩種。前者直接將問卷寄達受訪者信箱，後者則需受訪者自行上網站填答。這兩種方式及優缺點分別說明如下（蘇蘅、吳淑俊，1997；蘇諼，年代不詳；Mann & Stewart, 2000）：

(一) 電子郵件調查

電子郵件調查（e-mail questionnaire）需先取得所有受試者的電子郵件信箱位址，再將問卷寄給抽出的樣本，受試者填寫問卷後，可以直接寄還給原寄發問卷的研究者。電子問卷可以在極短時間發出，任何時間都可以收發訊息，不用特別約定時間，也不像傳統郵件需要收發人員居間處理。在寄發問卷前，要事先以e-mail聯繫，得知其合作意願之後，才寄發問卷請之填寫。

(二) 網頁調查

這種方式又可分為透過網頁的網路問卷及電子布告欄兩種，以下分別說明之：

1. 透過全球資訊網執行的網路問卷

全球資訊網（World Wide Web）電腦問卷是以圖形模式展現，而不是以純文字的形式將問卷呈現在受訪者面前，但隨著應用軟體的進步，電子郵寄亦可傳送多媒體動態之網頁問卷型態。全球資訊網之網路問卷是以HTML（Hypertext Markup Language）語言來撰寫架構，並放置在網路伺服器上，配合CGI或ASP等網頁程式技巧來回收問卷調查結果。研究人員會利用各種方式通知受訪者問卷所放置的網路伺服器位址，讓受訪者利用網頁瀏覽器來填寫問卷，受訪者在填完問卷通常只要按下「送出」就可以把資料傳送到研究人員所架設的伺服器上。

2. 電子布告欄系統

電子布告欄系統（bulletin board system, BBS）具有電子郵件傳遞、線上交談、各類話題開放公眾討論、生活資訊查詢以及作為通往其他電腦網路之橋梁等功能。研究者在做調查研究時，依不同的調查主題，選擇不同的電子布告欄將問卷貼在討論區中，在討論區的使用者填完問卷之後，利用系統回覆到原作者信箱的功能將問卷送回。利用電子布告欄作為調查研究的工具時，需注意抽樣以及是否重複填答的問題。

(三) 電子問卷調查的優缺點

電子問卷調查具有以下的優點：1.網路傳遞可快速回收問卷；2.調查成本低廉可節省經費；3.回答時間和地點具彈性；4.答題的方便性與獨立性；5.可加速資料的處理。雖然網路問卷為可行之資料調查方法，但尚有許多缺點：1.研究人員需具備網頁設計和網路蒐集資料的知識和能力；2.問卷填答者以自願樣本偏多，要落實隨機抽樣比較困難。

第四節　訪問調查法

　　訪問就某種意義言之，是一種口頭問卷。受訪者不用填寫答案，而是與訪問者面對面，按自己的方式，用口頭回答被問及的問題，以提供所需的資料，就其功能言，與郵寄問卷相近，同爲蒐集態度的與知覺的資料，而採行的一種方便的方法。本節分爲訪談調查及電話訪問兩部分說明之。

 壹　訪談調查

一、訪談調查法的類型

　　訪談調查法的類型可分爲很多種，有團體訪談和個別訪談、正式訪談和非正式訪談之分，在此依訪談的控制程度：分爲結構性、半結構性和無結構性訪談三種，以下分別介紹三種訪談的性質（陶保平、黃河清，2005）：

(一) 結構性訪談

　　結構性訪談（structured interview）又稱標準化訪談（standardized interview），採用此種訪問的程序嚴格要求標準化與正式化，即按相同方式與順序向受訪問者提出相同的問題。這類訪談有統一設計的調查表或訪談問卷，可以把調查過程的隨意性控制到最小限度。

(二) 無結構性訪談

　　無結構性訪談（unstructured interview）或稱非標準化訪談（unstandardized interview）、自由訪談、深度訪談。這種訪談事先不制定完整的調查問卷和詳細的訪談綱要，由訪談員按某一個提綱或主題與受訪者交談。這種訪談較具彈性，能依據需要靈活地轉換話題、變換發問方式，而且很少限制回答者的答案，有時候會鼓勵受訪者自由表達自己的觀點，僅會以少許問題來導引談論的方

向。質性研究、心理治療最常使用這種訪談法。

(三) 半結構性訪談

半結構性訪談（semistrutured interview）介於前二種訪談法之間，質性研究常使用這種方式進行訪談。通常研究者要先列出所要訪談的問題綱要，因此具有結構性訪談的嚴謹和標準化流程，訪問者雖然對訪談結構有一定的控制，但給受訪者留有較大的表達自己觀點和意見的空間，訪問者事先擬定的訪談綱要可以根據訪談的現況進行調整。

二、訪談調查的適用時機

訪談調查主要是透過訪問員與受訪者面對面直接交談的方式來蒐集資料，具有較好的靈活性和適應性，可以有機會發現新問題，特別是那些複雜而抽象的問題。又因為訪談調查的方式簡單易行，即使受訪者閱讀困難或不善於文字表達也可以使用，因此適合調查對象為文化程度較低的成人或兒童（陶保平、黃河清，2005）。此外，訪談調查法可以作為幫助澄清某些變項、關係、假設、步驟，或幫助解釋由觀察與統計來的資料，可以用來補充別的研究方法之不足，例如：做問卷前的訪談或問卷後的追查，一些因觀察或統計而得到較具爭論性的結果，只有用訪談的辦法才能評價資料的效度（楊國樞等，2001）。

三、訪談調查的程序

訪談調查的步驟一般包括：擬訂訪談計畫、約見訪談對象、實施訪談計畫、告別訪談對象。

(一) 擬訂訪談計畫

要做好調查研究工作，無論採取哪種方式，都要事先擬訂好計畫。訪談方案的內容包括：訪談目的、訪談對象、訪談順序、訪談中要提出的問題等。

(二) 編製訪談問卷或綱要

在結構性訪談中，必須事先編製訪談問卷，由於這份問卷是由訪談員以口頭發問的方式提出，所以問題的設計要注重敘述的口語化。

(三) 選擇訪談的樣本

訪談的樣本通常比問卷調查的樣本要少，而且配合度高，因此，選擇的程序更要嚴謹。採用的策略常常是採取立意抽樣，取得受訪者合作的意願是必備的步驟。至於訪談調查樣本的大小，則要依據時間、經費及研究的性質來決定，一般來說，結構性訪談人數要多一些，半結構及無結構訪談人數可以少一些。

(四) 選拔並訓練訪問員

如果接受訪談的人數眾多，研究員無法親自訪談，則需要聘請訪問員協助。開始訪談之前則要對訪問員施以行前訓練，訓練的重點包括：訪談的技巧、訪談的態度及訪談內容的整理等事項。為了使訪談過程標準化，研究人員通常將訓練的內容印製成《訪談手冊》，供訪談員隨時參考。訪談員經過訓練後，可以讓訪談員的偏差降到最低。

(五) 試談與修改問卷

在正式進行訪談之前，一般要安排一次試談，試談的目的是檢查設計的問題和發問的方式是否恰當。試談要作詳細的紀錄，以便發現設計的問題是否有不足之處，如果是的話，則要及時調整和修改。

(六) 安排訪談的時間

為了使訪談能順利進行，事先要對所確定的訪談對象進行聯繫，讓其有心理準備，在時間、地點方面也做好安排，以避免被拒絕的尷尬。約定時間的方式主要有三種：一是寫一封誠摯的書信；二是由受訪者親友預約並引見；三是電話聯繫。

(七) 開始進行訪談

訪談會歷經各種不同的階段，首先以自我介紹開始，然後根據問卷上的文字提出問題，除提問外，訪談員也要準確記下答案，

封閉式問題紀錄很容易,開放式問題就要照受訪者所說的話逐字記錄,不能只記摘要。訪談結束後,應該對受訪者表示謝意,要給受訪者留下良好印象。訪談有時一次不能完成,或者訪談內容整理之中發現有所欠缺需要補充,告別時可向受訪者做出說明,以期下次能再接受訪談。

(八) 訪談後的工作

訪談結束後,訪談員要趁記憶猶新之時,將資料進行初步整理,如果發現有遺漏的問題或沒弄清楚的問題,可能要進行重訪。訪談的資料要依據性質進行分析整理,結構性訪談則要實施統計分析,然後得到研究結論,最後則是撰寫完整的研究報告。

四、訪談調查的優點與限制

問卷調查與結構性訪問調查有許多相似之處,問卷調查是一種書面、自我實施的訪問,而訪問調查則是一種口述的問卷(oral questionnaire),問卷調查的優點可以彌補訪問調查的缺點,反之亦然(郭生玉,1997)。以下就訪談調查的優點和限制作一剖析(王文科、王智弘,2017;袁振國譯,2003;郭生玉,1997;陶保平、黃河清,2005):

(一) 訪談調查的優點

1. 容易取得較完整的資料,如果訪談按標準的流程進行,就不會存在不回答的問題,開放性的題目可以得到回答,較易深入了解問題的核心。

2. 對於幼童、文盲、有語文障礙者等特殊對象,使用訪談方法遠比採用問卷方法來得易行。

3. 可以控制環境,避免其他因素的干擾,控制發問的順序和談話的節奏,有利於受訪者更客觀地回答問題。

4. 訪談常是面對面的交談,因此拒絕回答者較少,回答率較高,即使受訪者拒絕回答某些問題,也大致能了解他對這個問題的態度。

5. 訪談不僅可以蒐集受訪者的回答訊息，還可以觀察受訪者的動作、表情等非語言行為，可以此鑑別回答內容的真假及心理狀態。

(二) 訪談調查法的限制

1. 費時又花錢

訪談通常須花較長的時間，一日內只能完成幾個訪談，訪談員的訓練、工作報酬及往返的旅費，加起來是一筆可觀的經費。

2. 會受到訪談者的主觀見解與偏見的影響

訪談員的各方面條件，如性別、年齡、外表、服裝、態度、知覺與語氣都會影響訪問結果。

3. 缺乏隱密性

因是當面作答，有時訪談者會知道受訪者的姓名、住址等資料，所以受訪者會感覺到缺乏隱密性而心生顧慮，當被詢及受窘、敏感性問題時，常會拒絕作答或不作真實回答。

4. 記錄困難

如果受訪者不同意錄音，對於開放性的問題往往無法完整地當場記錄下來，追憶或補記往往會遺漏很多訊息。

5. 訪談結果很難處理

結構性訪談因是封閉的問題，資料很容易整理，但是開放性的問題因答案多樣性、沒有統一答案，整理和分析這些資料就變得很複雜，研究者要思考如何呈現這些資料。

貳 電話訪問

電話訪問也稱為電話調查法（telephone survey），是運用電話直接詢問受訪者，以獲得資料的一種調查方法，訪問調查是調查者與受試者直接接觸，但電話調查則二者之間並未接觸，是一種間接調查方法（葉至誠、葉立誠，1999）。近年來因為電話及手機的普及率相當高，因此電話訪問有日漸增多的趨勢。

一、電話訪問的實施要領

在實施電話訪問時，其實施方式及注意事項如下：

(一) 確定訪問對象

電話訪問的第一個步驟就是要確立訪問對象，通常電訪對象是由學校教職員、學生名冊或電話簿，以隨機抽樣方式選定受訪者。目前的電話設備有一種亂碼撥號（random-digit dialing, RDD）的程序，可以產生電話號碼的隨機樣本（潘明宏譯，1999）。

(二) 確定訪問內容

要根據調查研究主題，事先規劃好要發問的內容，一般而言，詢問的問題不宜過雜過多，要緊緊圍繞著一個主題提問，詢問時間一般不超過15分鐘。為了不讓受訪者回答太多或扯得太遠，問題最好以封閉式答案設計，供被調查者選擇回答一項（高義展，2004）。以英語課程的電話訪問為例，設計的訪問內容如下（文化薪傳，2006）：

前言：雖然教育部目前規定國小五年級開始安排英語課程，但有高達九成的國小提前教英語，這顯示出外語學習的年齡層下降，也表示家長的重視；而你認為小朋友什麼時候學英文最好呢？

1. 你認為小朋友什麼時候學英文最好呢？
   □還沒上幼兒園的時候　□上幼兒園就可以了　□國小1-2年級　□國小3-4年級　□國小5-6年級　□上國中
   □其他＿＿＿＿＿＿＿＿＿＿
2. 你認為小朋友一定要學英文嗎？
   □這是一定要的啦　□不一定　□不用
3. 您的寶貴意見：＿＿＿＿＿＿＿＿

(三) 訪問時的態度

訪問時務必掌握訪問內容，不要偏離主題，訪問者所用的語言要儘量口語化，讓受訪者感到親切、自然，願意合作地回答問題。訪問者同時也要注意訪問程序的安排，一般的流程如下：

問候→自我介紹→說明訪問目的→煩請借用一些時間→訪問（先問重要但輕鬆的問題，再問次要但嚴肅的主題）注意個人價值觀、隱私權→感謝。如果被拒絕，還是提起勇氣再接再厲。

(四) 借助高科技協助電話訪問

隨著電腦的發展日益普及，許多研究者使用電腦來協助電話訪談，目前以電腦輔助電話訪問系統（Computer Assisted Telephone Interviewing, CATI）應用得最廣。目前電訪系統均朝向「降低拒訪率」與「強化資料分析能力」等方向進行功能的改進，媒體機構在進行市場調查或民意調查時經常會使用（朱柔若譯，2000）。

二、電話訪問的優點與限制

電話訪問具有以下的優點與限制（葉重新，2017；朱柔若譯，2000；王文科，1996）：

(一) 電話訪問的優點

1. 節省時間，速度快，一組電話訪問員在幾天之內可以訪問 1,500 位，可以很快得到調查結果。

2. 較面談節省交通費用，故電話訪談成本較低。

3. 受訪者比面對面的訪問較自在，心理防衛性較低，較能誠實回答問題。

4. 訪問對象較不受地理環境、遠近的限制。

(二) 電話訪問的限制

1. 受訪者對電話訪問的意願不高，會認為是「假訪問真推銷」，也可能怕接到詐騙電話，而拒接或輕易掛掉電話，有些人會使用答錄機來過濾電話，因此拒接的可能性會提高。

2. 受訪者的情境不一，無法標準化，可能影響受訪的結果。

3. 受訪者沒有電話也無法聯絡，故電話普及率會影響電話訪問的可信性；而且許多人的電話號碼未登錄在電話簿上，故所選的樣本是否符合代表性，會影響電話訪問的效度。

4. 訪談者必須可以在受訪者不信任的情況下營造適當的氣氛，要能說服受訪者的抗拒心態。

第五節　德懷術在教育上的應用

另一種調查法是德懷術（Delphi technique），這是1950年代，美國的蘭德（Rand）公司為了國防需要，所發展出的一種藉由群體溝通的歷程，對研究議題形成共識與預測的方法，其譯名不一，亦有人譯為得爾慧術或大慧術。1960年代以後，德懷術被廣泛應用在科技、企管、工業、醫療等領域，在教育領域中，德懷術經常用在有關教育目標、課程決策、發展或設計、評鑑、改革等方面（葉重新，2017；游家政，1996）。

壹　德懷術的特性

基本上，德懷術是一種集體決策技術（group decision making technique），乃是針對未來可能發生的事件或問題，集合專家的知識和想像，經由特定的問卷調查，達到共識。此為一種能有效地讓群體中的所有專家處理一件複雜的事物，以為評估現狀、未來、提升政策品質、業務轉型診斷之用。德懷術所使用的問卷調查，與傳統的問卷調查法有所不同，傳統的問卷調查只要實施一次問卷，就算完成調查工作；而德懷術則需進行一連串密集的問卷，才能完成調查研究工作。德懷術提供多次的回饋意見，具有會議溝通的作用，但卻不像會議必須全體共聚一堂，換言之，德懷術是擷取問卷調查和會議二者之優點的一種研究法。德懷術具有如下的特性（吳雅玲，1999；游家政，1996）：

1. 具匿名性，參與者可盡情表達意見或改變意見。

2. 書面文字表達，參與者可提出明確且高品質的意見。

3. 可提供意見回饋，第二回起的問卷提供上回問卷的群體統計結果的意見反應，可供參與者參考。

4. 反覆進行，以求取專家群的共識。

5. 多元背景的專家對某一議題提供專業意見。

貳　德懷術的實施程序

為有效利用德懷術，可以循下列九個步驟進行（林生傳，2003；葉重新，2017）：

一、選擇適當的題目

適於利用德懷術的題目常是較為新鮮、一般人認識不深，或爭議性較大、見解較為分歧的主題。

二、選定接受書面訪問調查的樣本

所選的樣本通常是對該主題學有專長或深具經驗，能提供最豐富資訊的人物。樣本也必須能夠代表各種不同見解的人物，所得結果才能集思廣益。通常樣本人數不必太大，約在10-30人即可。由於需要幾次書面往返，故須找有意願且較有時間與耐心配合的人士擔任。

三、編製第一次問卷

第一次問卷應仿訪問調查問卷來設計，有兩種方式可以考慮應用：完全開放式或半結構式。但是專家學者可能沒有時間，研究者還是採半結構式為宜，先設計基本的題項與答案，然後留有充分空間讓專家學者能夠作充分的補充或表示意見。

四、實施第一次問卷調查

第一次寄發問卷應附上說明，讓回答者知道德懷術的用意及配合作業流程，並附上回郵。由於作業較繁複，通常需要支付一點酬勞，使受訪者更認眞作答。

五、整理第一回合收回的問卷

寄回的問卷要即時做整理，一方面需要數據以了解各題選答的次數分配及敘述統計量，一方面整理開放式的問題，分類列出相同與不同的見解。第一次如果是全開放式問卷，第二次則要整理成李克特五點量表式的結構性問卷。

六、實施第二回合問卷

第二次施測時，將新修訂的問卷及第一次的結果一起寄發送達，並說明第一次施測的大概情形，且告知本次可以重新考慮如何選答，也可以維持原意。這次仍應留下充分的篇幅，讓回答者可以再經由書面的互動寫下新的見解。

七、整理第二次回收問卷

如同第一次問卷，研究者將各題選答的次數分配表及基本統計量整理出來，供下次作答參考。

八、實施第三回合問卷

其作法如同步驟六，這次要向受訪者說明這是最後一次施測，且要表達最後的謝意。

九、整理第三回合的問卷

此次爲徵詢專家學者所得的最後答案，之前兩次施測是過程，第三次作答才是最後結果。無論哪一回合的問卷實施，均需要附加

說明、解釋上次結果，並附上必要的酬勞。

　　以下就用實例來說明德懷術的使用情形。陳景尉以「臺灣中學教師所需電腦能力研究」為題進行研究，他在第一回以開放問卷向48位臺灣熟悉電腦的專家學者，徵詢教師所需的電腦教學能力有哪些，共獲得60項能力，然後編成第二回問卷。在第二回問卷中，要求受訪者評判各項能力之重要程度。在第三回問卷內，增加了第二回問卷的統計資料，資料回收後，以卡方考驗得知調查意見已達到一致，即結束調查。共獲得26項很重要能力，31項中等重要能力（張紹勳，2001）。康自立和蕭錫錡（1993）應用修正的德懷術進行「我國師範院校培育機電整合師資核心課程規劃研究」，首先以專家座談會蒐集資料，編成問卷的問題內容。然後在第一回合問卷即要求24位受訪者對各題作評判，收回反應資料給予柯一史單一樣本適合度考驗。只對於專家意見未達顯著的項目再編成第二回問卷，並附第一回統計資料，請24位專家再度評判。經過兩回問卷調查，共計獲得269項課程項目。

參　德懷術的優點與限制

　　德懷術的實施過程是結合會議與傳統的問卷調查，這種技術在實施上有以下的優點與限制（葉重新，2017；吳雅玲，1999）：

一、優點

　　1.參與者能自在地提供意見，避免會議之從眾效應與向權勢屈服的缺點。

　　2.以文字敘述回答問卷，參與者有充裕時間認真思考問題。

　　3.能解決專家會議時空安排與經費支出的困難。

　　4.運用多元背景專家共同判斷，能使研究結果更嚴謹且有價值。

　　5.適合提供行政決策的參考。

6. 根據受試者的共識，可以切實來執行。

二、限制

1. 德懷術問卷調查過程繁複，所需時間甚久。

2. 專家學者不易選擇。

3. 缺乏面對面的溝通，導致意見無法面對面澄清。

4. 德懷術問卷不易填寫，易降低參與意願，以致第二、三回合的填寫問卷過程中都會有樣本流失。

5. 以少數學者專家作研究對象，所獲得的結論具有高度同質性。

6. 專家學者彼此常有相左的意見，不容易客觀整合，研究小組處理分歧意見的能力常受質疑。

問題與討論

一、調查研究法可以細分成哪幾種？

二、以問卷進行調查研究是我們常採用的一種方法，請敘述
　　執行調查研究的步驟。

三、郵寄問卷適合用在何種情況？這種方式有何優缺點？

四、何謂結構性訪談？這種訪談調查要如何進行？

五、電子問卷調查適合應用在什麼情況？調查時可能會遭遇
　　到哪些問題？

六、如果要以電話訪談進行教育研究，你認為哪些主題比較
　　適合使用這個方法？請問電話訪談要如何進行？

七、何謂德懷術？其實施步驟為何？

第 *8* 章
相關研究法

第一節　相關研究法的基本概念

 壹 　相關研究法的意義與目的

　　相關研究法是用在探討現象或事件的關係或對未來做預測的研究中，因為這個方法可幫助我們解釋、預測和控制生活中的某些事件，解釋可產生理解，預測可產生預知能力，如此我們對未來做好準備（Mertler & Charles, 2008）。要探討人類行為影響因素間的關係，實驗研究法是最常用的方法，但是人類行為有些很難用實驗研究探討其間的因果，特別在教育行為更是如此。另外實驗研究法實施困難且操作的變項有限，無法同時探討諸多變項間的關係，故想探討數個變項的關係，最好是採用相關研究法。如果變項之間有高度的關係，則可建議實施原因比較法或實驗研究法，以決定變項間的關係是否有因果關係，例如：我們知道自我概念和學業成就有關係，但這不是暗示自我概念是學業成就的原因，或學業成就是自我概念的原因，不管二者是否為因果關係，高相關的存在只可用在預測，如高中畢業成績與大學畢業成績是高相關，意思是說高中生的學業成績低，則大學學業成績也低（Gay, 1996）。

　　相關研究有時也被視為描述研究的一種，主要是因為相關研究描述現存的情況，但是其敘述的情況不同於典型敘述研究，如觀察研究、自陳報告（self-report）研究，而是以量化的形式描述變

項間的關係程度（Ary et al., 2002）。相關研究即是藉由資料的蒐集，以探討二個以上可量化的變項是否有相關，其相關程度如何？而描述研究是不探討變項的關係。試舉一實例說明：智力與學業成就有關係，某人的智商較高，則他的學業平均成績有較高的傾向，反之亦然。相關研究的目的就在探討智商、學業成就二者的關係如何，以及探討智商對學業成就有多少的預測力。所以相關研究的目的就在決定變項間的關係，以及使用關係從事預測，變項間的相關愈高，則預測性愈準確。

貳 相關的涵義

　　相關是指變項與變項之間的關係，相關的大小以相關係數r值（r值介於+1.00與−1.00之間）來表示變項關係的高低，又可分為正負相關兩種，正相關的意義就是得分高的變項與得分高的變項相結合、低分的變項與低分的變項相結合的傾向；負相關即是得分高的變項與得分低的變項相結合，相關係數接近+1.00（或−1.00）則稱兩變項是高相關，接近0則表示沒有關係（Fraenkel & Wallen, 2019）。所以相關係數可分為五種：1.當r = 1.00為完全正相關；2.當r介於1與0之間（0 < r < 1）稱為正相關；3.當r = 0稱為零相關；4.當r介於0與−1之間（−1 < r < 0）稱為負相關；5.當r = −1稱為完全負相關（葉重新，2017）。

　　為了更清楚了解相關的意義，茲以下列的分布圖說明。如果兩個變項的分數分配如圖8-1所示，其相關為完全正相關，因為X變項得分最高，Y變項得分也最高；X變項得分最低，Y變項得分也最低，如畫成圖，各點就成為一條直線。如果兩個變項的分數分配如圖8-2所示，其相關為完全負相關，因為X變項得分最高，Y變項得分最低，X變項得分最低，Y變項得分最高，如畫成分布圖，各點將成一條從左上向右下的直線。如果兩個變項分數的分布愈靠近直線，相關愈高，如圖8-3的(a)和(b)，如果各點的分布十分分散，則如圖8-3的(c)和(d)圖，表示兩變項是零相關（郭生玉，1997）。

圖8-1

完全正相關

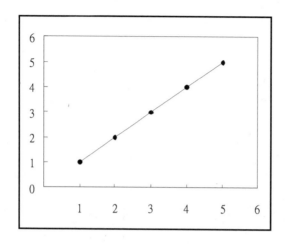

圖8-2

完全負相關

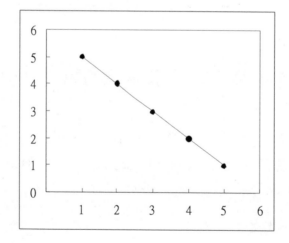

圖8-3

相關高低的分布圖

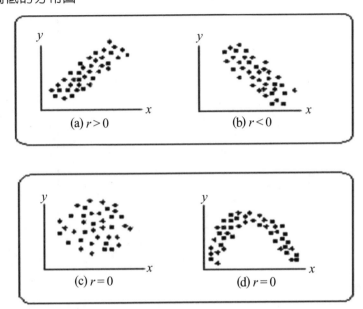

第二節　相關研究的類型

　　相關研究依其不同的研究目的和特性，可以分爲兩種類型：
一種稱爲關係研究（relationship studies），一種稱爲預測研究
（prediction studies），以下分別說明之：

 壹　關係研究

　　在行爲和教育研究中，相關研究主要的關心在於對複雜的現
象能做進一步的了解，或是藉由變項關係的研究而能了解人類的行
爲模式（Cohen & Manion, 1996），所以相關研究的第一種型態主
要在探索兩個以上變項的相當關係模式，從關係研究得到的資訊
在了解複雜的結構或對行爲現象建立理論時特別有用（Ary et al.,

2002）。以下從幾方面來說明關係研究的性質。

一、研究變項的選擇

研究變項的選擇要特別小心，必須依據理論或先前的研究，或是研究者的觀察，探討任意變項間的相關是不被鼓勵的。閱讀研究文獻也可以得到接受或拒絕變項間關係的可能性，而得到適當的變項數量，以建立完整的研究假設（Cohen & Manion, 1996），所以在進行相關研究時，研究者要能預期變項的關係而形成假設。例如：從現象學的理論裡，會得到這樣的假設：國小一年級學童的自我知覺和他們的閱讀成就有正相關；在研究教師效能時，從文獻中可以得知許多因素會個別或聯合地影響到教學成果，如智力、動機、個人知覺、說話能力、同理心等（Ary et al., 2002）。這些資料對研究者在形成假設階段是非常重要的，所以必要的資訊是不可缺少的。

二、研究樣本的選擇

關係研究不需要很大的樣本，如果50-100人就可印證其間的關係，則這樣的樣本數即可採用，但樣本要具有代表性。

三、研究工具的選擇

選擇或發展測量變項的適當工具是很重要的，尤其是工具的信度和效度，相關係數的大小受到測量工具適當與否的影響，假如某項工具對受試者是太過簡單或太難，那就沒辦法區別受試者得分的高低，而會導致較小的相關係數，研究使用低信度和效度有問題的工具是得不到所要的結果。故所使用的工具不論是標準化的測驗或是問卷，必須小心地選擇。關係研究的一個好處是所有的資料可以在一段相當短的時間蒐集到，假如以學校學生為受試者，比起實驗研究所需的時間少很多，且容易得到學校行政上的支持（Gay, 1996）。

四、統計方法的選擇

在關係研究中，每個變項的分數需與另一變項的分數求相關，是以每個變項有一個相關係數，每個係數代表某一特定變項與研究變項之間的關係。如研究自我概念與有關因素的關係時，自我概念量數須與智力量數、過去成就量數、社經地位量數及其他認定的變項求相關，最後結果會產生介於1.00和1.00間的相關係數。在此，每個變項都是以數字的形式呈現，表示變項是可以測量的（Gay, 1996）。依變項的性質可以計算出相關係數的大小，相關係數的統計方式將於第四節中說明。

貳　預測研究

相關研究的另一種類型是預測研究，預測是相關研究法的另一目的。相關是預測的基礎，如果知道兩變項有相關，即可以一變項預測另一變項（Ary et al., 2002）。例如：研究者發現高中學業成績有高相關，因此可以用高中成績預測大學成績，某人在高中有高的學業成績，上大學後也可能會有高的學業成績。IQ和學業成績的關係也是一樣，二者的相關愈高，則其預測力也愈準確。用來預測的變項稱為預測變項（predictor variable），被預測的變項稱為效標變項（criterion variable）（Fraenkel & Wallen, 2019）。以下分預測研究的用途及關係研究比較二部分探討其內涵：

一、預測研究的用途

預測研究通常用來協助個人作決定，或幫助個人做選擇，也用來考驗理論的假設，如考驗可能被視為有效標的預測變項，以及決定個別測量工具的預期效度。假如某些預測變項都與效標相關，那麼結合這些變項為一個預測變項，則將比個別變項的預測更為準確。例如：預測大學學業成績可能的等級，通常結合高中學業平均（GPA）、畢業班級名次、大學入學考試成績等因素為預測變項

（Gay, 1996）。基本上預測團體表現是有效的，例如預測資賦優異兒童在學校的成功表現，但如果要用來預測個別特別聰明兒童的卓越表現就比較困難（Cohen & Manion, 1996）。

二、預測研究的基本假設

預測研究的基本假設是諸變項間成直線關係，當預測變項分數增加，效標變項也相對增加，非線性關係在教育領域很少出現，例如：研究個人屬於某一極端政治團體，其具有什麼特性，可以測出個人的政治位置後，再探討政治位置和人格特性的關係，二者的關係不成直線關係，而稱為曲線關係（Travers, 1978）。

三、與關係研究的差異

預測研究與關係研究二者差異表現在資料的蒐集與解釋兩方面，茲分兩點說明：

(一) 在蒐集資料的差異

預測研究與關係研究二者在蒐集資料有重大的差異，關係研究變項資料是在短時間內蒐集的；預測研究的預測變項資料則需在測量效標變項之前的一段期間內取得。另外，預測研究通常在較堅固、安全的知識基礎領域內從事（Cohen & Manion, 1996）。

(二) 分析與解釋資料的差異

關係研究法使用的解釋方法較為簡單，大都是求取兩變項的相關係數，預測研究多涉及三個或更多變項的相關程度，所以預測研究的解釋資料方法較關係研究複雜得多，多半使用難懂的統計方法（Borg & Gall, 1989），例如：多元迴歸、區別分析、徑路分析、典型相關、淨相關、結構方程模式（SEM）等，如果統計基礎不好，要解釋這些資料是很困難的。

━━━　第三節　相關研究的實施步驟　◀━━

　　雖然相關研究分為關係研究和預測研究兩種，但步驟都是相同的，其基本步驟可分為：問題選擇、樣本、工具、設計與程序、資料蒐集、資料分析和解釋六項（Borg & Gall, 1989; Fraenkel & Wallen, 2019; Gay, Mills, & Airasian, 2012）：

壹　問題選擇

　　相關研究的第一步驟是選擇問題，從過去的研究和理論知識中，會給研究者帶來靈感，以找出所要研究的變項，這些變項最好依據「聽起來合理但卻與經驗或理論脫離」這一原則來選擇，研究者有某些理由認為一些變項可能有關係，因此認清變項的定義可以避免許多問題。相關研究的問題型式基本上有三種：

(一) 變項X與變項Y有關係嗎？

(二) 變項P如何預測變項C？

(三) 眾多變項的關係如何？這些變項能預測什麼？

以下實例可以說明在實施相關研究時如何訂定研究問題：

・正確回饋與學生成就關係

・國中生藥物濫用的相關因素

・道德發展與諮商的同理心

・健康信念、健康價值和促進健康活動三者的關係

・學生能力、小團體互動與學生成就關係

・從學生對教室心理、社會環境的知覺預測學生的成就

貳　選擇樣本

　　相關研究的樣本如同任何研究一定要小心地、隨機地選擇，所抽取的樣本一定要有代表性。選擇樣本第一步驟要確定適當的母群體，如此蒐集到的變項資料才是有意義的。很多學者認為對相關研

究最少的樣本不能少於30人，少於30人則會產生相關程度錯誤的估計，大於30人才能提供有意義的結果。

 選擇或編製研究工具

用來測量相關研究變項的工具有許多形式，如問卷、標準化測驗、訪問，有時甚至使用觀察方式，但這些工具一定要能得到量化的資料，而且所得分數是可靠的。在相關研究中，所使用的工具必須顯示信度、效度的高低，假如不能真正測得想要的變項，則得到的任何相關都不具有什麼意義。

 規劃研究設計與程序

相關研究基本的設計是相當直接的，比起實驗設計簡單得多，其設計形式可以圖8-4說明如下：

圖8-4

相關研究的設計

受試者	觀察或測量	
	O_1	O_2……
A	—	—
B	—	—
C	—	—
D	—	—
E	—	—
等等	—	—

註：引自教育研究法：規劃與評鑑（頁477），卯靜儒等譯，2004，麗文。

從每一個樣本可以得到兩個（或以上）的分數，每一個分數表示感興趣的變項，配對的分數求相關可得到相關係數，表示變項間的關係程度。要特別注意的是：從第一工具測得的變項（O_1）不

是第二工具測得變項（O_2）的原因。這兩個變項有三種可能性存在：1. O_1影響O_2；2. O_2影響O_1；3.或許沒測得的第三變項會影響其中之一或兩個變項。

伍 資料蒐集

在關係研究中，兩變項的資料可在相當短的時間蒐集到，不是各變項單獨施測就是兩部分同時施測；預測研究則通常分兩次蒐集資料，先是測量預測變項，然後再測量效標變項。以下試舉實例說明之：想探討語言性向與記憶的關係，可以測完語言性向後同時對樣本實施記憶測驗，這是關係研究的資料蒐集方式；假如研究者想研究數學性向測驗的預測價值，他要在上數學課前先實施測驗，因為以數學成績為效標變項，所以要在上完數學課後才能得到另一類資料。關係研究與預測研究蒐集資料的先後雖有不同，但都不須花費太多的時間即可取得資料，在實施上有其方便性。

陸 資料分析和解釋

相關研究最後的步驟是分析和解釋變項的關係，當資料蒐集完畢之後，接著就要進行統計分析，經過統計套裝軟體的處理，可以得到變項之間的相關係數，這些數字必須作妥善的解釋。

第四節　常用的相關分析方法

當問卷調查資料回收之後，即要利用統計上的相關分析來探討變項相關的程度強弱與相關的方向。前文提到變項可分為名義變項、等級變項、等距變項與比率變項，不同的變項要使用不同的統計方法來分析，這些統計方法可以分為雙變項相關統計和多變項相關統計兩類，以下分別介紹幾種較為常用的統計方法：

壹 雙變項相關統計分析

所謂的雙變項相關，就是分析兩個變項之間的相關程度，其統計方式如表8-1所示，以下僅就較常用的分析分法作說明（王文科、王智弘，2017；林生傳，2003；葉重新，2017；林清山，2014；卯靜儒等譯，2004）：

一、皮爾遜積差相關

皮爾遜積差相關（Pearson product-moment correlation）簡稱為積差相關，適用於兩個變項都是連續變項或兩個變項都是等距或比率變項的資料，是一種最重要的和最常用的統計方法。例如：成就測驗、智力測驗等測得的分數屬於連續分數，研究者要探求智力與成就的關係，就可採用積差相關來分析資料。積差相關是最穩定的相關係數，通常它的標準誤比較低，是較佳的相關分析方法，在教育研究上應用最多。如果變項顯然違背常態分配或是非連續變項，則不宜使用此方式。相關係數的計算公式如下：

$$r_{XY} = \frac{\Sigma XY - \dfrac{\Sigma X \Sigma Y}{N}}{\sqrt{\Sigma X^2 - \dfrac{(\Sigma X)^2}{N}}\sqrt{\Sigma Y^2 - \dfrac{(\Sigma Y)^2}{N}}}$$

$\Sigma X = X$ 變項分數的總和 　　　$\Sigma Y = Y$ 變項分數的總和

$\Sigma X^2 = X$ 變項分數平方的總和　$\Sigma Y^2 = Y$ 變項分數平方的總和

$\Sigma XY = X$ 變項和 Y 變項分數乘積的總和

$N = $ 計算相關的人數

二、斯皮爾曼等級相關

斯皮爾曼等級相關（Spearman rank correlation）是哥爾頓（Galton）所創用的一種相關統計法，卻以英國名心理學家斯皮爾

曼（Spearman）的名字來命名，它是積差相關的一種特殊形式，
適用在兩個變項都是等級變項（或次序變項）的情況。例如：請兩
位評鑑委員各將十所學校排出等級順序，然後檢定兩位評審者的評
審一致性如何，如果所得到的相關係數爲達顯著水準，表示兩位評
審委員的評分相當一致。計算等級相關的公式如下：

$$r_s = 1 - \frac{6\Sigma d^2}{N(N^2 - 1)}$$

d = 成對等級的差異
Σd^2 = 成對等級差異的平方總和
N = 成對等級的數目

三、肯德爾τ係數

肯德爾τ係數（Kendall's tau coefficient）係數也是等級相關的
另一種方式，τ念tau，適用於計算兩個變項都是等級變項的資料。
此種方法比斯皮爾曼等級相關具有更多的優點，尤其樣本人數在
10人以下時，採用此種方法更爲適當。但此種方法的計算較難，
所得相關係數比斯皮爾曼等級相關爲低。其公式如下：

$$\tau = \frac{S}{\frac{1}{2}N(N - 1)}$$

S是透過比較兩組數值(X_i, Y_i)、(X_j, Y_j)排序方向作爲計算方式，
合自然次序的次數減以不合次序次數的加權量。這裡的S值的
計算比較難懂，有興趣的同學可參閱林清山（2014）的教育統
計學。

四、肯德爾和諧係數

肯德爾和諧係數（Kendall's coefficient of concordance）主要
是用來分析三位以上評分者的評分一致性，例如：五位評分者對

十二位參加演講比賽者所評的名次可能有很大的出入，當我們要分析各評分者評分結果和諧程度高低的時候，適合用這種相關係數。如要討論k個評分者評鑑作品的等第是否一致，其所用的公式如下：

$$W = \frac{S}{\frac{1}{12}k^2(N^3 - N)}$$

k是評分者人數，N是作品數（被評人數），S是每一個R_i離開$\overline{R}$的離均差平方和，其公式如下：

$$S = \Sigma(R_i - \frac{\Sigma R_i}{N})^2 = \Sigma R_i^2 - \frac{(\Sigma R_i)^2}{N}$$

將W值代入下列公式$\chi^2 = k(N-1)W$求得χ^2，再依χ^2之顯著性考驗其是否顯著。

五、二系列相關

二系列相關（bi-serial correlation, r_{bis}）它適用於一個變項為連續變項另一個變項為二分名義變項，所謂二分名義變項是指以人為的方式來分類，例如：分數的及格不及格、高分組或低分組等。二系列相關係數比積差相關為高，如果變項不是常態分配時，其係數可能超過1以上。在測驗編製時，二系列相關往往被用來做試題分析，以決定每題的鑑別力，例如：每題可分為答「對」與「錯」兩個類別，然後和測驗總分求二系列相關。其公式如下：

$$r_{bis} = \frac{\overline{X}_p - \overline{X}_t}{S_t} \times \frac{p}{y}$$

其中y是常態分配曲線的高度，由查表得到，$\overline{X}_p$是答對的百分比，S_t是所有受試者測驗總分的標準差，是答對該一測驗項目受試者的

測驗總分平均數，$\overline{X_t}$ 是所有受試者的測驗總分平均數。

六、ϕ相關

ϕ相關（phi coefficient, ϕ）適用於兩個變項都是二分名義變項的情境，例如：性別分為男與女、婚姻狀態分為已婚與未婚、父母狀況分為存與歿等等。其計算公式如下：

先依據學生的成績及答對或答錯某題的資料，設定分數超過60分者為及格，未滿60分者不及格，將原始資料歸類而成2×2列聯表。

	答錯	答對	
及　格	2(A)	6(B)	8(A＋B)
不及格	5(C)	2(D)	7(C＋D)
	7(A＋C)	8(B＋D)	

將上列資料代入下列公式即可求得ϕ值：

$$\phi = \frac{BC - AD}{\sqrt{(A+B)(C+D)(A-C)(B+D)}}$$

若要考驗ϕ是否達到顯著水準，要以下列公式考驗：

$$x^2 = N\phi^2 \quad df = 1$$

七、列聯相關

列聯相關（contingency correlation, C）適用於兩個變項或其中一個變項的分類超過兩個以上類別時。例如：研究教育程度和贊成體罰的關係時，教育程度可分為：大學、高中、國中和小學四個

類別,贊成的態度可以分為:贊成、不贊成和無意見三個層次,此時可以採用列聯相關分析。列聯相關與卡方統計數有關,可以由卡方考驗的資料直接求得。列聯相關係數的計算方式之一如下:

$$C = \sqrt{\frac{\chi^2}{N + \chi^2}}$$

考驗C值是否達顯著水準可以直接看χ^2值是否顯著,如果顯著C值就顯著。

八、相關比

相關比(correlation ratio, η)或稱為曲線相關,在教育方面的研究,有時兩個變項之間的關係並不是直線關係,如果仍以積差相關之類的直線相關來處理,便可能導致錯誤的結果。所謂非直線相關,一般的傾向是隨著X變項分數的增加,Y變項的分數最初可能先增加,而在增加到某一程度之後又可能反而減少,這兩個變項之間的相關就稱為曲線相關。例如:焦慮程度和學業成就的關係就是此類相關,焦慮程度愈低者,其成績也愈低;焦慮程度中等者,其成績較高;但焦慮程度愈高者,其成績愈低。其公式如下:

$$\eta^2{}_{Y \cdot X} = \frac{SS_b}{SS_t}$$

曲線相關的平方是組間的離均差平方和與全體樣本的離均差平方和之比。

有關兩變項的相關統計法還有多種未能在此介紹,例如:多系列相關、廣布二系列相關、Kappa一致性係數等,有興趣的讀者可以參閱教育統計的相關書籍。

表8-1

兩變項適用的相關統計分析

分析方法	符號	變項1	變項2	目的
積差相關	r	連續變項	連續變項	分析兩個變項的直線關係
等級相關	ρ	等級變項	等級變項	
肯氏τ相關	τ	等級變項	等級變項	
肯氏和諧係數	W	等級變項	等級變項	分析評分者的一致性
二系列相關	r_{bis}	人為二分類別變項	連續變項	分析試題的鑑別力
點二系列相關	r_{pb}	真正二分類別變項	連續變項	
四分相關	r_{tes}	人為二分類別變項	人為二分類別變項	兩個變項均可以二分時使用
ϕ相關	ϕ	真正二分類別變項	真正二分類別變項	分析試題間的相關
列聯相關	C	人為二分類別變項	人為二分類別變項	兩個變項均分成若干類別時使用
相關比	η	連續變項	連續變項	分析非直線的相關

註：引自心理與教育研究法（頁262），郭生玉，1997，精華。

貳　多變項相關分析

　　研究者要探討三個以上變項之間的相關時，就可以使用多變項相關分析（multivariate analysis），通常這是預測研究最常使用的統計方法，以下介紹幾種較常用的方法（林生傳，2003；葉重新，2017；林清山，2014；卯靜儒等譯，2004）：

一、多元迴歸

多元迴歸（multiple regression）或稱為複迴歸，主要應用在預測，這是由兩個以上的預測變項預測一個效標變項的統計方法。例如：研究者想要探討小學生的智力、性向、友伴關係、居家地區、家庭社經地位與學業成績的關係。我們以學業成績為效標變項（被預測變項），其餘五個變項作為預測變項。研究者求出一個迴歸方程式之後，將每名學生在預測變項上的分數，逐一代入此公式，就可以預測出學生在效標變項的學業成績。其迴歸方程式有以下的寫法：

1. 原始分數的方程式為 $\hat{Y} = b_1 X_1 + b_2 X_2 + b_3 X_3 + b_4 X_4 + a$
2. 離差分數的方程式為 $\hat{y} = b_1 \chi_1 + b_2 \chi_2 + b_3 \chi_3 + b_4 \chi_4$
3. 標準化的方程式為 $\hat{z}_Y = \beta_1 z_1 + \beta_2 z_2 + \beta_3 z_3 + \beta_4 z_4$

複相關係數以 R 符號表示效標變項與預測變項組合之間的相關性強度，R 值愈高預測會愈可靠。R 值的平方稱為決定係數（R^2），表示這些預測變項可以決定效標變項多大比率的變異數，即預測變項對效標變項的解釋有多少百分率。

二、區別分析

區別分析（discriminate analysis）與多元迴歸分析相似，這兩種分析方法都是求兩個以上的預測變項與效標變項之間的相關。然區別分析的效標變項必須是可以分為兩個以上的類別或層次。區別分析適合用來作為人事甄選時使用，例如：高中生的智力、性向、職業興趣等分數，預測高中生適合就讀大學的哪一個學系。不過區別分析的計算過程相當複雜，需要具備多變項統計學知識，才容易進行分析及解釋。以下以一實例說明之：

表8-2為25名高學習成就與25名低學習成就學生的資料，研究者為探討不同學習方法的學生，在高、低成就組分數的關聯性，特以區別分析進行考驗。由表中的區別功能係數得知學生上課注意聽

講、課後複習、請教老師和請教同學，是預測學習成就比較重要的幾個變項。預測變項與效標變項的相關愈高者，其區別功能係數也愈大。

表8-2

高、低學習成就與學習方法差異情形

學習方法	高成就組平均分數	低成就組平均分數	區別功能係數
課前預習	0.95	0.62	0.12
上課注意聽講	3.98	1.73	0.58
課後複習	3.72	1.57	0.46
請教老師	2.30	0.24	0.41
參加補習	4.21	3.15	0.29
勤做筆記	2.44	1.29	0.32

註：引自教育研究法（頁265），葉重新，2017，心理。

三、典型相關

典型相關（canonical correlation）用在有若干個預測變項（X_1, X_2, X_3, ... X_n），效標變項也有若干個（Y_1, Y_2, Y_3, ... Y_n），要計算預測變項與效標變項之間相關的時候。例如：研究者要分析人際關係、學生事務、工作負荷、內在衝突、角色期許等五個預測變項，與解決問題、理性分析、延宕處理、自我調適、社會支持等五個效標變項之間的相關，這時候就可以使用典型相關分析，因為預測變項與效標變項各有五個，如果逐一使用積差相關相當繁瑣，而且彼此仍有相關，所以不適宜採用積差相關，因此要使用典型相關。先從預測變項中找典型預測因素X，同樣，也從效標變項找出典型效標因素Y，然後求X與Y的相關，其形成的原理類同因素分析。

四、徑路分析

徑路分析（path analysis）是用來檢驗三個或三個以上的變項之間的因果關聯的可能性，藉此看出哪一個變項影響在先，哪一個在後，循同一途徑或不同途徑，是直接影響，還是透過中介變項影響。徑路分析是迴歸分析的延伸，徑路係數就是直線迴歸方程式的標準化迴歸係數。徑路分析進行的步驟如下：第一，根據理論先建構一變項間的因果作用模式；第二，循此一模式提出一組直線迴歸方程式；第三，就迴歸方程式求得徑路係數；第四，依理論架構及徑路係數畫出如圖8-5的徑路分析圖。

圖8-5

社經地位、社會資本與數學成就的徑路分析

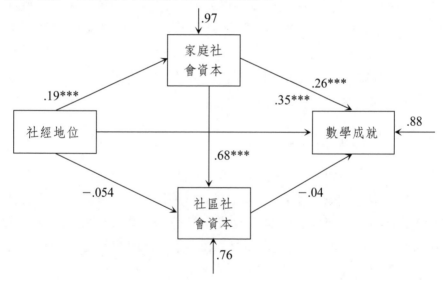

五、淨相關與部分相關

淨相關（partial correlations）是用來表示兩個變數在它們與其他一個或多個變項的共同解釋力被移去之後的相關程度的統計方

法。例如：研究者對一群不同年齡的受試者進行智力測驗和語彙測驗，發現智力測驗和語彙測驗有相關存在，然而研究者發現年齡大者其智力、語彙測驗均較年齡小者高，如果把年齡變項的解釋力排除或移去，智力測驗和語彙測驗是不是仍有相關存在？這時就要使用淨相關的統計方法來求相關，其符號為$r_{12.3}$。部分相關（part correlation）與淨相關並不同，有時研究者只想自X_2變項中排除X_3變項的解釋力，以形成新變項$X_{(2.3)}$，但並不想自X_1變項中排除X_3變項的解釋力，於是要使用部分相關來求X_1與$X_{(2.3)}$的相關，其符號為$r_{1(2.3)}$。

六、因素分析

當在單一研究探究許多變項時，資料的分析與解釋會變得頗為繁雜，因此通常會將那些彼此中度或高度相關的變項歸類成一些因素（fators），以縮減變項的數量。易言之，這個技術就是要找到若干變項的叢集（clusters），每個叢集內的所有變項均是彼此相關的，每個叢集代表一個因素。這種方法通常應用在考驗測驗或量表的「建構效度」（construct validity）。

七、線性結構關係模式

迴歸分析是討論顯性（manifest）變項（誤差項以外）間的關係，而因素分析是強調潛在（latent）變項（不可測量）與可觀測變項間的關係，線性結構關係模式（linear structure relation，簡稱LISREL）是綜合這兩種型態的模式，探討變項間的線性關係，並對可觀測的（顯性）的變項與不可觀測的（潛在）變項之因果模式做假設檢定（陳順宇，2000）。這種考驗方式相當複雜不易理解，但由於電腦軟體的普及與功能的增強，在教育研究上使用的日益普遍。

━━━━━━━━━━━━━━▶ **第五節　相關係數的解釋** ◀━━━━━━

　　利用相關研究所得到的數據，來解釋研究結果並獲得結論並非一件簡單的事，研究者必須謹慎地從事，才能使相關研究法在合理的範圍之內，充分發揮它的功能（林生傳，2003）。吾人皆知，相關係數的數值較低或較趨近於零者，表示變項間呈低相關，而接近±1.0，則表示相關程度極高，相關係數究竟有多高，方可視為其具有意義？以下說明如何對相關係數進行合理解釋（林生傳，2003；郭生玉，1997；王文科、王文智，2017；Gay, 1996）：

壹　解釋前先審查該相關係數是否有實質上的意義

　　研究者不能一看到統計得到的相關係數不小，如.80或.85以上，就覺得這個相關非常密切，在作這樣的判斷之前先要檢討一下，所取的樣本是否具有代表性？人數多大？蒐集資料的方式與工具是否正確與合理？資料分配的標準差大小如何？一般說來，標準差愈小、人數多且具代表性則相關係數不必很大即具有實質上的意義，所以不論相關係數大小，必須先審查該相關係數是否有實質上的意義，如此方能據以做合理的推論。

貳　相關係數可以換成決定係數來解釋

　　變項間的關係是以相關係數表示，其意義很難解釋，相關係數.50不是說兩個變項有50%的相關，而是要將相關係數加以平方，以表示變項間分配的共同變異量（amount of common variance），這可說明某變項可由另一變項決定或預測的比率。因此，共同變異量的百分比通常低於相關係數，如相關係數為.90，即表示共同變異量為.81或81%；因此.50的相關係數最初可能被視為相當好，事實上它真正的意義是這些變項有25%的共同變異量。相關係數的平方通常稱為決定係數（coefficient of determination），而$1-r^2$則稱爲未決定係數，即不能由另一個變項決定或預測的變異量比率。例如：智力和學業成績的相關係數爲.70，其決定係數爲.49，由此說明學業成績的總變異量中有49%是由智力決定，還有51%的變異量是由智力以外的因素所決定。

參　變項之間的相關不能解釋爲因果關係

兩個變項之間的相關，只能說明這兩個變項有某種程度的關係，但是不一定具有因果關係。變項的相關可以分析爲三種情況：1.X爲Y之因；2.Y爲X之因；3.X與Y並非因果關係，而是同樣受Z因素，或其他多項因素的影響或決定。例如：就自我概念與學業成就的相關而言，兩者可能都受到第三者因素的影響，如健康欠佳、破碎家庭或貧窮等，如果將這些因素加以控制，兩者可能變成沒有相關。相關研究並沒有嚴格控制其他影響的因素，如要建立因果關係，最好應進一步採用實驗的方法加以考驗。

肆　相關係數的大小須依目標而決定

相關係數需要多大才算有用，須依其目標而定。一般將相關係數分爲下列五級：.80-1.00很高相關；.60-.79高相關；.40-.59中相關；.20-.39低相關；.01-.19很低相關。在教育研究中影響受試者行爲因素很多，任何因素的相關即使不大，只要相關係數介於.20至.40之間，研究者就應予以關切。如果相關係數低於.35，表示變項只有輕微相關，例如：相關係數爲.20，表示僅有4%的共同變異情形，雖然它們已達到統計上的顯著水準，但解釋的變異量偏低；介於.40和.60就有理論和實用上的價值，重要的預測至少要達.50，只有當相關達.65以上才能合理且正確地達成預測目的；相關大於.85表示變項的關係緊密，且可用來預測個別的表現，在教育研究上很少達到這麼高的相關。Gay（1996）認爲相關係數低於.50想做團體預測或個別預測是無用的，團體預測要達.60-.79才算適當，要做個別預測，則相關係數要在.80-.89之間。

以相關係數作為測驗工具的信度或效度時，其標準更高。相關係數.40在關係研究中即被視為有用，但在預測研究中是無價值的，用在信度研究則低得更為可怕，信度係數最低要達.70，很多測驗都達.90。而用來檢驗分數效度的相關係數，則至少要達.50以上。

<hr />

第六節 相關研究的優缺點與注意事項

每種研究法都有其可取之處及其限制，發揮該研究的長處，而避開易犯的錯誤，這樣的研究成果才值得信賴。本節就針對相關研究的優缺點及研究時的注意事項作一說明。

 壹 相關研究的優點

相關研究法具有以下的優點：

一、可彌補實驗研究之不足

當因現實或道德下的考慮，無法設計情境操弄受試者時，實驗研究及準實驗研究即無用武之地，這時就要借助相關研究法。例如：要探討學生藥物濫用與對學校對立態度關係的研究、小孩出生序與自我概念的關係、大學畢業與薪水高低等問題，不能將受試者分為實驗組、控制組處置，必須以相關研究法從事研究（Vockell & Asher, 1995）。

二、可同時探討數個變項的關係

很多教育的現象是由許多的變項交互影響而成，相關研究法用在處理教育及社會科學特別有用，因為此法可以同時測得數個變項，並求出變項間的關係。另外這種研究法是用在實際的情境內，不像實驗研究法是在一個虛構的情境中研究，所得結果的推論性受到限制。

三、可控制其他變項對結果的影響

雖然相關研究無法同原因比較法或實驗法可經由對變項的操控而建立變項的因果關係，但可以靠統計的技術，控制某些變項的影響，不用改變研究情境，就能得到研究者感興趣變項相互間的關係。

四、為其他研究做準備

相關研究可得到變項的關係程度，提供研究者認清操弄什麼變項才能得到想要的結果，在預測研究的基礎上，再強化研究技術，使所做的預測能更為準確，如此在不需大樣本的情況下，相關研究將成為強而有力的探索工具，而對低層的基礎研究有極大的效用（Cohen & Manion, 1996）。

相關研究易犯的錯誤

實施相關研究很容易犯以下的錯誤，研究者必須小心：

一、隨便選擇研究變項

有些研究者在選擇變項時，不太重視理論或以前的研究發現，只把變項湊在一塊，就去探討變項的關係，這種作法一定要避免。

二、使用缺乏信度、效度的工具蒐集資料

從事研究時，具備好的內在效度及外在效度是很重要的，但兩者通常很難兼顧，要求內在效度很容易喪失外在效度（Sprinthall, Schmutte, & Sirois, 1991）。實驗研究的最大優點是內在效度高，但缺點外在效度低，相關研究的優點則是外在效度高，內在效度低。常見到某些研究者以缺乏信度、效度的工具實施研究，這樣所測得的資料及其研究結果的可信度令人存疑，推論到母群體則更是錯誤百出。如果讓工具有較高的信度、效度，則能真正測得想要的變項，如此相關研究的內、外在效度都能達到一定水準，則所得的研究結果會更為人所信服。

三、所得資料真實性的問題

在獲得資料的過程常會發生一些錯誤，而導致所得資料的真實性受到懷疑。例如：取樣錯誤、樣本不具代表性、施測場所不佳影響填答、施測者的偏見影響填答、受試者不做真實填答等。為求得研究品質的嚴謹性，這些錯誤一定要改進，以期獲得真實的資料。

四、使用錯誤的統計方法分析資料

研究在解釋資料時，除了依據變項的性質用適當的統計方法外，還要依據變項間的關係，選擇正確的統計方法。例如：為了釐清變項間的關係不使用多變項統計資料，卻只使用雙變項相關係數；必須用淨相關明確解釋變項運作情形的情境下，只使用簡單的相關技術。這些都是解釋資料常易犯的問題。

五、相關研究只確認變項的關係，不能建立因果關係

研究者在解釋資料時，容易把變項的相關解釋為因果關係，只有在實驗研究法中才能建立變項的因果關係，相關研究僅在建立變項的相關程度（Cohen & Manion, 1996）。

問題與討論

一、請說明相關研究法的研究基本步驟有哪些。

二、相關研究可以細分為哪兩種類型？請分別說明這兩種類型的內涵。

三、下列的資料適合使用哪種統計分析？

1. 比西智力測驗與魏氏成人測驗的相關

2. 學習焦慮與學業成就的關係

3. 學業成績和體育成績的相關

4. 若干預測變項和若干效標變項的相關

5. 考驗變項因果關係

6. 教育程度分為大學以上及高中以下兩組，社經地位分為高、中、低三組，探討兩變項相關

7. 學習態度、教育資源、教師效能對學業成就的預測

四、請說明相關研究法之優點與限制。

五、進行相關研究法時，對於所求得的相關係數要加以解釋，在解釋時要注意哪些原則？

第9章
實驗研究與原因比較研究法

========　第一節　實驗研究法的基本概念　========

 壹　實驗研究法的意義

　　一提起實驗研究法（experiment method），人們總把它想成是有關研究自然科學的方法。實際上，實驗研究法最初確是用於自然科學上，最古老的實驗就是古希臘阿基米德的「揭開王冠之謎」的實驗。實驗研究法由自然科學領域的發展而成一套嚴謹的研究歷程，逐漸用於社會科學的研究上，最早引進實驗研究法的學科是心理學，以後再逐漸應用到教育學等社會科學領域中（McMillan & Schumacher, 2001）。

　　目前實驗研究法被公認爲最嚴謹的研究法，最合乎科學性，也最具有解釋變項因果關係的能力。所謂實驗研究法是指研究者在妥善控制一切無關干擾變項（extraneous variables）的情況下，操縱實驗變項，而探討自變項的變化對依變項產生的影響效果（郭生玉，1997）。教育研究者所採用的實驗，其典型的自變項包括：教學、方法、增強、增強類型、學習環境的安排、學習材料的類型和學習團隊的規模；而依變項也稱爲效標變項，通常是研究的結果，也就是發生在操縱自變項而獲得實驗組與控制組之間差異或改變的情形（Gay, 1996）。

貳 實驗研究法的基本特徵

實驗研究具有隨機化、控制無關變項、操弄自變項及設對照組等四項基本特徵，以下分別敘述之（潘慧玲，2003；郭生玉，1997；卯靜儒等譯，2004；Ary et al., 2002）：

一、隨機化

所謂隨機化（randomization）就是在一個界定的研究群體中，每一個分子都有相同的機會被抽取作為研究的對象。一般而言，最常用的實驗研究中的隨機化步驟有二個：一個是隨機抽樣（random sampling），另一個是隨機分配（random assignment）。前者是在抽取適量的受試者作為研究樣本；後者是將抽取出來的受試者分配到實驗組或控制組，讓每個抽取的受試者都有同等機會接受任何一種實驗處理。這兩個隨機化的步驟，主要目的在控制所有可能影響實驗結果的無關變項，使兩組除實驗者所操縱的實驗變項不同外，其餘各方面都達到近乎完全相等或相似的程度。

二、控制無關變項

控制是實驗研究的特性之一，控制是實驗者為消除研究目的之外的所有無關變項，所造成的不同效果而進行的處理，因為無關變項會混淆實驗的效果，所以研究者必須設法控制實驗變項以外的所有無關變項。研究者會尋求保持除了自變項之外的所有受試者、變項、情境、項目及程序的恆定，目的在於排除自變項之外的因素對於因果關係所可能造成的影響。

三、操弄自變項

研究者能夠直接操弄至少一個或更多自變項是實驗研究與其他研究方法最大的不同處。對於自變項直接的操弄，意指研究者直接控

制受試者在何時接受實驗處理，以及受試者會接受到何種強度的實驗處理，研究者對於自變項的操弄是一種考慮周密的操作。在一個實驗之中，受試者會接受不同程度的實驗處理，而這些不同程度的實驗處理所造成的影響必須進行比較，以便找出依變項的改變與自變項的改變是否有關，並進而找出自變項與依變項間的因果關係。

四、設對照組

實驗研究中通常包含了兩組的受試者，其中一組是實驗組，一組是控制組（control group）或對照組（comparison group），有時會出現三組或三組以上的組別，有時也可能只有一組的受試者。在實驗過程中，實驗組將會接受一種或多種的實驗處理，而控制組則有可能未接受任何的實驗處理或是接受不同的處理。其主要目的是要比較實驗組與控制組在實驗前後的依變項是否有所差異，我們才能探討自變項與依變項之間的關係。

 實驗研究法的類型

實驗研究法的類型可以分為好幾種，一般是依據不同的標準來做分類（林生傳，2003；張景煥等，2000；Mertler & Charles, 2008）：

一、依進行地點分

(一) 實驗室實驗

實驗室實驗（laboratory experiment）是在實驗室內或模擬生活環境或在高度控制的實驗場地中操弄自變項，控制無關變項，來探究自變項與依變項的關係，這種研究比較能夠精確地探討自變項與依變項的關係。就真實原理的運用及推論應用而言，實驗室研究隔離真實生態環境，所得結論內在效度固然較高，但所得結論是否能夠推論至母群體則受到懷疑，故往往使外在效度受到限制，應用價值也可能受影響。

(二) 實地實驗

實地實驗（field experiment）或稱爲現場實驗，是在眞實的教育情境中操弄自變項、控制無關變項，以探討自變項與依變項的因果關係，例如：以教室、操場等場所來進行實驗。實地實驗因是在自然眞實的教育情境中進行，不是在實驗室裡人爲地控制事件，這樣的研究所反映的教學效果也是眞實的，故實地實驗比實驗室實驗更能夠提高研究的外在效度。

二、依實驗設計分

根據不同的實驗設計，可把實驗研究分爲：前實驗、準實驗和眞正實驗三種，以下分別說明：

(一) 前實驗研究

前實驗設計（pre-experimental design）無法隨機分配受試者，不能有效地控制無關變項，誤差高效度低，往往不能說明因果關係，常被稱爲非實驗設計，但它畢竟具有實驗研究的最基本要素：實驗因素和測量。例如：研究一教學方法對提高教學質量的作用，對一組學生進行教學方法實驗，然後做後測。該研究既沒有前測，也沒有控制無關變項，很難說明後測教學效果的提高是這種教學法所導致。

(二) 準實驗研究

準實驗研究（quasi-experimental research）是指實驗者無法隨機分配受試者到實驗組或控制組，一般是按現存班級進行實驗能對一部分無關變項進行控制，但無法完全控制無關變項。例如：研究者要探討小學實施新教學法的成效，他與校長接洽後，學校只能提供兩班學生接受實驗，但不同意將班級學生任意拆散，於是只能將其中一班當作實驗組，另一班當作控制組。由於準實驗研究的實驗情境及對象更符合眞實原理，故更具推論性（generability），也可能具有較高的外在效度。

(三) 真正實驗研究

眞正實驗研究（true experimental research）是指研究者能夠隨機分發受試者到實驗組或控制組，也可以對實驗誤差來源加以控制，使得實驗結果能夠完全歸因於自變項的改變。實驗室實驗一般屬於眞正實驗研究，但由於控制因素過於嚴格，而教育科學本身又是受到多因素影響的，所以使用此法在實際應用上有一定的限制。

第二節　實驗研究的實施程序

 ## 壹　實驗研究的基本架構

如前所述，實驗研究法的主要目的是在探討自變項與依變項之間是否有因果關係存在，爲達此一目的，實驗研究法通常具備下列四個要點（林清山，1987）：

1. 操弄自變項，使其產生系統的改變。
2. 控制自變項以外的無關干擾變項，使其保持恆定。
3. 觀察依變項是否隨自變項的改變而改變。
4. 如果依變項隨著自變項的改變而改變，才可以下結論說自變項與依變項之間具有因果關係。

圖9-1爲實驗研究法基本架構，說明了實驗研究法的四個要點，所謂操弄是指實驗者有意地或系統地改變或操作某一或某些變項而言，亦即有系統地對受試者加上一套幾個不同的條件。自變項就是實驗者所操弄的條件，有時或稱爲「處理變項」（treatment variable）或「實驗變項」。在實驗研究中，依變項是不需要操弄的，而只觀察改變自變項之後，依變項是否發生什麼影響。圖中的「干擾變項」是指與自變項一樣也會影響依變項的那些變項，但卻與研究目的無關。故在進行實驗時，可能出現的無關干擾變項均要予以控制妥當，使參與實驗的各組受到相等的影響。在控制嚴密的

情形之下，如果實驗者操弄自變項的數值或類別，而依變項亦隨著改變，如此就可下結論說依變項的改變是自變項所引起的（林清山，1987）。

圖9-1
實驗研究的基本架構

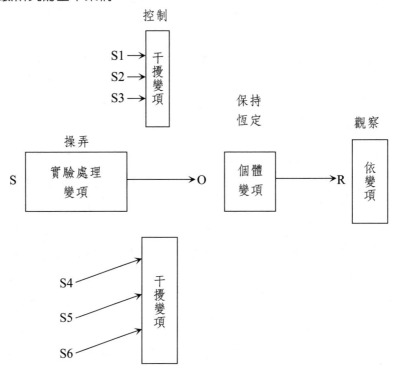

註：引自教育研究法（頁278），林生傳，2003，心理。

貳　實驗研究的實施步驟

依照上述的模式，實驗研究在進行時，應依下列程序來進行（林生傳，2003；林清山，1987；周文欽，2004；潘慧玲，2003）：

一、確定研究題目

　　凡探討自變項對依變項影響的問題，都適合成為實驗研究的題目。一般來講，實驗的自變項應要具備可操作性及可變性，依變項則需具備可測量性及與自變項的時間順序性，即自變項的發生在前，依變項的發生在後。例如：國小教師教學方法對學生學習影響之研究。

二、提出研究假設

　　實驗假設是研究者對某一問題看法的暫時性答案，實驗研究的目的就在利用實驗來蒐集資料，以驗證假設是否獲得支持；研究假設的敘述就要提出自變項對依變項的關係。

三、界定變項並提出操作型定義

　　分析並界定實驗情境裡面的自變項與依變項、實驗變項、干擾變項、情境變項與個體變項，並一一給予操作型定義。所謂操作型定義，是將自變項與依變項加以明確界定，通常是將這兩種數量化，以方便測量觀察及進行實驗。

四、準備實驗工具與測量工具

　　實驗工具是指操弄自變項的器材，測量工具是指觀察或記錄依變項的工具，例如：測驗、問卷、量表等，在實驗進行前，這些器材和工具就要準備好。

五、控制無關干擾變項

　　考慮與本研究目的無關，但卻會與自變項混淆在一起，而對依變項造成影響的無關干擾變項有哪些，這些變項如不予以控制，將使所得實驗結果無法完全歸因於所操作的自變項，而致無法下結論。

六、選擇實驗設計

　　研究者應針對研究目的選擇合適的實驗設計，並設法提高實驗的內在效度與外在效度，同時考慮研究者的人力、物力以及時間因素。

七、受試者的抽樣與分發

　　研究者選擇具有代表性的樣本參加實驗，研究者才能將研究結果推論到母群體，先以隨機抽樣方式確定樣本，然後再以隨機分配方式將受試者分發到實驗組或控制組。

八、安排實驗處理的程序

　　實驗處理的程序包括：如何去操弄自變項、如何去觀察與測量依變項、如何即時處理實驗過程的突發干擾事件等，研究者先將實驗的程序寫成實驗計畫，再依計畫一步一步進行。

九、進行實驗

　　實驗者依照指導語，告訴受試者如何進行實驗，然後觀察、測量與記錄其反應。

十、資料的處理與分析

　　對所蒐集到的資料進行分析，以統計方法考驗各個研究假設是否成立，獲得結論，並考驗其內在效度。

十一、根據實驗數據撰寫研究報告

　　研究者應依照撰寫研究報告的原則與格式，來撰寫論文或研究報告，以說明假設中所敘述的自變項與依變項因果關係能否成立，如果可以成立，也可說明這些實驗結果能否進一步推論至母群體。

第三節　實驗的效度與控制

　　實驗研究的主要目的在於驗證理論假說，即探求依變項與自變項之間的關係，弄清楚依變項是否是由自變項影響所造成的結果，在多大程度上受自變項的影響，這就要求實驗設計首先要精密地考量自變項如何操縱、依變項如何準確地觀察測量。

壹　實驗效度

　　為了對理論發展做出有意義的貢獻，也為了使研究具有指導教育實踐的意義，一項實驗必須是有效的，也就是實驗必須具備效度。實驗的效度就是實驗結果的準確程度，效度愈高，實驗結果愈可靠（葉重新，2017）。Campbell和Stanley（1966）首先提出了實驗的內在效度與外在效度的概念以後，各國學者皆沿用此兩種效度來討論實驗研究結果的正確性。所謂內在效度（internal validity）是指實驗研究者所操縱的實驗變項對依變項所造成的影響真正程度，即一個實驗研究能夠有效地實驗出所要實驗的因果關係，若實驗的干擾愈多，正確性愈差，則該實驗內在效度便愈低，反之干擾變項能完全控制，其正確性愈高，則該實驗的內在效度便愈高，一項實驗必須有一定程度的內部效度。所謂外在效度（external validity）是指實驗結果的可推論性大小，實驗結果的可推論性愈大，其應用性及代表性也愈大，實驗的外在效度也愈高。簡言之，就是指實驗研究結果是否可推論到研究對象以外的其他受試者，或研究情境以外的其他情境。如果觀察變項之間的關係僅僅對那些參加實驗的人才有效，那麼實驗所獲得的價值就很小，因此，外在效度是衡量教育實驗的標準之一。

貳　實驗控制

　　實驗效度只是一種追求的理想，它不可能得到完善的實現。因

為在教育實驗中有許多無關變量需要加以控制，為了獲得內部效度而進行嚴格的實驗控制時，就會形成更加人為的實驗情境，從而縮小了外部效度或實驗的推論範圍。這就必然要採取某種妥協折衷的辦法，以便在控制與推論之間建立適當的平衡。在實驗過程中，不可避免地會加入其他一些無關變項也會影響依變項，如果對這些無關變項置之不理，那麼依變項的觀測值就不完全來自於自變項的影響，如此實驗效度就降低了。為了提升實驗效度，必須做好實驗變項的控制，所謂控制即透過各種不同辦法排除或減少無關變項對依變項的影響（張景煥等，2000）。

參　影響內在效度的因素

如果一個實驗研究沒有內在效度，那這個研究是沒有價值的，因為內在效度決定實驗結果的解釋。影響教育實驗的內在效度有以下九項（郭生玉，1997；裴娣娜，2004；Campbell & Stanley, 1966；Gay, Mills, & Airasian, 2012）：

一、歷史

歷史（history）因素或稱為同時事件（contemporary history），指在實驗期間，受試者往往會從實驗情境內外經歷到一些實驗處理以外的其他事件，例如大地震、戰爭等，這些事件可能會影響依變項而干擾到實驗結果，而研究者無法控制特定外在事件對受試者產生的影響。通常實驗期間愈長，同時事件影響就愈大，通常可透過恆定其他條件的方式加以控制。

二、成熟

成熟（maturation）是受試者在受試期間在生理或心理方面所產生的變化，例如：強壯、疲倦、沒興趣、專注力降低等，都會影響到實驗結果。為避免成熟的影響，受試者的選擇與分組最好盡可能隨機化，另一方式是設一組比較的控制組，以假定兩組均有相同

的成熟度和發展經驗。

三、測驗

在許多實驗中，常在實驗處理前進行前測，但若前、後測題目完全相同時，常會造成後測分數受影響，因而設置無前測的對照組來控制測驗（testing）因素所造成的影響。

四、工具

指實驗中測試方法技術或工具（instrumentation）的無效或缺少一致性，這是在測量過程中，主持實驗者的主觀情緒狀態發生變化，如變得更嚴格、疲倦或粗心；或是研究者的個性、態度、價值觀的影響，例如：比馬龍效應；或評量標準不同，例如：前後的難度不同、不同班用不同測驗、評量者不同人。上述這些因素都可能導致研究結果的無效性，所以研究者要精心選擇測驗及技術、謹慎觀察、加強基本訓練和嚴格測試手段，並選擇好實驗設計以控制這個因素。

五、統計迴歸

當實驗者根據某項心理特質的極端分數而選擇研究對象時，統計迴歸（statistical regression）的問題便易產生，尤以在有前後測的實驗設計中為然。統計迴歸現象，是指受試者的測量分數在第二次測量時，有向團體平均數趨近的傾向。也就是說，高分組的受試者在第二次測量時，其分數由於向平均數迴歸而有降低的趨勢，但低分組的受試者，其分數卻有升高的趨勢。例如：研究者選擇一些閱讀測驗分數最低的學生做補救教學實驗，經過一段實驗時間，再以相同或相似的閱讀測驗測量他們的閱讀能力，由於統計迴歸現象，這些人的分數會有升高的傾向。為避免此因素的干擾，在研究中最好不要採用兩極端的受試者，或在研究中將極端分數者單獨分組，並注意結果的差異。

六、受試者的選擇

在採用兩組或多組的實驗研究中，研究者必須考慮不同組別受試者在各項特質上是否一樣，要使研究不同組別的各方面特質達到相等，以減少選擇樣本（selection）的偏差，最有效的方法是利用隨機分派的方式分出實驗組與控制組。

七、受試者的流失

研究樣本在實驗期間的流失（experimental mortality）是影響兩組或多組實驗設計內在效度的重要因素。在一個時間較長的實驗中，受試者的更換、淘汰或中途退出可能對研究結果產生顯著影響。其中時間的等值也要注意，兩個班學生缺席次數是否相同、兩組學習時間是否相等、課外的補習時間量是否相等，都要加以控制。

八、選擇和成熟的交互作用

上述七項因素彼此的交互作用，將構成影響內在效度的另一個因素，選擇和成熟的交互作用（interaction of selection and maturation）即是其中之一。例如：研究者研究觀看描述種族平等的影片對消除種族偏見的影響，他從兩個不同地區選取兩組受試者，在實驗組中，多數為來自中上階層家庭的學生，而在控制組中，多數來自低階層。由於年齡的增長，認知能力更趨成熟，而使種族偏見有逐漸降低的傾向，且此種減低的程度，中上階層比低階層為大。經實驗處理後，可預期實驗組種族偏見的改變會大於控制組，但此種改變可能是因選擇和成熟交互作用所造成的結果。

九、實驗處理的擴散

所謂實驗處理的擴散（experimental treatment diffusion）是指實驗組與控制組的成員具有密切關係，因接觸、討論而會造成實驗處理的擴散，故實驗進行時，應避免兩組間的接觸，要求各組成員不可互通信息。

肆　影響外在效度的因素

所謂外在效度，就是指實驗結果的概括性和代表性，也就是指研究結果是否可推論到研究對象以外的其他受試者，或研究情境以外的其他情境。對外在效度的威脅主要有以下四個因素（郭生玉，1997；Campbell & Stanley, 1966）：

一、測驗與處理的交互作用效應

在有前測和後測的實驗設計中，前測的經驗往往會限制研究結果的推論性。其理由是受試者對實驗處理會更具敏感性，平常情境下未曾注意到的問題或現象，此時變得更為敏感和警覺，以致實驗效果可能部分來自前測的經驗所產生，這稱之為「測驗與處理的交互作用效應」（interaction of testing and treatment）。因此，有前測的實驗結果不能推廣到沒有前測的對象中去，只能應用於已作過相似前測的樣本。

二、選擇與實驗處理的交互作用效應

選擇與實驗處理的交互作用效應（interaction of selection and treatment）這種威脅表現在選擇樣本的偏差，受試者取樣沒有代表性。在明星學校進行實驗的結果不能推論到一般或較差學校，一般學校的前段班實驗結果也不能代表普通班的學生。

三、實驗安排的效應

實驗安排的效應（interaction of setting and treatment）是指實驗情境措施對受試者的影響，這就是有名的霍桑效應（Hawthorne effect）。這個因素的產生，主要是由於參加實驗的受試者，覺察到他們正在接受一項實驗研究，為投實驗者所好，他們可能改變正常所表現的行為方式，努力表現實驗者所期許的行為。另有一種強亨利效應（the John Henry effect），是指當實驗組採用新法或步驟

時，控制組的受試者不甘示弱，力圖與實驗組一較長短，則控制組的表現常在一般的平均水準之上，此現象又稱「補償性對抗」。

四、多重實驗處理的干擾

當同樣的受試者重複接受兩種或多種的實驗處理時，由於前面的處理通常不易完全消失，以致幾項實驗處理間會相互產生干擾作用稱之為「多重實驗處理的干擾」（interaction of difference treatment）。因此實驗所得到的結論只能推論到類似的重複實驗處理的實驗，不能推論到非重複處理的實驗上去。

從以上的分析可知實驗研究必須兼重內在效度與外在效度，才能確保實驗結論的正確性和推論性（林生傳，2003）。內在效度是外在效度的必要條件，但具內在效度的研究結果不一定具有很高的外在效度，而且內、外在效度有時會互相影響。例如：為防止性別的影響，只選取男生或女生接受實驗，雖然內在效度提高了，但是結果的外在效度卻降低了，無法推論到不同性別的群體。在實驗設計時，必要精心考慮規劃以避免可能威脅內、外在效度的因素。

伍　實驗控制的方法

為了要提高實驗效度，必須使用實驗控制的方法排除或減少無關變項對依變項的影響，實驗設計經常採用以下方法來達到這一目的（朱柔若譯，2000；裴娣娜，2004；張景煥等，2000；Babbie, 2005；McMillan & Schumacher, 2001）：

一、排除法

排除就是想辦法使無關而且會影響實驗結果的變項從實驗情境中消失，需要排除的包括物理變項與心理變項的干擾，前者指室外噪音、空間大小、溫度、光線、聲音設備等物理因素，後者指受試者因心理抗拒而產生情緒性反應，或是因參與研究而產生積極或

消極的反應，這些因素的干擾是可以從實驗情境中消除的。然而，過多使用排除法也會使實驗情境失去自然性、現實性，與正常的教學活動差距太大，反而會引起受試者的疑慮、期望、緊張等情緒變化，這些都會嚴重干擾實驗的過程，因此排除法的使用有較大的侷限性。

二、恆定法

恆定法就是使無關變項效應在實驗前後保持不變，當研究情境過於複雜，干擾變項太多，無法使用排除法時，可以考慮使用恆定法。在時間上，實驗時的前、後測內容與程序、研究者的態度等皆維持一致與穩定；在空間上，實驗環境的設備與條件要一致。然而教育實驗的週期較長，學生的知識水準、能力不斷增長，教師的工作態度、教學能力也不斷改善，使得諸多無關變項無法恆定不變，因此恆定無關變項也有其限制。

三、平衡法

平衡或稱為「抗衡」，是指在分組比較實驗中，使各種實驗處理不同，而無關變項的作用相同。例如：實驗時設置實驗組及控制組，實驗組接受新的實驗處理，控制組接受不同的實驗處理或照平常方式進行，除自變項不同外，其他方面都是相等的，像實驗的場所、環境、時間的長短與安排，受試者的性別、年齡、智力、動機情緒等基本保持一致。但是要使諸多無關變項對各組影響效果完全相同是相當困難的。

四、抵消法

抵消法可在一定程度上彌補平衡法的不足，這種方法讓同樣的受試者先後接受幾種不同的實驗處理，受試者自身以及實驗順序所造成的練習、適應、疲勞等無關變項效應在先後輪換過程中可以相互抵消，從而提高實驗精確度。例如：如果有甲、乙兩個班，我

們可以先隨機地選取其中的一個班作為實驗組，另一個班為對照組，進行第一輪實驗，然後將兩個班對調，原來的實驗組改為對照組，原來的對照組改為實驗組，進行第二輪實驗，這種方法稱為輪換實驗設計（rotation experiment design）；最後將兩次實驗的實驗組觀測結果合併為實驗組樣本成績，將兩次實驗的對照組觀測結果合併為對照組樣本成績，再將這兩個樣本的成績進行比較。我們不難看出，組成實驗組樣本的是甲、乙兩個班的全體，組成對照組樣本的也是甲、乙兩個班的全體，每個班都經受了一次實驗與一次對照。這樣不但兩個班的學生基礎可以抵消，而且兩個班的教師因素、家庭因素等無關變量都可以抵消。

五、隨機法

隨機是在選擇受試者、安排實驗處理順序等許多實驗環節上，不受實驗人員主觀意識的影響，而由隨機安排決定，使用的方法有隨機取樣、隨機分派、隨機指派實驗處理等項。要注意的是，教育實驗中取樣數不能太少，如果各組人數太少，那麼機遇造成差異的可能性就會很大，加大樣本可以互相抵消。但隨機法也存在一些問題，教育實驗又不能打亂正常的教學秩序，實驗者往往只限於在學校內以原班級進行實驗。

六、配對法

配對法（matching）是為了嚴格控制兩組受試者的個別差異對實驗結果的影響所用的方法，例如：為使實驗組和控制組的智力相等，研究者可從智力測驗分數中，選擇分數相同的受試者配成對，接著應用隨機分派法，把其中一個分到實驗組，另一個分到控制組。通常用以配對的變項有性別、年齡、社經地位、智力、學業成就、人格特質和前測分數等。不過配對變項的決定，一定要以和依變項有高度相關者為根據。

七、盲法控制

研究發現參加實驗的學生和教師的實驗情緒是對實驗結果影響很大的一個共變量,因為教師和學生知道自己在接受實驗,因此情緒高漲,待到實驗結束,以同樣的方法教同一個班級,成績就不如先前。為改變這種現象,可以採用盲法控制實驗的原則,即在實驗中,不讓學生知道他們是在進行實驗,這稱之單盲法,甚至有時連實驗教師也不讓他們知道是在教實驗班,這稱之為雙盲法(double-blind experiment),這樣就可有效地減少實驗情緒的影響。

八、納入處理

當某些干擾變項無法排除時,可以把它作為一種實驗變項,納入實驗之中,也就是將單變項的實驗發展為多變項的實驗,如此不僅需要加以控制的無關變項會減少,而且能了解各變項的影響及因素間的交互作用。例如:在研究啟發教學法與演講教學法的效果時,將智力因素分為高、中、低三個層級納入設計中,使實驗設計成為教學法及智力的二因子設計,此設計一方面可了解不同智力間的差別,另一方面又可了解智力和教學法間的交互作用。

九、統計的控制

當無關變項的控制不適用於使用上述的控制時,就必須採用統計的控制。通常採用共變數分析(analysis of covariance)的統計方法,將無關變項對依變項的影響排除掉。例如:實驗新數學課程與舊課程的優劣時,研究者往往被限制採用原班級做實驗,無法隨機抽取兩組受試者,研究者如果擔心智力因素會影響效果,可在實驗後採用共變數分析,將智力當成共變數,而去除它對依變項的影響。除了智力外,也可以將兩組實驗前測的分數作為共變數,再進行具有兩個共變數的分析。

第四節 實驗研究的設計

　　教育的實驗研究的設計有多種類型，有的分為單組、等組、循環組設計等，以下按實驗中的變項分為單因子設計和多因子設計兩大類來介紹，而單因子設計則包含前實驗設計、準實驗設計和真正實驗設計。在介紹實驗設計之前，先將使用的符號作一說明：X表示一種實驗處理（treatment）；C表示控制的變項（control variable）；O表示一次測試或觀察，是實驗處理前或後的觀察和測量（test, pretest or posttest）；R表示受試者已被隨機選擇分配（random assignment of subjects to groups）（裴娣娜，2004）。以下分別介紹幾種常見的實驗設計（王文科、王智弘，2017；郭生玉，1997；葉重新，2017；高義展，2004；裴娣娜，2004；Mcmillan & Schumacher, 2001；Mertler & Charles, 2008）：

壹　單因子實驗設計

　　單因子實驗設計可分為前實驗設計、準實驗設計及真正實驗設計三種類型。

一、前實驗設計

　　這種研究策略通常是一種自然描述，用來識別自然存在的變項及其關係，它不是嚴格意義上的實驗，但它卻是真正實驗設計的組成部分或重要元素，所以稱為前實驗設計。前實驗設計對無關變項不能控制，但可以操縱變化自變項，這種實驗設計有三種表現形式：

(一) 單組後測設計

　　單組後測設計（one-group posttest only design）也稱為單組個案研究（one-shot case study）後測設計，是指單一組受試者接受一個實驗處理，然後觀察或測量依變項，其基本模式如下：

$$X \qquad O$$

這個模式只有一組受試者且不是隨機選擇無控制對照組，實驗中只給予一次實驗處理，有一個後測，將後測的結果作為實驗處理的效果。這種實驗設計由於不能控制無關變量的影響，因此內、外在效度都不高。例如：一名教師針對自己班上的學生實施數學科合作教學法（X），一學期之後實施數學基本能力測驗，發現數學平均基本能力成績90分（O），比起前一學期在其他班級所實施的直接教學法（direct instruction）所獲得的成績80分明顯高出10分的平均數，以此研究結果判定數學教學應該採用合作教學法較能提升學生數學成績。然而這樣的判定與推論如上所述產生了許多的缺失。

(二) 單組前測與後測設計

單組前測與後測設計（one-group pretest-posttest design）係指一組受試者在接受實驗處理前、後，皆分別接受觀察或測量，基本模式如下所示：

$$O_1 \qquad X \qquad O_2$$

這種模式有以下的特徵：只有一組受試者，無控制組，且不是隨機選擇；只有一次實驗處理；有前後測，用前後測的差異來作為實驗處理的效果。例如：研究者為了探討「數學寶盒」教材的效果，於是請一名幼兒教師擔任實驗者，教學實驗對象某幼兒園大班幼兒20人。在進行實驗之前對該班幼兒實施數學能力測驗（O_1），經過一個學期上「數學寶盒」教材（X），然後再對原班學生實施同樣的測驗（O_2），如果後測的成績優於前測（$O_1 > O_2$），則該研究者不能隨即判定「數學寶盒」教材有促進幼兒數學能力的效果。

上述實驗設計比單組研究嚴謹，不過它對可能影響實驗內在效度的因素，並沒有作嚴謹的控制，因此研究者很難確實知道後測

與前測成績的差異是如何產生的。上述的實驗設計可以「觀察」和「比較」，但仍然缺乏「控制」無關干擾和混淆的安排，例如：同時事件、成熟、測驗、工具和統計迴歸等因素干擾，因此無法驗證自變項與依變項之間的因果關係，也很難將其實驗結果推論到實驗以外的其他群體或情境，以至於內、外在效度均差。

(三) 靜態組比較設計

　　靜態組比較設計（the static-group comparison design）又稱為不等組後測設計（nonequivalent groups posttest-only design），此種設計包含了至少兩組受試者、一個實驗處理及一次後測，惟欠缺隨機分派，所以這兩組受試者的特徵並不相等。實驗組受試者接受實驗處理，控制組接受另一種實驗處理，然後比較這兩組受試者的後測分數，其基本模式如：

$$X \qquad\qquad O_1$$
$$\cdots\cdots\cdots\cdots\cdots\cdots\cdots\cdots\cdots\cdots\cdots\cdots\cdots\cdots\cdots\cdots\cdots\cdots$$
$$O_2$$

　　例如：想要研究傳統講授法與新的自學輔導法對學生自學能力發展的差異，進行一段時間教學後，在每個班同時進行內容與難度一致的測驗，從兩個班學生成績的比較中，分析兩種教學法在發展學生自學能力的效果如何。這種設計使用控制組，但由於沒有前測，無法確定依變項的變化是由實驗處理所造成的，在影響內在效度的因素上可控制同時事件、前測、評量工具及統計迴歸等可能的威脅，但對於選擇的偏差、研究對象的流失、選擇與成熟的交互作用等影響因素則毫無作用。

　　另有一種靜態組前後測設計（static group pretest-posttest design），是前一模式的調整，是指未經隨機分派的兩組受試者，都接受了前測與後測，其模式如下所示：

$$O_1 \qquad X \qquad O_2$$
....
$$O_3 \qquad\qquad\quad O_4$$

　　這種模式雖然增加了前測，但因樣本非隨機取樣、隨機分派，故實驗處理前的兩組無法保證相等，處理後的差異也很難歸之於實驗變項的作用，同樣受到如前所述的因素干擾。

二、準實驗設計

　　準實驗設計（quasi-experimental design）是用在真實的教育情境中不能用真正的實驗設計來控制無關變項，即不能採用隨機分派受試者至實驗組或控制組的情況。雖然準實驗的結果不如真正實驗可靠，但是對於教育現象的了解，仍然有很大的幫助。

　　準實驗設計強調對自變項進行操作控制，但對無關變項的控制較差，以致無法完全控制實驗誤差的來源。但是可用統計方法進行控制，或將一些無關變項納入自變項，來提高對於無關變項的控制能力。準實驗設計有多種類型，其中主要有以下三種：

(一) 不等組前後測設計

　　不等組前後測設計（nonequivalent groups pretest-posttest design）的基本模式如下：

$$O_1 \qquad X \qquad O_2$$
....
$$O_3 \qquad\qquad\quad O_4$$

　　這個模式具有兩個特徵：有兩個組、皆有前後測。因為是在原有的班級進行實驗，不是隨機分派，因此控制組與實驗組是不相等的，但實驗處理可以隨機指派。這種模式的優點如下：因有控制組、有前後測，因此可以控制成熟、歷史、測驗、工具、統計迴歸

等因素影響，提高了研究的內在效度。至於其缺點則有以下兩項：1.不是隨機取樣分組，選擇與成熟的交互作用可能會降低實驗的內在效度；2.前後測的交互作用。因為實驗組與控制組彼此非等組，因此在統計分析上宜採用共變數分析來處理資料，以前測為共變項，以組別為自變項來分析依變項觀察值的總變異。

(二) 時間序列設計

時間系列設計（time-series design）係指對一個非隨機取樣的實驗組（或控制組），在接受實驗處理之前和之後，重複接受若干次的測量，而非僅在處理前後各接受一次測量，此種設計稱之為時間系列設計。這種設計可控制影響內在效度的因素如成熟、測驗、測量工具、統計迴歸、選擇偏差、受試者的流失等，但無法控制同時事件、霍桑效應、練習誤差、測驗的反作用或交互作用效果，以及實驗安排的反作用效果。時間序列設計基本上可分為單組及雙組兩種形式，以下分別說明之：

1. 單組時間序列設計

單組時間序列設計（single group time-series design）其基本模式如下：

$$O_1 \quad O_2 \quad O_3 \quad O_4 \quad X \quad O_5 \quad O_6 \quad O_7 \quad O_8$$

這種模式是單組在實驗處理之前要接受多次的觀察或測量，處理前的觀察可稱為重複的前測（repeated pretests），處理後的觀察則是重複的後測（repeated posttests）。若前測每一次所得的分數大致相同，但後測平均數高於前測，則表示該實驗處理產生了正向效果。例如：某教師在採用新教學法（X）之前連續5週，每週對任教班級學生實施數學測驗1次，在實施新教材之後連續5週，每週對該班學生實施1次數學測驗，如果後測分數高於前測，則實驗結果顯示新教學法有相當穩定的效果。

2. 控制組時間序列設計

控制組時間序列設計（control group time-series design），其基本模式如下：

$$O_1 \quad O_2 \quad O_3 \quad O_4 \quad X \quad O_5 \quad O_6 \quad O_7 \quad O_8$$
....
$$O_1 \quad O_2 \quad O_3 \quad O_4 \quad\quad\quad O_5 \quad O_6 \quad O_7 \quad O_8$$

這種設計適用固定整組，常用於學校課堂教學。在統計分析上，可以將兩組受試者各自一系列時間前測成績的平均數與一系列後測成績的平均數加以比較，從成績的增減說明處理的效果；也可以將兩組之間的一系列時間的前測和後測成績相比較，來判斷兩組接受不同處理所產生的效果。

(三) 對抗平衡設計

對抗平衡設計（counterbalanced design）也稱為輪換實驗設計（rotation experiment design）、拉丁方格（Latin square）設計，係為防範因各組接受處理之次序而造成誤差所提出的設計，該設計中的各個組，均接受所有的處理，只是以不同的順序進行，各種處理的順序是隨機決定的。此設計的處理數與組數必須相等，亦即若有四種處理則必須有四組來進行實驗。其基本模式如下：

$$X_1O \quad\quad X_2O \quad\quad X_3O$$
$$X_3O \quad\quad X_1O \quad\quad X_2O$$
$$X_2O \quad\quad X_3O \quad\quad X_1O$$

例如：選取某國中二年級A、B、C三個班級，在同一時間內各班分別接受講述教學法（X_1）、協同教學法（X_2）、合作教學法（X_3）等三種不同教學法中的其中一種，總共進行三次實驗教學，每次各班輪流採用三種不同的教學法，並於每次實驗處理教學

後，各組受試者均接受學習成效測驗。

這種設計每一組既是實驗組又是對照組，透過平衡配置，許多影響實驗的無關因素互相抵消了，故本設計的內在效度極佳，其可控制同時事件、選樣、成熟、統計迴歸、受試者流失等影響因素；但交互作用的影響，以及重複施測可能發生多重實驗處理的干擾與引起實驗的反效果，從而影響到實驗的外在效度。此設計最適當的統計分析方法是採用拉丁方格實驗的重複量數變異數分析法。採用此設計則必須考慮兩件事：1.盡可能選擇遺留影響程度較小的實驗變項；2.重複實驗的相隔時間要夠長，在後一個實驗處理呈現之前，前一個實驗處理的影響已完全消失。

三、真正實驗設計

真正實驗設計（true experimental design）使實驗中的自變項、依變項、無關變項得到比較嚴格的控制，也就是說，它能比較有效地控制內、外部無效因素。真正實驗設計都有一個控制組，受試者隨機取樣和隨機分派到各組。其類型可分為以下幾類：

(一) 等組前後測設計

這是一個最基本、最典型的實驗設計，其特點是：隨機分組、實驗組接受實驗處理，控制組則不給予實驗處理，兩組均進行前後測。該設計的基本模式如下：

$$R \quad O_1 \quad X \quad O_2$$
$$R \quad O_3 \quad \quad O_4$$

這種實驗設計的優點是可以控制樣本的選擇、受試者流失等因素對實驗結果的干擾，如果在實驗時間內發生什麼情況影響，或成熟、測驗、統計迴歸等無關因素發生了干擾，則兩組是相同的，若樣本流失的情形，亦可利用前測資料設法補救調整，故在教育研究上大都樂於採用此設計。至於這個設計的缺點則是可能產生測驗的

交互作用而影響外在效度。採用這種設計在統計分析方面，最適當的方法應以兩組的前測分數作爲共變量，進行共變數分析。

此種實驗設計的變形有二：

1. R　O_1　X_1　O_2　　　　　2. R　O_1　X_1　O_2
　R　O_3　X_2　O_4　　　　　　 R　O_3　X_2　O_4
　　　　　　　　　　　　　　　　　 R　O_5　　　O_6

(二) 等組後測設計

等組後測設計（posttest-only control group design）的基本模式如下：

R　X　O_1
R　　　O_2

這種模式用隨機方法選擇受試者，並隨機分派爲實驗組與控制組，只有實驗組接受實驗處理，控制組則否，實驗處理後兩組均接受後測。例如：研究電視教學對國一學生英語學習成績的影響，隨機取樣與指派成實驗組和控制組，一段時間後進行後測，將獲得的分數用獨立樣本 t 考驗檢驗實驗效果。

這種設計的優點可以消除前測與後測、前測與自變項的交互影響，內在效度較高，林生傳（2003）認爲這種設計可以將內在效度的八大威脅一一排除，是最理想的也是最常用的設計。但這種設計的限制則是當樣本人數不夠大時（$N < 30$），隨機分派仍非等組，所以在可能的情況下，要想辦法加大樣本，而且該模式也無法對樣本的流失加以控制。在外在效度方面，實驗處理的反作用仍存在，推論時仍應小心。這種設計可以擴大成以下兩種：

1. R　X₁　O₁　　　　　2. R　X₁　O₁
　 R　X₂　O₂　　　　　　 R　X₂　O₂
　　　　　　　　　　　　　 R　X₃　O₃

(三) 所羅門四組設計

所羅門四組設計（Solomon four-groups design）能夠處理測驗與刺激交互作用的問題。基本模式如下：

R　　　O₁　　　X　　　O₂　　　（實驗組）
R　　　O₃　　　　　　　O₄　　　（控制組）
R　　　　　　　X　　　O₅　　　（實驗組）
R　　　　　　　　　　　O₆　　　（控制組）

此實驗設計為前述兩組之組合，將前測納入實驗設計中，先用隨機法選擇受試者並以隨機分派方式將受試者分到不同的四組，接受不同的實驗處理。其中，前二組均接受前測而對第一組和第三組分別給予實驗處理，在實驗處理之後，四組均接受後測。此種設計之優點是最為嚴謹，等於重複做了四個實驗，可以做出四種比較。缺點則是此設計需大量樣本才能進行實驗，很難找到四組同質的受試者，而且在數據的分析上也比較困難，故缺乏實用性。統計分析可用獨立樣本2（有無前測）×2（有無實驗處理）的變異數分析來分析實驗結果（如表9-1）。

表9-1

所羅門四組設計統計分析

	實驗處理	無實驗處理
前　測	第一組　O₂	第二組　O₄
無前測	第三組　O₅	第四組　O₆

貳　多因子實驗設計

多因子實驗設計（factorial designs）是指在同一實驗研究中操弄兩個或多個變項（因素）的設計，採用此項設計，可以在一次設計中同時控制二個或二個以上實驗變項對依變項的影響。易言之，此種設計不僅可以提供自變項對依變項單獨的主要影響效果，而且還可以提供這些自變項對依變項的交互作用效果。這種設計可以歸為真正實驗設計，也可以歸為準實驗設計，它可以細分為兩因素設計（2×2）、三因素（3×3）設計，還有2×2×2、2×3×2設計等多種類型，這種設計的因素一般有兩個或三個，每個因素又有2到6個水準（levels），其中2×2的兩因素實驗設計是最簡單且應用最廣，因素多、層級數多，將會使實驗變得十分複雜而難以進行。獨立樣本的基本模式如圖9-2所示，相依樣本的基本模式如圖9-3所示。

圖9-2

獨立樣本多因子設計

		實驗處理 Xb		
		Xb_1	Xb_2	Xb_3
實驗處理 Xa	Xa_1	GP_1 O_1	GP_2 O_2	GP_3 O_3
	Xa_2	GP_4 O_4	GP_5 O_5	GP_6 O_6

註：引自教育研究法（頁320），林生傳，2003，心理。

圖9-3

重複量數多因子設計

		實驗處理Xb		
		Xb_1（低要求）	Xb_2（中要求）	Xb_3（高要求）
實驗組	GP_1Xa_1	O_1	O_1	O_1
控制組	GP_2Xa_2	O_1	O_1	O_1

註：引自教育研究法（頁322），林生傳。2003，心理。

參 單一受試者實驗設計

　　單一受試者實驗設計（single-subject experimental designs）是以一個受試者為研究對象，施予實驗處理或介入程序，因為很多情況之下是不適合以團體為實驗對象，例如：特殊兒童、行為治療、問題行為輔導等個案方面的研究（Gay, 1996）。單一受試者設計基本上是單組時間系列設計的擴充，在實驗處理前後進行重複的測量，以作為比較基準。一般而言，單一受試者設計可以分成四類型：1. A-B設計；2. A-B-A設計；3. A-B-A-B設計；4.多基準線設計（multiple-baseline designs）。A-B設計係比較同一個受試者，在A與B兩種情境之下的行為表現。A-B-A設計包含A、B、A三個階段：基準線—實驗介入—退隱（基準線），這種設計是在A-B設計之外再加上基準線期，故又稱為倒返設計（reversal design）。若將A-B-A設計予以擴充，緊接著安排實驗處理，而成為A-B-A-B設計，故其歷程共包括四個階段：A基準線期；B實驗處理；停止實驗後的A基準線；恢復實驗處理後的B。多基準線設計適用於探討同一個受試者的若干行為，由多個基準線來分別進行觀察，比較基準線期與接受實驗處理後的行為表現是否明顯優於基準線期。經由對單一受試者的連續觀察，能夠控制來自選擇偏差、成熟、歷史、前測、統計迴歸等因素對效度的干擾，但這種設計仍受制於資料蒐集者的喜惡及測驗情況的效應。在分析時，主要利用觀察資料圖表顯示並做分析、比較；另外，尚可採取時間系列的迴歸分析，觀察曲線起落的趨勢來知道實驗處理的效果。

第五節　實驗研究的優點與限制

　　實驗研究主要應用於教育決策、教學評量、教學模式、課程研究、特殊教育與心理輔導等領域，其中以教學方面的應用最廣。

教師在教學過程中欲使用一理論來驗證並改進教學方式時，會選擇實驗研究方法以確立正確的教學模式，然後依據融合後的理論，發展新的教學模式，再以實證方式加以研究，考驗其成效，作為今後改進教學的參考。由此可見實驗研究在教育領域的應用相當廣泛，貢獻頗多，足見實驗研究在教育研究領域的重要性（潘慧玲，2003）。以下針對實驗研究的優缺點作一敘述：

壹　實驗研究的優點

由實驗研究的探討，可知實驗研究具有以下的優點（裴娣娜，2004；朱柔若譯，2000；Babbie, 2005；Gay, Mills, & Airasian, 2012）：

一、有目的地控制變項

有目的地控制變項是實驗法的最基本特色，研究者以人為的方式設置一個情境，透過操弄自變項、控制無關變項，以觀察依變項的變化，這樣就能客觀地分析變項與變項之間的關係。實驗研究法要求嚴格控制無關變項，這樣就能使研究不受外在因素的干擾，結果較為客觀。

二、能夠揭示變項之間的因果關係

實驗法是在理論假設的指導下，提出實驗的條件，透過操弄這些條件，觀測受試者的反應，透過分析這些反應，概括出受試者為什麼有這樣的反應，這些反應是怎麼產生的？這些反應與實驗的條件有什麼關係？由此概括出條件（自變項）與反應（依變項）的因果關係。

三、能夠主動創設實驗情境

實驗研究的量化研究方式使得研究者可以主動改變情境並且控制引進改變情境的變項，而能決定哪個變項最能有效地回答某個特

定的問題，對辨識變項的有效性有很大的幫助。研究者不是被動地等待所要研究對象的心理、行為現象自然地發生，而是創設一定的實驗情境，主動引起受試者的回應，以此來觀察受試者反應與條件之間的關係，即使是對在自然教育情境中難以觀察到的現象也可以進行研究。

四、有嚴格的實驗設計和明確的實驗程序

實驗法設計相當嚴格，它對選擇受試者、確定實驗變項、實驗材料、工具的規格、實驗程序，每個步驟均有具體要求，特別是對無關變量的控制等，都有明確的規定，這樣就使研究結果更具有科學性。

五、具有可重複性

由於實驗法可以有效控制某些變項，這就為重複驗證提供了可能性。又由於對某一實驗假設不能根據一兩次實驗就簡單地肯定或否定，所以重複驗證也是十分必要的，科學的結論一般都要經過重複驗證。

六、豐富社會科學的研究範圍

實驗研究以數字測驗的方式，重新將社會建構予以概念化，使得這個建構得以被量化，以往例如：精神、意識與意願等被摒棄在實驗研究以外的議題，得以發展出如智力測驗、性向測驗等，以作為篩選與分類的客觀方式，使得社會科學領域之研究主題與範圍更加豐富。

貳　實驗研究法的限制

實驗研究故然具備上述優點，但因面臨繁雜的教育情境，此研究法仍有其限制，其限制有下列四項（林清山，1987；陳龍安、莊明貞，2000；高義展，2004）：

一、教育研究的對象本身太複雜

單一變項法則（low of single variable）是實驗研究法所遵從的最高法則，即要把所有無關干擾變項全部予以控制，留下單獨一個實驗變項來加以操弄。教育科學研究中的許多變項是無法操縱、控制的，更不能單獨分離出來操弄，有許多變項是彼此交互影響，單獨研究一個變項並無法了解複雜的教育現象。

二、實驗者與被觀察者之間容易交互影響

前面提到霍桑效應的問題，意味被觀察者本身便足以使被觀察者的行為發生改變，主要原因是觀察者和被觀察者彼此之間容易產生交互影響。所以用實驗室的方法來探討教育現象，在下結論時必須特別小心。

三、實驗情境與實際情境存在差異

實驗控制有時會使實驗情境與實際生活情境存在一些差距，甚至真正實驗所要求的嚴格控制誤差的方法無法在實際教育情境中施行，故從實驗情境中獲得的結論與發現有時並不完全適用於實際教育活動。雖然真正實驗研究設計在教育場域中較難達成，但仍然可以藉由使用控制較不嚴謹的準實驗研究來進行教育場域中的實驗研究，亦有其相當的價值性。

四、教育實驗有時會涉及一些研究倫理的問題

教育的對象是人，以人為實驗對象，多少都存在冒險的成分，從人權的觀念來看，用人來作為實驗對象，或為改進教學，或為提升教育素質，在實驗處理中要有妥善的倫理約束，避免學生身心受到壓力或傷害。

第六節 原因比較研究法

在教育研究中很多問題無法應用實驗法操控變項來研究，必須等待某件事發生之後，再比較有發生該事件與無發生該事件兩現象的異同處，然後找出伴隨此現象的自變項，以找出發生此事件的起因，例如：校園暴力、中途輟學、青少年犯罪等，這些教育問題是無法進行實驗研究的，因此就必須使用原因比較法來進行研究。本節就針對這種研究法的意義、特徵、實施步驟及優缺點作一說明。

壹 原因比較研究法的基本概念

一、原因比較研究法之意義

原因比較研究法（causal-comparative research）或稱事後回溯法（ex post facto research），其中 *ex post facto* 是拉丁文「自事情發生以後」（"after the fact"）的意思（Gay & Airasian, 2000），即藉由觀察一個既存情境（condition）或事件，說明調查資料可能的因果關係，也就是回頭尋找可能的原因。郭生玉（1997）認為，因果比較研究是在現象發生過後，用追溯的方式探求形成此現象有關的因素，如研究聰明低成就生的形成因素，是此類的研究。原因比較研究意圖將非實驗研究設計轉化為擬似實驗（pseudo-experimental）形式的程序，這種研究又分為兩種設計：相關研究（co-relational study）與標準組研究（criterion group study）。前者有時稱之為原因研究，後者為原因比較研究（Cohen, Manion, & Morrison, 2000）。例如：研究青少年犯罪與破碎家庭的關係時，研究者通常先將受試者分為犯罪組與無犯罪組，然後調查兩組的家庭背景，以確定是否較多的犯罪青年來自破碎的家庭。

二、原因比較研究法的特徵

從上述原因比較研究的意義討論中，可以發現此種研究法具有以下幾個特徵（王文科、王智弘，2017；卯靜儒等譯，2004；葉重新，2017）：

(一) 研究者無法操弄自變項

使用原因比較研究法從事教育研究時，其自變項是無法像實驗研究法可以操弄，例如：種族就無法事先操弄，不然就是因為某種原因或理由而無法操弄，如教學風格，有時因為倫理上的限制而無法操弄自變項，例如：青少年攻擊行為，故無法以實驗研究法來測量變項間的差異。

(二) 樣本無法隨機分派

原因比較研究法的自變項須事先確定，然後才進行蒐集資料的工作，這些變項都已經在情境中發生過，所以研究者只能從自變項現有的類別中選取樣本而無法採用隨機分派方式。例如：社經地位可能成為一個自變項，研究者無法將社經地位水準分派給各個人，只能從社經地位水準的類別中隨機選取個人。

(三) 可利用現成的資料進行分析

原因比較研究法因為常從已發生的自變項中，探索與被觀察變項間的關係，因此現成的資料，往往成為研究過程可供利用的來源。一般而言，現成而又可利用的資料有三：1.統計紀錄（statistical records）；2.個人的文件（personal documents）；3.大眾傳播的報導（mass communication）。現成教育資料如學業成績、請假次數、學校規模、學校所在地、教育統計資料等，都可以直接拿來進行研究。

三、原因比較研究法與其他研究方法之異同

茲將原因比較研究法與相關及實驗研究法作一比較：

(一) 與相關研究法之比較

原因比較研究與相關研究，有些教育研究法的書認為兩者十分相近，Gay與Airasian（2000）認為相關研究與原因比較研究，有時同樣被視為描述研究，因為均在敘述已經存在的情況（condition）。有許多的變項適合原因比較研究，也適合相關研究，兩種研究所探討的變項常有相當程度的雷同性，例如探討個體的特性（如性別、種族、年齡）、因為倫理的理由不應操弄的變項（如吸毒、抽菸）、可以操弄但通常未予操弄（如學校升旗、男女合校）。對這些變項進行研究，一般選用相關研究或原因比較研究（林生傳，2003）。

至於相異之處則有以下幾項（王政彥，1990；王文科、王智弘，2017）：

1. 原因比較法除了解變項間的關係外，進一步意圖探求彼此的「因果關係」，因此，相關法可能只求相關係數，但原因比較法有時用到推論統計，如變異數分析。

2. 相關法的研究僅止於相關（correlation）的探討，原因比較則除相關外，進一步加以比較。

3. 相關法的研究常包括兩個（或更多）的變項，原因比較法的研究則常包括一個依變項，自變項則可能有多個。

(二) 與實驗法之比較

原因比較研究法與實驗研究有何異同？就相同點而言，二者都在定自變項與依變項之間的因果關係；二者都可以設計控制組，以便於比較。至於相異之處，則有以下幾項（王政彥，1990；郭生玉，1997）：

1. 實驗法中的自變項，研究者可以加以控制，然在原因比較中，自變項通常是無法操縱的，或不應該操縱的。

2. 實驗法對實驗情境可以在事先安排，但原因比較法只能對既成的事實加以研究，不能事先作任何安排。

3. 在實驗法中，研究者可以依需要分配樣本到不同的自變項，

然原因比較法的自變項特質是樣本已經具有的，研究者無法加以隨機分派，此稱為研究對象的自我選擇（self-selection）。

4. 由於原因比較法不像實驗法可以控制自變項與依變項，其自變項與依變項之間是否具有因果關係，則是較難推論。

貳 原因比較研究的設計與實施步驟

本節針對原因比較研究的設計與實施步驟作一探討。

一、原因比較研究的設計

前文提到原因比較研究可分為關係性研究與標準組研究，因關係性研究同於相關研究法，本節僅針對標準組研究設計作一說明。

標準組設計與相關研究設計類似，是對已經發生的事件進行研究的一種非實驗設計，研究者透過對受試者的比較，確定標準組某些受試者具有一種狀態的特徵，而非標準組另一些受試者不具有某特徵，然後去追溯可能存在的原因。這種設計的基本模式如下：

表9-2

原因比較法的基本設計

	組別	自變項	依變項
A	標準組	擁有某特徵（C）	測量（O_1）
	參照組	不具有某特徵（−C）	測量（O_2）
B	標準組	擁有某特徵1（C_1）	測量（O_1）
	參照組	擁有某特徵2（C_2）	測量（O_2）

註：虛線表示上下兩組不完全相等。引自教育研究法（頁328），葉重新，2017，心理。

例如：在數學教學研究中，研究者可以選擇這個設計來調查對教學效果產生正向影響的因素，標準組的O_1表示一組教師在教學中有相當出色的教學效果，參照組的O_2表示沒有展現出標準組的

特性（教學效果較差），我們可以用兩組教師所教的學生之分數差異，來表示兩組教師的教學效果確有差異，然後，研究者去追溯引起差異的原因，這些原因可能來自教學方法、對學生的訓練、培養學生的學習習慣、教師的個性、教師的教育程度等。由此實例可知標準組設計主要有兩個用途：1.透過標準組與參照組的比較，追溯與標準組相關聯的特徵有哪些；2.比較標準組與參照組對學習效果產生的影響有哪些。通常標準組設計所採用的統計方法，一般可用 t 考驗來檢驗，也可用變異數分析進行檢驗。

二、實施步驟

因果比較研究法的實施步驟有以下幾項（王文科、王智弘，2017；葉重新，2017；林生傳，2003；卯靜儒等譯，2004）：

(一) 確認研究問題及形成假設

因果比較研究的第一步驟是確定研究問題，如此才能確定感到興趣的特定變項，也方便去思考這些變項可能的原因或結果。假設研究者對學生的創造力感到興趣，想探討影響創造力的變項有哪些，研究者就要去推測，是否社交失利的人會有高層次的創造力？是否在藝術上受到肯定者會有較高的創造力？把所有可能的影響因素寫成研究假設。

(二) 選取研究樣本

一旦確定問題及形成假設，下一個步驟就是要去選擇研究樣本。研究者要先界定一群所要研究的實驗組，這一組是抽選自具有研究問題所說的特定行為群體，另外還要找不具特定行為的樣本成立對照組。例如：研究者要研究學前教育對小學新生語文學習的影響，選擇有上過外語幼兒園的學生為實驗組，另選一無此經驗者為對照組。選取樣本所用的方法有二：配對法及極端組法（extreme-groups method）。配對法是用來控制其他干擾變項的設計，例如：智力、社經地位也是影響語文學習的重要因素，研究者在選取兩組樣本時，智力高低、社經地位高低要力求相當。極端組法係指

實驗組樣本和對照組樣本的各種特徵完全相反,例如:高焦慮與低焦慮、高創造力與低創造力。

(三) 蒐集與分析資料

在因果比較研究中,對研究工具的使用並沒有限制,研究者可視題目及變項性質,採用觀察、測驗、問卷、訪談或文件紀錄等方式來蒐集資料。在分析資料時,一般以基本統計來描述各組的平均數與標準差,在推論統計方面以t檢定或單因子變異數分析進行;有時也可以利用質的詮釋,蒐集必要文件及資料。

(四) 發現的詮釋

研究者最後要對自變項與依變項的關係作一說明,研究者能控制處理(X),然後觀察得到依變項(Y),才可合理說X影響Y。一般而言,變項之間會產生三種「假關係」,即共同原因、反逆因果及其他可能的自變項。所謂共同原因是指同時有多個因素造成這樣的結果;反逆因果又稱為倒果為因,研究者必須考慮變項的因果關係,可能與原先的假設相逆的可能性;其他可能的自變項表示影響依變項的自變項可能不只一個,還有其他自變項。故在詮釋發現時宜分外謹慎,要查明有無共同原因,勿使因果混淆不清,更要查明是否有其他自變項的影響。

原因比較研究法的優缺點

綜合以上的分析,可知原因比較研究法雖有優點,但仍存在一些限制,在使用這個方法時,盡可能要避免錯誤的發生。以下就其優缺點說明如下(王文科、王智弘,2017;黃光國,2001;Cohen, Manion, & Morrison, 2000;Gay, Mills, & Airasian, 2006):

一、原因比較研究法的優點

1. 原因比較研究法適用於想探討變項的因果關係,但又不可能使用實驗研究法的情境,例如:不能控制或操弄所需的變項時、成

本過高，或基於倫理道德的考慮時。

2.可以使用現成的資料，例如：臺灣教育長期追蹤資料庫（TEPS）、臺灣學生學習成就評量資料庫（TASA）等，研究者不必再耗用大筆經費去蒐集資料，因此可以省下大筆研究經費。

3.由於統計方法的進步，使得資料分析變得更加容易。

二、原因比較法的缺點

1.原因比較研究設計的主要缺點在於缺乏對自變項的控制，以及樣本不能隨機分派。因此由因果比較研究所得到的結果，不能證明自變項與依變項之間確實具有因果關係。

2.任何事件的發生，原因可能不只一個，而是由相當多的因素交互作用而成，或者原因隱而不顯，以致被研究者忽略，也可能把不相干的因素視為具關鍵性變項，因而陷入所謂事後歸因的謬誤（post hoc fallacy）。

3.原因比較研究最大的限制發生在保有資料者不肯合作，不願意提供資料之協助，或是既有資料可能不夠翔實。例如：使用問卷蒐集資料，填答者可能不配合，以致無法獲得研究者真正想要的資料。

問題與討論

一、實驗研究法依實驗設計可分為哪些類型？

二、準實驗研究與真正實驗研究有何差異？

三、何謂實驗研究的內在效度？哪些因素會影響內在效度？

四、何謂實驗研究的外在效度？哪些因素會影響這種效度？

五、有哪些方法可以用來提高實驗效度？

六、請簡述準實驗研究的設計模式有哪幾種。

七、單一受試者實驗設計適用在什麼情況？如何設計這種研究方式？

八、原因比較研究法與實驗研究法有何異同？

九、何謂原因比較研究法？這種研究法要如何實施？

十、隨機抽樣與隨機分派有何差異？它們與內在、外在效度有何關係？

第10章
質的研究

第一節　質性研究的基本概念

壹　質性研究的定義

什麼是「質性研究」（qualitative research）？研究者為了深入了解探討某個問題，在自然環境裡，經過長期觀察、深入訪談或分析文件資料，以期廣泛蒐集受試者的各種資料，經過整理、歸納、分析後，以文字描寫受試者的內心世界、價值觀、行為舉止，這種研究方法稱為質性研究。有些學者認為質性研究就是田野調查或實地研究（field research），人類學家與社會學家採用的田野或實地研究係從田野蒐集所需的資料，與實驗室研究以及其他研究者控制場所的作法不同。在教育上，質性研究通常稱為自然探究（naturalistic inquiry），乃因其研究者對自然發生事件感到興趣，從觀察自然的行為中，蒐集到所需的資料；有時亦稱為人種誌研究（ethnographic research），以參與觀察法（participant observation method）蒐集特殊情境中的資料，這是人類學家用以描述文化的方式（陳向明，2000）。

貳　質性研究的特性

質性研究具有以下特性（陳伯璋，1988；卯靜儒等譯，2004；黃瑞琴，2021；Martella et al., 2013）：

一、研究者親自參與並記錄自然情境中的行為

質性研究以自然情境為直接資料來源，而研究者就是主要的研究工具，因為質性方法主要關心的是脈絡（context），只有觀察情境中發生的行為，行為才有意義，也只有從制度的歷史脈絡才能了解情境。質性研究必須在自然情境下進行，對個人的生活世界以及社會組織的日常運作進行研究，研究者必須與研究對象有直接的接觸，面對面的與之交往。

二、蒐集多樣化的描述性資料

質性研究是描述性（descriptive）的，所用的資料以描述性資料為主，研究者以現場的觀察記錄、關鍵人物的訪談實錄、檔案、圖片、實物等為主要的資料來源。這些資料來源為其進行描述提供有關研究場所和研究對象的實際情況。研究者透過對這些有意義資料的描述，對所研究的問題做出解釋和判斷，向讀者詳細具體地展示一系列描述性的資料，使讀者能對所發生的事情的內容和過程有一個清晰的、完整的認識。讀者也可以憑自己對這些事情的理解做出相應的解釋和判斷。

三、重視事件或現象形成的過程

質性研究者關心的是現象的過程，而不是結果或產物，他們關心的是：人們如何磋商意義？如何應用某些名詞和標記？某些概念何以被看作常識？活動或事件如何自然地發展？例如：在研究教師期望對學生的影響時，量化的研究技術顯示前測和後測之間的變化，質性研究則注意描述教師期望如何轉化於日常座位的安排、學生的發言權等師生之間的互動過程。

四、質性研究具有歸納的研究取向

質性研究其方法論基礎是歸納的，而不是演繹的，它不在驗證

研究假設，而是將諸多片斷資料予以歸納，以發現其關聯性。進行質性研究並不一定要論證什麼，重要的是從實際事物中發現什麼，透過對實際過程的考察，了解事物的變化和事物之間存在的聯繫。

五、質性研究重視解釋性理解

「意義」是質性研究的主要焦點，研究者關心現場參與者如何定義他們的生活，其目的主要是對被研究者的個人經驗和意義建構出解釋性理解，研究者透過自己親身的經驗，對被研究者的生活故事和意義建構出理解。因此研究者必須先對自己的前提和偏見進行反省，讓自己與被研究者不因本身的關係而使解釋性理解產生偏差。

六、研究程序的彈性

質性研究在進行研究時是彈性的、臨場性的，研究的問題不是由操作定義的變項來界定，而是在現場進行研究時逐漸呈現而成的。在進入研究現場之後，研究者才逐漸澄清和判斷研究有關的意義，並在蒐集資料的過程中發展和確定研究問題，而不是持著特定的待答問題或待考驗的假設進行研究。

七、微觀的教育研究

質性研究主要在觀察師生的具體交互作用，分析師生行動所依據的常識規則，以了解學校內部的生活及其意義，是教育的微觀研究（micro-study）；實驗主義的典範，如結構功能主義偏於探討教育與整體制度的關聯，是鉅觀研究（macro-study）。

八、運用紮根理論的方法

紮根理論（grounded theory）是質性研究中廣泛使用的方法，但不是所有質性研究者都採用。紮根理論是一種從經驗性資料建構理論的方法，強調從資料中產生理論，唯有對資料進行深入分析，一定的理論架構才可能逐步成形，這是一個歸納的過程，自下而上

不斷將資料濃縮。研究者研究開始之前一般沒有理論假設，而是直接從原始資料中歸納出概念和命題，然後產生理論。質性研究在發展初期，理論性研究和經驗性研究嚴重脫節，要不對理論空談一些形而上的問題，要不停留在經驗事實的描述，只強調可觀察性和可證實性，紮根理論彌補了這兩者間的差距。

參 質性研究與量化研究的區別

教育領域素有「質性」（qualitative）和「量化」（quantitative）方法論之爭，它們構成了二十世紀以來教育研究方法的兩條發展主線，同時也是科學研究的兩種主要範式。量化研究是發源於自然科學的實證主義（positivism），強調適合於用數學工具來分析的經驗的、可定量化的觀察，研究的任務在於確定因果關係，並做出解釋。後現代主義學者（post-modernists）對傳統研究提出許多尖銳的批判，因而撰文提倡另一種研究典範，即質性研究，這種典範是由人文學科推演而來的，所注重的是整體和定性的資訊，以及說明的方法。二者的區別主要表現在：量化研究偏重資料度量，質性研究傾向於文字描述；量化研究試圖找出材料來證明一個已有假設，通常以假設為出發點；而質性研究旨在發現一個理論來解釋資料，事先一般不形成假設，研究問題在研究過程中逐漸顯現，並不斷演變。量化研究主張把各種變數從自然環境中孤立出來，透過對變數的操縱控制找出其因果關係；質性研究則非常重視變數產生的情境，強調在自然情境中，對被研究者的心理和行為進行深入細緻的全面觀察（鈕文英，1999；卯靜儒等譯，2004）。

第二節 質性研究的類型與實施步驟

質性研究在教育研究領域著重在一所學校，一個班級或是單一個案或事件，強調地是從自然情境中深入地蒐集資料。以下接著就

質性研究的類型及實施步驟作一探討：

 壹　質性研究的類型

　　質性研究從現象學、詮釋學、文化人類學、批判理論等領域，發展出新的研究典範，其類型則可細分為以下幾類：

一、人種誌

　　人種誌（ethnography）又稱俗民誌、田野研究，原為社會人類學者以參與觀察的方法，來了解一個民族的生活方式、風俗民情及文化特色，於是長期參與族群的各種活動，長期觀察其成員之間的互動方式，再將所觀察到的結果加以描述，並且對該族群的價值觀、思想觀念做進一步的詮釋，這種方式稱為人種誌研究。這種方法普遍應用到社會學、社會心理學、人類學與教育學等領域（葉重新，2017）。人種類誌所重視的是文化脈絡的理解，在教育研究上則強調整體性的研究，關注一個文化社群中的關係，以研究者作為研究工具，停留在研究場所較長的時間以蒐集並分析資料（鄭文芳，2003）。典型的田野調查需要六個月到兩年或更久的時間，較長時間的田野工作有下列優點：1.能夠克服更多的有關該研究場地所帶來的挑戰；2.能夠獲致更多闡明的資訊；3.研究者能夠更了解當地的歷史、關係和文化的脈絡；4.研究能透過更多其他的資訊以自我檢證資訊來源的錯誤；5.研究者能夠了解早先思想錯誤的地方，並有新的思考方向（潘慧玲，2003；鍾聖校、劉錫麒，2000）。俗民誌學者的首要研究方法是人類學傳統中的參與觀察以及訪談法。

二、個案研究

　　所謂個案研究（case study）就是指採用各種方法蒐集有效的完整資料，如觀察、訪談、調查、實驗，對單一的個人或社會單位作縝密而深入研究的一種方法，這是一種描述性研究，以文字的方

式敘述事實，而不以統計數字（郭生玉，1997）。質性研究在研究設計上傾向於採用個案研究的方式，因為質性研究要取得對研究對象的深入而詳盡地了解，並對其整個過程做具體的描述，資料的取得不可能來自大的範圍。其分析的單位，是不問場所、參與者或研究文件的數量，而指研究者選來作為深度了解的一個（種、群等）現象，比方說是一個校長、在某校教師任教班級中的一群學生、一所學校、一項方案、一種歷程、一個概念、一個歷史人物或一種制度。分析的單位與研究的焦點有關，有時候焦點雖置於某一方案中的不同群體，如人口群體中的性別或種族，或者是方案的某一群體，如中輟生，但是目標乃在於「了解」一個教育的實體或歷程的現象（王文科編譯，1994）。

質性的個案研究可分為歷史性組織的個案研究、觀察的個案研究、生活史（life-history）、文件分析及微觀俗民誌（micro-ethnography）等類型，甚至逐漸發展到多元個案研究（multi-case studies），這裡所謂的多元個案研究是指研究者同時研究兩個以上的主體、場域或多組資料，對多個個案進行比較和對照（黃光雄譯，2005）。以往的個案研究主要應用在心理輔導、特殊教育方面，近年則普遍應用到教育領域。

三、歷史研究與內容分析

歷史研究法與內容分析通常被列為質性研究的一部分，但有時也會運用到量化的方法論，這兩種方法將於第11章詳細探討。

四、行動研究

行動研究（action research）的重心放在「行動」上，研究者經由研究的歷程擬定出具體的行動策略，以解決實務工作上所遇到的問題。本書在第12章會對此方法詳加說明。

貳　質性研究的實施步驟

一般而言，質性研究過程大致可分為七個步驟（陳向明，2000；歐用生，1989；黃瑞琴，2021；葉重新，2017；甄曉蘭，1996）：

一、確定研究問題

在研究過程先確定所要探討的問題，例如：某位研究者對國小轉學生的校園生活適應感到興趣，就將研究問題定為：國小轉學生學校生活適應如何。研究者提出一般性的研究問題作為開始，在現場的情境中逐漸修正為較清晰的問題。進入研究的循環之後，研究者會持續地發現新的問題，這些新的問題將引導研究者觀察方向，分析這些初步的觀察資料後，研究者可能察覺較特定的問題，而接著作焦點式的觀察，研究問題就這樣周而復始的引導著研究者進行研究。由於質性研究問題主要是現場實地逐漸醞釀、發展和澄清，因此相關文獻的探討在這研究問題的定義過程中，是用來預示問題的可能架構或發展方向，當研究問題改變或被修訂時，研究者常需重複地參考有關文獻。

二、選擇研究現場與對象

質性研究係針對某一個案做縝密的、較長期的研究，研究場所並非刻意安排的實驗室情境，而是日常行為發生的自然環境，如學校、教室、村落、部族、公司等，這樣的小群體較有面對面的交互作用。質性研究通常不預定研究樣本（現場或對象），而是在研究進行過程才確定。在選擇研究現場與對象時，通常要考慮一些因素，例如：研究的興趣、現場是否容易進入、研究的可行性、現場活動與現象出現的頻率、研究者個人與現場間的關係等。所以質性研究通常採用立意抽樣、方便抽樣、關鍵個案抽樣、獨特個案抽樣、滾雪球抽樣等方法，選取願意與研究者合作的場所及對象。此外，

研究者尚須考慮是否能得到受研究者監護人或其單位主管的同意。

三、進入現場與維持關係

研究者在進入現場之前，應該要學習一些與被研究者建立良好關係的技巧，例如：如何與被研究者建立信任和友好關係、如何尊重被研究者的風俗習慣、如何協助被研究者解決困難等。

研究者進入現場的方式通常可分為隱蔽進入式、逐步暴露式兩種。前者是研究者無法獲得同意進入現場時所採用的方式，或是研究剛開始進行不想干擾現場的運作，有時是為了獲得真實的資料，才要使用隱蔽的策略；但是這個方式的缺點是，如果一旦暴露身分，不僅會使研究者處境尷尬，還會使被研究者感到受騙和侮辱，已經建立起來的良好關係可能毀於一旦。後者是研究開始時，研究者簡單地向被研究者介紹研究計畫，然後隨著被研究者對自己的信任程度的提高而逐步展開研究；也就是研究者進入現場與研究對象建立友善關係，逐漸減少其排斥或拒絕心理，在與研究對象建立和諧關係後，才開始進行觀察、記錄或訪談，這時才真正進入了組織的核心，或深層的自然情境中，所獲得的資料才是真實的。

四、資料的蒐集與檢核

質性研究的主要特徵之一是資料的多元性和豐富性，在研究過程裡，研究者利用長期參與觀察、無結構式訪談與文件分析等方法來蒐集資料，同時利用錄音、錄影、照片、田野紀錄等方式，來記錄被研究者的言談舉止，並將觀察或訪談資料，以逐字稿記錄下來，但所蒐集到的資料尚須加以檢核、查證，以確保資料的正確性。因此，質性研究的資料包括說、問、聽、視、感覺等方面，尤其不可忽視被認為是「主觀的」、「印象的」或「軼事紀錄」的資料。

五、提出假設

質性研究通常不是一開始就提出假設，而是在研究過程中，經

蒐集資料後逐漸形成假設，但隨著研究的進展，有些假設被捨棄、有些被修正，有些新的假設被提出。

六、資料分析與詮釋

　　資料的蒐集與分析是同時進行的，所謂「理解的螺旋」是指蒐集資料、分析和理解資料三者交互進行，時而教室觀察，時而文件分析，時而訪談，只用一種資料或一種分析，會扭曲現實，資料愈多，理解的螺旋愈大，再經三角校正，就愈能接近現實。研究者就所蒐集到的資料，仔細閱讀現場觀察紀錄與有關文件資料，列出資料中呈現的主題、重要事件、活動或概念，以便形成焦點的類別，再逐漸發展各種編碼類別，並建立編碼類別的定義，接著將已編碼的資料組合在一起，建立分類整理資料的檔案系統，藉以了解資料的脈絡和整體的結構。最後則是根據各種資料的分析提出研究的結論與發現。基本上，質性資料在蒐集上並不困難，但如何過濾篩選出「有分析價值」的資料？如何敏銳地讀出其中的意義？如何進行公允的分析？則是較具有挑戰性。

七、撰寫研究報告

　　撰寫研究報告不一定在最後的階段，研究者在觀察時所作的田野札記、日記等，都成為報告的初稿，所以在資料蒐集和分析之時，報告的起草和撰寫工作即持續在進行。從原始粗糙的田野札記到最後讀者所看到的精緻公開文本（public text），研究者需投身於一連串的省思、判斷、選擇、描述、詮釋等活動，最後將個人的理解與發現表達出來。質性研究的報告隨著主題或研究者的寫作風格而呈現不同的樣式，可以用寫實主義（第三人稱）、自白或印象主義者（第一人稱）的方式來述說故事。

第三節　蒐集資料的方法

　　質性研究採用多元的方法來蒐集資料，主要的方法有：觀察、訪談和文件分析等，以下分別說明之：

壹　觀察法

　　人一出生開始就不斷地做觀察的動作，這種觀察沒有任何目的，是人的本能活動，稱之爲日常生活的觀察。另外一種是科學研究方法的觀察，這種觀察是有目的、有計畫的活動，科學研究的觀察又分爲實驗室觀察和實地觀察（或稱自然觀察）。一般把觀察研究分爲無結構的觀察（unstructured observation）與有結構觀察（structured observation），無結構觀察又可分爲非參與（non-participant）與參與（participant）兩種（楊國樞等，2001）。質性研究中的觀察雖泛指參與觀察，但參與觀察和非參與觀察均被應用在質性研究之中，以下就無結構參與觀察、無結構非參與觀察及結構式觀察作一說明：

一、無結構參與觀察

(一) 無結構參與觀察的意義

　　無結構參與觀察一般稱爲參與觀察（participant observation），參與觀察是人類學最常用的田野工作方法，參與觀察不但要參與人群的生活，還要保持專業的距離，以便適當地觀察和記錄資料。在參與觀察之中，研究者將自己融入研究對象的活動之中，研究者不是一個被動的觀察者，而是與研究對象一起從事某些特定活動的一員。研究者與被觀察者一起生活、工作，在密切的相互接觸和直接體驗中傾聽和觀看被觀察者的言行，這種觀察的情境比較自然，觀察者不僅能對當地的社會文化現象得到比較具體的認識，而且可以深入到被觀察者文化的內部，了解他們對自己行爲意義的解

釋（黃瑞琴，2021）。通常參與觀察適合以下的情境（邱淞瑋，2002）：

1.當有社會現象（如同性戀、吸毒、監獄生活）很少被人所知時。

2.當研究者需要了解有關事情的連續性、關聯性及背景脈絡時。

3.當研究者看到的事實與當事人描述有明顯差異時。

4.當研究者需要對社會現象進行深入個案調查，而時間又允許作參與觀察時。

5.當對不能夠或不需要進行語言交流的研究對象時。

6.當研究者希望發現新觀點，建構自己的紮根理論時。

7.其他方法的輔助方法。

(二) 觀察者的角色

質性研究使用文字與圖片來描述生活，而且研究結果很大程度取決於觀察者的角度，因此觀察者在質性研究中扮演著極為重要的角色。在參與觀察者因參與程度的不同，可以區分成五種形式（唐盛明，2003；黃瑞琴，2021）：

1.完全不介入研究對象的活動。這種角色又稱為完全觀察者，這種觀察者對被觀察者的行為與事件的發生不施加任何影響，因而能獲得非常真實的第一手資料，但是所得到的資料可能是片斷的資料缺乏整體的感覺。例如：坐在電視機前觀看有關師生互動的VCD錄影節目，並分析其主題。

2.低程度介入。觀察者出現於現場，但並不積極與人們互動，只是找一個觀察地點作觀察記錄，或與人們有些交談。

3.中度介入。觀察者尋求維持參與和觀察之間的平衡。

4.主動積極介入。觀察者做現場人們所做的事，主動積極地參與人們的活動。

5.完全介入。在研究現場觀察者完全融入觀察對象的活動中，觀察者已經是日常的參與者。由於觀察對象不了解觀察者的真實身

分，觀察者可能獲得非常真實的第一手資料。例如：教師進行的行動研究就包括一個完全參與的觀察活動。

通常參與程度會因時而異，研究者可能在開始時以一個觀察者的身分出現，然後逐漸成為研究歷程中的參與者。研究者也可能開始就成為一個完全參與者，以便體驗一下開始進入方案的感受，然後在研究過程中逐漸減少參與，到最後成為一個旁觀者。觀察者究竟應該採取何種角色是一個沒有固定答案的問題，我們必須根據觀察對象的情況與自己對情況的判斷，做出採用何種觀察角色的選擇（陶保平、黃河清，2005）。

(三) 觀察的方式

參與觀察的過程就像是一個漏斗，先將看到的所有事物容納進去，出來的則是經過篩選和聚焦的某些特定內容，所以參與觀察的方式一般可分為全面觀察與焦點觀察兩種（陶保平、黃河清，2005）。

1. 全面觀察

全面觀察沒有特定的焦點，往往是觀察初期的一個階段，可依循下列幾個問題來觀察一個社會場所：

(1) 空間：物理的位置或場所。

(2) 行動者：介入的人們。

(3) 活動：人們所做的系列相關行動。

(4) 物體：現場呈現的物質。

(5) 行動：人們所做的單一行動。

(6) 事件：人們所做的系列相關活動。

(7) 時間：隨著時間發生的順序。

(8) 目標：人們試著完成的事情。

(9) 感情：人們感覺和表達的情緒。

2. 焦點觀察

研究者在現場逐漸找到觀察的焦點後，就可以實施焦點觀察。研究者選擇觀察焦點的標準可依據研究者個人的興趣、研究對象的

建議、理論的興趣或符合社會的需要等項進行思考。

(四) 觀察記錄

在直接觀察中，把一切過程完整而真實地記錄下來是很重要的，如果可能的話，在觀察時就要一邊記錄自己的觀察，如果不行，也應該在事後快速記下筆記。參與觀察者每次從現場觀察、訪談或蒐集其他資料回來後，通常會詳細寫下他在現場看到、聽到或經驗到的事件或談話，並且也記下他自己的想法、反省、情感，這些紀錄稱為現場紀錄（field notes）或田野札記（黃瑞琴，2021）。觀察者也可利用錄影機、錄音機、照相機等儀器來輔助蒐集資料，這些儀器能補充觀察或田野紀錄的不足，協助觀察者回憶原始的資料，而能對事件樣本或特別重要的事件作更詳細的敘述（歐用生，1989）。

二、無結構非參與的觀察

無結構非參與的觀察（unstructured and non-participant observation）是研究者作為一個旁觀者，對研究對象從事的有關活動進行觀察。這種觀察大部分是應用在研究的目標與問題及要觀察的項目尚未明確時，因此常用來作為探索性的研究，或者作為更有系統研究計畫的初步工作（楊國樞等，2001）。通常這種觀察形式應用在參與觀察或結構化觀察的前期，觀察者採用全面觀察的形式進行，觀察者也是要詳細地撰寫觀察紀錄，當場記錄或事後追記皆可。

參與觀察由於研究者浸潤太深，容易失去「文化人類學的陌生人」的特性，而沿襲被研究者團體的觀點，反而不易掌握真相；再者長期滲透的結果，相互主觀性所要求的反省意識容易消失，影響對資料的解釋。為克服這些缺點，質性研究者也常採用非參與的觀察法，研究者僅扮演研究者的角色，盡其可能地觀察各種情境，如在教室後面觀察教學，在辦公室後面觀察教師的朝會等，研究者不參與這些過程，在不打擾情境之下觀察發生的事情。非參與觀察的

研究者不涉入某些角色，保持距離，以便對蒐集到的資料作公正而客觀的評斷（歐用生，1989）。

三、結構性觀察

結構性觀察具有相當系統化的意涵，是觀察研究中最嚴格的一種，一般都經過相當緊密的設計，並且有相當程度的控制，故觀察者通常都知道哪些活動或行為是要觀察的，同時也知道可能發生的事件及反應的類型，因此可以做好嚴格準確記錄的準備（楊國樞等，2001）。結構性觀察能使研究者從觀察中記錄或計算出次數、型態與趨勢，以印證研究假設，所以一般把這種觀察歸為「量化研究」，純粹的質性研究運用這種觀察方式的機會不多，但在歷史、內容分析、行動研究或混合方法趨向（mixed methods approaches）等研究方面，還是有機會用到結構性觀察。結構性觀察的觀察者通常採用被動的、非介入式的參與形式，觀察者在使用這種觀察之前，需要花費許多時間在編製觀察表，但在資料分析方面則會較為迅速。下列是三種將資料記錄到結構性觀察表的基本方式（郭生玉，1997；徐振邦等譯，2004；陶保平、黃河清，2005）：

(一) 事件取樣法

事件取樣法被視為一種符號系統，利用記數符號來記錄在時間內所觀察到的事件，又稱之為檢核紀錄表（checklists），觀察前，預先將所要觀察的行為項目排列成一個表格，觀察者只需對照表上列出的項目，在每一種要觀察的次數行為發生時記個記號，或在該項上畫「√」。這種紀錄表的優點有二：1.記錄迅速便捷，及時將所發生的行為或現象記錄下來；2.提供客觀的資料。例如：教師對兒童吼叫共5次，兒童對教師吼叫3次等。然而，這樣的紀錄無法了解這些事件發生的時間順序，我們可以將紀錄表作如表10-1的修改，資料的呈現以先後順序來表示，數字1到7代表一段時期的不同時間點（如每隔30秒）。由表10-1可以推測某天早上發生的情

景：家長及其子女較晚到校，兒童偷溜到教室外，突然發生一件事情讓兒童對教師吼叫，由於兒童的挑釁，被惹火的教師相當生氣，教師因而也對兒童吼叫，他馬上跟家長告狀（前提是家長尚未離開）；家長也以不理性的行為對教師吼叫，而教師也回過頭來對兒童吼叫。這種情形似乎就是當兒童或家長的挑釁時，教師只會吼叫而已。研究者除使用自己設計的檢核紀錄表之外，也可使用其他研究者所設計的標準觀察表格，例如：Ryans（1963）所設計的教室行為觀察量表、Flanders（1970）所設計的師生互動分析觀察表。

表10-1

教室吼叫事件觀察紀錄表

事件	1	2	3	4	5	6	7
教師對兒童吼叫		/	/	/	/		/
兒童對教師吼叫	/	/				/	
家長對教師吼叫		/			/		
教師對家長吼叫					/		/

註：引自教育研究法（頁486），徐振邦等譯，2004，韋伯文化。

(二) 時間取樣法

倘若認識事件的先後順序相當重要的話，則有必要用時間取樣法，這種方式或稱為立即取樣。研究者記錄在標準時間間隔內所觀察到的情形，例如：20秒或每分鐘，時間間隔一到，就開始記錄確切時間點所發生的事情，並將其記錄到觀察表裡的適當分類。時間樣本的選擇，可以採用有系統的方式，亦可採用隨機的方式。例如：觀察教室中學生的合作行為時，可每隔30分鐘觀察5分鐘，每天觀察十次，連續觀察一週，這就是一種有系統的時間取樣法。如果應用隨機方式抽取十個5分鐘的觀察時間，然後記錄這些時間樣本內的行為樣本，即為隨機的時間取樣方式。

(三) 評定量表

就此方法而言，研究者被要求對觀察事件加以判斷，並將答案記錄在評定量表（rating scales）上，這是教育研究中經常使用的一種方法，主要應用於測量心理特徵，如態度、性格、興趣等。例如：學校對教師課堂教學品質進行等級評估、教師給學生的口頭報告表現評定等級。評定量表容易編製，操作簡單，可在短時間迅速做出判斷，易於進行定量分析。但是評定量表主觀性較高，易帶個人的偏見，例如：容易受到月暈效應及最近事件的影響；有時觀察者為求集中趨勢而忽略了極端類別。然而這種方式仍不失其為蒐集觀察資料的一種有用的簡單方法。以下針對較常使用的評定量表作一說明：

1. 數字評定量表

數字量表是用數字來代替等級內容的描述，即對所要描述的等級型賦予數字順序，常用的形式用3點量表和5點量表，如表10-2、表10-3，觀察者根據觀察到的行為以五個等級來進行評分，將觀察到的行為在連續體中予以定位，並把觀察的教學行為記錄到評定量表上。

表10-2

教學行為評定量表

	1	2	3	4	5	
溫暖的						冷漠的
刺激的						單調的
效率高的						懶散的

註：引自教育研究法（頁487），徐振邦等譯，2004，韋伯文化。

表10-3

教學情況評定量表

評定內容	評定等級				
	1	2	3	4	5
兒童尋求教師的注意					
教師稱讚兒童					
教師干涉並阻止不良行為					

註：引自教育研究法（頁488），徐振邦等譯，2004，韋伯文化。

2. 圖示量表

在一條直線上刻上刻度，評定者沿著刻度，從高到低迅速而簡便地做出判斷，例如：關於兒童之間的社會交往情況可以圖10-1來加以記錄。

圖10-1

圖示量表示例

(1)邀別人一起玩　　　總是　　常常　　普通　　較少　　從不

(2)分享物品　　　　　總是　　常常　　普通　　較少　　從不

註：引自教育調查（頁174），陶保平、黃河清，2005，華東師大。

儘管結構性觀察能提供有用的數字資料，但在此觀察形式上仍必須特別注意一些要點，例如：方法是行為主義式的，而沒有任何對於觀察對象的意向或動機之說明；結構性觀察忽略脈絡的重要性，也可能會忽略非預期結果，而這些結果可能具有某種意義。

貳　訪談

質性研究的訪談與調查研究中的訪談有所區別，調查研究中

的訪談是以結構性訪談為主，由研究者事先設計好問題及可能的答案，訪談中按問題的次序提問，被訪問者一般是選擇設計好的答案之一。這種訪談是按量化的思路設計的，訪談的結果能夠比較容易地進行編碼和統計。而在質性研究中，結構性訪談並不是訪談的主要形式，研究初期往往先採用開放型訪談，了解受訪者關心的問題和思考問題的方式，然後隨著研究的深入，逐步轉向半開放型訪談，就之前開放型訪談所得知的重要問題及有疑問的部分進行追問（邱淞瑋，2002）。以下分別敘述無結構式訪談、半結構式訪談及焦點團體訪談的技巧。

一、無結構式訪談

無結構式訪談或稱開放式訪談，質性研究通常稱為深度訪談（in-depth interviews）。開放型訪談沒有固定的訪談問題，研究者鼓勵受訪者用自己的語言表達自己的看法。其目的是了解受訪者自己認為重要的問題、他們看待問題的角度、他們對意義的解釋、以及他們使用的概念及其表述方式。在這種訪談中，研究者向主要的被訪者提出問題（這些問題是開放性的），目的是讓被訪者對一些事情發表自己的看法和觀點，研究者有時則可能以此觀點作為進一步研究的基礎。特別是當研究者對所研究問題的可能結果知之甚少時，更需要用這樣一種訪談的方式了解被訪者的看法，以達到對這個問題的了解和認識，進而給出一些有意義的解釋（邱淞瑋，2002）。訪談在質性研究中，可以作為蒐集資料的主要策略，也可以配合參與觀察、文件分析或其他技巧，作為蒐集資料的輔助方式。訪談往往和參與觀察相結合，透過參與觀察，研究者能注意到哪些人值得進行訪談。其主要程序及技巧茲說明如下（陳伯璋，1988）：

(一) 尋找被訪談者

尋找被訪談者並不是刻意去發現，而是由研究者每天的活動中，接觸、體驗而產生出來的。一般而言被訪談者基本上應具有下

列幾個條件：

　　1. 在研究課題內具有豐富的經驗與解決問題的能力。

　　2. 願意提供真實的經驗而不致虛偽。

　　3. 具有表達語言的能力，所言易被了解。

　　4. 關係單純，避免專業的或特殊的關係。

(二) 建立信任關係

　　訪談初期，訪問員應簡短說明研究目的，並表示被訪談者的經驗能令人感到興趣，希望他能接受訪談，如果他感到懷疑或沒有興趣，則不必勉強訪問。訪談開始時，被訪談者可能因為怯生、謙讓，表示沒什麼重要的可說，研究者必須支持他，激起被訪者的興趣。如能在訪談期即建立良好的關係，被訪問者即會感到舒適自在，願意表達自己的意見。

(三) 訪談的技術

　　在訪談過程中，研究者應採取下列的訪談技術：少打斷對方的話題、保持傾聽的注意力、不要批評、要讓對方了解問題的核心等，研究者需要時時檢討、反省，將訪談的缺失降到最低。遇到感興趣的話題或對方表達不清楚的時候，則要做進一步的探求。

(四) 訪談的其他因素

　　訪談時尚有許多要注意的地方，例如次數、時間、地點及錄音等的問題。通常訪談的次數和時間長短是依照研究者和受訪者的時間表而定，每次訪談的時間通常需要兩個小時，時間太短無法探索許多主題，時間太長則會讓受訪者覺得很累。至於訪談的地點，應找一個不受干擾的場所，讓訪談對象覺得輕鬆自在。訪談和觀察法一樣，可以在徵求受訪人的同意後，將訪談結果用錄影或錄音，事後再將錄音檔內容編碼，並整理成訪談逐字稿。錄音雖能保留受訪者說些什麼，但不能掌握動作或表情，因此仍需作備忘錄或訪談日誌，將重要的字詞、受訪者的態度以及談話內容的疑點、矛盾之處等項加以記載（黃光雄譯，2005）。實施深度訪談另一注意事項是要避免訪談的形式化，訪談應該是一種對話和討論，是開放

的、民主的、雙向的、非形式的過程，且隨時反省，它可以在任何時間、任何地點，針對任何事情進行不限時間的對話。例如：對教師的訪談，可以在辦公室、教室、走廊、操場、福利社、教師的家裡、上下班途中、非正式集會中等（歐用生，1989；朱柔若譯，2000）。

二、半結構式訪談

半結構訪談或稱焦點式訪談、半開放型訪談。在這種訪談中，研究者事先列出要訪問的問題，即訪談大綱，這些問題一定要是開放性的，訪談時依照問題的次序逐題提問。在訪談中仍然保持一種開放的氣氛，研究者在提問的同時，鼓勵受訪者提出自己的問題，且根據訪談的具體情況對訪談程序和內容作靈活的調整。這種訪談研究者對訪談的結構有一定的控制作用，但同時也讓受訪者積極參與，有助於了解被訪者真實的想法，更有可能了解到研究者事先沒有想到的一些問題（楊國樞等，2001）。無結構式的訪談難度較高，初學者最好使用半結構式訪談，如此可以獲得豐碩的研究成果。

對於無結構及半結構式訪談，訪談前一定要做事前的準備工作，以確保訪談工作的順暢。訪談者首先是根據研究目的和理論假說，準備詳細的訪談提綱，並將其具體化為一系列訪談問題，同時還要充分準備與調查內容有關的各種知識。為了訪談的成功，在準備工作中還要對被訪問人的社區特徵有所了解，這裡所說的社區特性包括社區人文環境和社會文化傳統。例如：調查地區是回教徒居住區，有食豬肉的禁忌，若在訪談中觸犯這類禁忌，就可能引起調查對象的反感而拒絕訪談。訪談對象選定後，就要盡可能充分了解被訪談者，例如：其性別、年齡、職業、教育程度、經歷、專長、當前的思想狀況、身體狀況和精神狀況等，這對於順利進入訪談，與訪談者建立良好的交談氣氛，提高訪談的信度與效度幫助頗大（葉重新，2017；朱柔若譯，2000）。

三、焦點團體訪談

團體訪談是指一到兩個研究者，同時對一群人進行訪談，透過群體成員相互之間的互動對研究的問題進行探討，團體成員聚在一起，可以減少陌生感，也能了解他人的答案，較易形成共識，故有些質性研究以團點訪談爲主要技巧（高義展，2004）。

(一) 焦點團體訪談的定義

焦點團體訪談（focus group interviews）是一種最常見的團體訪談的方式，這種方式是與一組同質性小團體針對一組特定議題、問題或研究疑問所做的訪談，一般包括8到12人，由研究者負責互動的進行，以及控制討論時不偏離主題。在這種訪談中，訪談的問題通常集中在一個焦點上，這個焦點是一個開放性的問題，研究者主持整個討論的進行。焦點團體的目標在探索對於爭論問題所持的廣泛意見，討論結果不必達成一致性意見或一定要得到解決方式，如能獲取參與者對爭論的態度、觀感、行爲和意見，也算是一項重要的收穫（王文科、王智弘，2017）。

(二) 焦點團體的實施方式

在實施焦點團體訪談時要遵守以下的實施策略（高義展，2004；王文科、王智弘，2017；胡幼慧，1998；歐素汝譯，2000）：

1. 不要有固定的訪談次序

爲了要激發較多較深的反應，討論不能固定、僵化，最好以鼓勵的方式讓受訪者有機會去互動、表達和發表意見。研究者可以在一個集體的環境中和受訪者一起對研究的問題進行思考，大家透過互相補充，互相糾正，討論的內容往往比個別訪談更具有深度和廣度。

2. 以無結構或半結構式問題發問

爲引導討論，研究者得以對討論內容有部分程度的控制，所以設計的問題最好是以無結構或半結構式問題。

3. 主持人主持討論的藝術

擔任焦點團體的主持人在執行訪談前要經過訓練，使之具備團體領導技巧、溝通技巧、分析及摘要能力。主持人在討論過程中，要能塑造並維持舒適的環境，以消除緊張的氣氛；當討論的主題偏離了，主持人要能引導進入主題；受訪者在發言時，主持人要表現主動而願意傾聽態度，並且能將關鍵性的見解記錄下。主持人在焦點團體訪談中應是引導而非指導，如果能把害羞或少參與的成員帶起來，避免團體被一個或二個成員所操縱，這樣將是一場相當成功的訪談。

4. 焦點團體的數量、時間及地點

研究者根據研究目的、研究需要，決定所需團體的數量，一般而言，一項探索性研究，以一個或二個焦點團體進行訪談便足夠，若要深入了解有關某項爭議性問題的意見，則需要增加焦點團體的數量。每個焦點團體的討論次數要幾次才足夠？大約需要二至四次的討論。一次典型焦點團體討論會持續一個半到二個半小時，實施前應告知參與者配合。雖然焦點團體可在家庭、辦公室、教室等不同場所進行，但最常見的還是在為焦點團體訪談特別設計的場所（facilities）中進行，這些場所提供單面鏡（one-way mirrors）及觀察室，觀察者可觀察進行中的訪談而不妨礙團體進行。焦點團體場所也可能包含訪談的錄音或錄影設備，甚至可能有隱藏式麥克風給主持人配戴，使觀察者也能對訪談提供意見。

5. 訪談紀錄的撰寫

在焦點團體訪談期間，由於要一邊促進討論，可能較難做札記，所以大都由一對訪談者來共同進行，一位帶領討論，另一位則專心記錄。良好的札記有助於稍後將錄音帶謄寫成稿時，整理分辨出誰說了什麼。

(三) 焦點團體訪談的優缺點

焦點團體訪談在實務研究運作上，具有以下的優點與缺點（歐素汝譯，2000；高義展，2004）：

1. 優點

(1) 焦點團體是採社會取向的研究程序，可反映出如同日常生活中的社會互動，而不是由實驗環境所製造出的質化研究，所營造的環境較能讓參與者接受。

(2) 是一種能從文盲、孩童或大人身上得到大量資料的研究方式。開放式回答使參與者可以用自己的話來表達，可以回應及再回應其他團體成員的回答，這樣的效果引發個別訪談中所未發現的想法或資料。

(3) 焦點團體也對資料蒐集提供品質控制，因為參與者傾向於為彼此提供檢驗和平衡，以祛除不實的或極端的看法。團體內的動力，有助於將焦點集中在最重要的主題和論題上，較易於評估參與者之間較一致的、共同的看法。

2. 缺點

(1) 團體中不擅表達的人的意見易受埋沒，無法像個別訪談能夠得知這類人的想法。

(2) 團體中若有強烈領導慾、試圖影響其他成員的人，占據太多的發言時間，則會讓有些成員寧可順從他人意見，也不表達自己的想法。

(3) 焦點團體訪談較適合用來了解看法或意見，而並非個別性的故事，尤其一些敏感性高的問題還是使用個別訪談較為適合。

參 文件分析

質性研究中文件分析的來源十分廣泛，根據研究的需要，各種有關的文字、圖片、音像和實物都可以作為分析的資料。文件可以是正式出版物，如教學大綱、教材等，也可以是團體或個人的紀錄，如會議紀錄、學習筆記等。不同於歷史學家將文獻、檔案紀錄當作第一手資料的來源，大多數質性研究者將文件視為補充性資料，作為訪談和觀察的輔助說明，也可以作為進一步研究和分析的出發點。

一、文件的類型

文件主要包含以下六類（歐用生，1989；黃瑞琴，2021；黃光雄譯，2005）：

(一) 正式文件

包含法規、檔案、紀錄、報告書、判決書、公報、教科書、作業簿、考卷、報紙、雜誌、傳單、印刷文件等。

(二) 私人文件

包含個人的自傳、信件、日記、回憶錄、遺囑、契約、遊記、著述等。

(三) 流行文化文件

包含錄影帶、教育宣傳片、搖滾樂、雜誌、電視、愛情小說及廣告等。

(四) 影像資料

照片、攝影作品等。

(五) 官方統計及其他量化資料

如統計調查資料、學校預算、出缺席紀錄、成績、入學率、升學率等。

(六) 問卷及心理研究工具

二、文件分析的要領

所謂文件分析即對文件資料進行蒐集與剖析，不管是正式文件、私人文件等其他文件，都是重要的質性研究工具和資料，都有它的價值，但在使用時要謹慎，才能發揮它們的功能（歐用生，1989）。

(一) 文件要加以檢核

所蒐集到的文件並不完全是真實的，例如：兒童入學率的計算往往錯估了「隱藏的缺席者」，如註冊後離校者、中途輟學者，因此必須輔以觀察或訪談才能了解真相。某些文件易帶有偏見或意識

形態，例如：自傳的作者往往只呈現正面的部分，有些眞相則被其扭曲。因此，文件的檢核工作是一件極爲重要之事。

(二) 文件的解釋宜謹愼

研究者對於文件不宜毫無批判地引用，或滿意其表面價值，輕易地將之視爲資料，忽略資料的生產和使用的環境脈絡。例如：學生的日記、書信、作文等，是一種創造性的作業，而不是科學的文件，它們不能代表正確的社會現實，只能點出一些課題、想像或指標。質性研究者要富有懷疑的精神，試著去摸索分析文件的詮釋架構，這是解釋文件時宜特別注意的。

(三) 文件分析要與其他方法並用

文件分析要與其他方法並用，例如：觀察、訪問等，文件之間也應相互檢核。例如：並用日記和訪問技巧，以了解事件、澄清事實，並使論點更爲明確，內容更爲豐富；實施問卷調查後，再輔以訪問或觀察，更能深化論點。

━━ 第五節　質性研究適用範圍與優缺點 ━━

壹　質性研究的適用範圍

了解質性研究適用情境可以避免質性研究被誤用或濫用，也可以了解質性研究在教育研究上潛力。

一、質性研究適用情況

一般而言，質性研究適用情況包括（邱兆偉，1995）：

1.進行實驗設計、量的研究屬於不可能或不合適的情況。例如：對特殊兒童教育的研究。

2.需提示相關變項，以便爲後續量的研究鋪路。例如：先深入探索某學校家長參與治校的運用與成效實況，再進而進行大規模的

量化研究。

　　3. 探究事件的確實情況與結構，以提示假設的作用。例如：對學校與教室的內在運作，提供深層透視的探索，以提示需要的解釋。

　　4. 爲全面地解釋問題的複雜性。例如：高層次問題是否有助於學生獲致較良好的學習成效，就有賴於質性研究來探索問題的全面複雜性。

　　5. 了解特定事件中特定對象的意義觀點。例如：針對提前退休教師，了解他們決定離開教職的原因與想法。

二、質性研究在教育上的應用

　　近年來，質性研究更發展到教學策略、班級經營、學校行政領導、學習問題、偏差行爲的診斷與輔導等方面的研究，帶來新的省思與發展方向，應用不同的研究方法，將會開發出不同的教育視野與教育實踐（甄曉蘭，1996）。歐用生（1989）提到質性研究在教育研究上，其主要研究領域有以下七項：1.學校組織結構及其影響；2.課程實踐的問題；3.教師的職業社會化和生涯；4.學生次級文化；女性主義；6.課程的歷史研究；7.評鑑研究。例如：卯靜儒（2006）從女性主義的觀點探究女性教師的性別經驗和意識，洪志成和楊家瑜（2013）探討紮根理論在國內教育行政領域應用的情況，由上述研究可以了解質性研究如何應用在教育研究之中。

貳　質性研究的優點與限制

　　質性研究對教育研究方法的改進產生極大的影響，這種方法論有其優點與限制，優點是與量的研究相對照之下所產生，對於研究限制則要設法克服，使質性研究能更合乎科學的精神。

一、質性研究優點

　　根據學者的意見，質性研究有以下的優點（王文科、王智弘，2017；王文科，2000）：

1.質性研究要求以相當完整的環境狀況作為研究基礎，加上此種研究常延續數個月甚至數年，就時間而言屬於縱貫式的研究，因此比其他的教育研究更可獲得完整的資料。

2.質性研究建立的假設或理論來自於實際觀察自然環境所蒐集來的資料，較切合實際狀況。

3.在質性研究中，由於觀察者開始時不以驗證假設或理論的心態進入現場，因此比採用傳統方法的觀察者更易留意非預期中的現象，除有助於研究的周全性與靈活性，亦能得到意外收穫。

4.質性研究不只在探討表面的因果關係，而是發掘現象背後的意義和價值，因此能深入地描敘教育現象及了解社會行為的深層意義。

二、質性研究的限制

質性研究雖具有上述的優點，但亦存在著以下的限制（王文科、王智弘，2017；朱柔若譯，2000；陳伯璋，2000）：

(一) 研究倫理的爭議問題

質性研究常需要與參與者做較長期、深入且個人的接觸，參與者可能在信賴研究者的情況下，坦露較多個人的隱私，或與其他非參與研究人士相關的資料。如果在研究報告中呈現這些隱私或敏感資料，是否會對研究參與者造成傷害？故在研究之初即要思考研究倫理的議題。

(二) 研究者專業訓練不足誤用研究方法

研究者因專業訓練不足，無法準確運用質性研究方法，以致無法獲得真實的資料，例如：觀察者或訪談者因個人因素而影響資料蒐集的客觀性、觀察前未能與被研究者建立互信關係、資料的分析未能採用三角檢證的方式、研究結論過度推論等。

(三) 質性研究信效度偏低

質性研究容易受到如下的批評：1.觀察是主觀的，不易查核其信度，觀察者的偏見或先入為主的觀念，可能嚴重困擾研究的發

現，卻不易察覺；2.觀察者經常主動參與所研究的環境，可能造成角色衝突與情感投入，因而降低蒐集得到資料的效度。與實驗研究和調查研究相較，質性研究在信度及效度方面比較低，因此有必要在研究設計上設法提升信、效度。

(四) 質性研究需投入較多的時間及經費

進行一項質性研究常需耗費大量時間，很難在半年或一年就能完成研究；在經費上，雖然樣本數不多，但有時需要多位訓練有素的觀察者或助理人員的協助，有時也需要購買昂貴的錄影器材，故研究需要花費較多的經費。

三、克服研究限制的作法

為克服上述的研究限制，研究者要將以下的建議納入研究設計之中：

(一) 確實遵守研究倫理

在進行質性研究時，研究者要遵守以下的研究倫理（王文科、王智弘，2017；陳伯璋，2000；林建銘，2019）：

1. 首先要考慮提供資料者的利益、權利與感受，並予以保護。
2. 讓提供資料者了解研究目的，在樂於接受時方宜進行。
3. 提供資料者的隱私權應受到尊重與保護。
4. 仁愛與誠實地對待被研究者以取得信任及建立合作關係。
5. 不可利用或剝奪提供資料者的權益。
6. 研究者撰寫的報告宜對提供資料者有所裨益。
7. 研究者身分要公開、不隱蔽，才不會侵犯被研究者隱私與傷害其利益。
8. 研究者應真實地將研究的缺失和限制在報告中呈現，以建立研究的客觀性和說服力。

(二) 提升質性研究的信效度

研究的信度是研究能被複製的程度，要提升研究的信度，一般使用三角交叉法（triangulation）（或三角校正），就形式

來說，可有資料三角交叉法、研究者三角交叉法（investigator triangulation）、理論三角交叉法、方法的三角交叉法等。資料三角交叉法是較常使用方法，以多元方法蒐集資料，例如：觀察、訪談和文件資料，來提升研究的內在信度。另一種資料的三角交叉法是指研究者在一項研究中，如果只使用單一方法，則要取用多種資料來源，例如使用單一的訪談法，要採用多次訪談以提供多種資料的來源；還有一種資料三角交叉的方式，是在不同時間、在不同地方、以不同的人蒐集資料，如此對同一研究問題，可用三個不同來源或不同方式得來的資料進行比較分析，看是否具有一致性，以此來評價資料的真實性。研究者三角交叉法是二人以上進行觀察或訪談，以檢視資料的正確性，如此可以避免研究者的個人的偏見。理論三角交叉法是以不同的理論或觀點解釋資料，例如從行為論或認知論觀點解釋學生的問題解決能力是否提升，假如解釋不一致，則需要重新蒐集資料。方法的三角交叉是研究者在一項研究中，使用兩種以上的方法以及不同的蒐集資料程序，前者如人種誌法、調查法、實驗法等，後者如訪談、觀察、問卷等，但不是每項主題皆可蒐集到量化及質性資料（陳伯璋，2000；王文科，2000；Martella et al., 2013）。

　　質性研究者在探討效度時，通常是指研究結果是否擁有可接受度、可信賴度或可靠度。質性研究的效度和量化研究一樣有外在效度（external validity）和內在效度（internal validity）之分。內在效度關注的是研究結果是否具備因果關係，外在效度是將研究的發現或結果推論到其他的人、情境與時間。質性研究就內在效度而言，主要有描述效度（descriptive validity）、解釋效度（interpretive validity）和學理效度（theoretical validity）等三種。描述效度指質性研究結果或發現，具有事實的準確性，提升描述效度的有效方法為運用研究者三角交叉法。解釋效度指質性研究者在研究的結果或發現中，準確呈現參與者的觀點、想法、意向與經驗的程度，提升解釋效度的有效方法為參與者的回饋

（participant feedback），或稱為成員查核（member checking）。
學理效度是指研究者發展出來的理論或學理用於解釋資料的適合
程度，使用理論三角交叉法、研究者三角交叉法皆可提升學理效
度（王文科，2000）。外在效度是有關研究結果能否做出有效的
推論，質性研究被認為外在效度很低，因為質性研究沒有抽樣的過
程，研究的樣本不知是否具有典型的代表性，如果研究者使用多個
場所的研究，則可提高研究的外在效度。例如：研究小學的寫作教
學，同一研究在低年級兩個（含）以上班級實施（王文科、王智
弘，2017；陶保平、黃河清，2005）。

 問題與討論

一、請說明質性研究與量化研究之間的三項主要差異。

二、質性研究所用的蒐集資料方法有哪幾種？

三、觀察法可分為哪幾種類型？試說明質性研究所用的觀察
法的有何特徵？

四、訪談法可分哪幾種類型？質性研究所用的訪談法要如何
實施？

五、何謂焦點團體訪談？這種訪談要如何進行？

六、使用質性研究進行教育的研究，會有哪些優缺點？

七、如何提高質性研究的信度及效度？

八、找一篇質性研究的教育論文，說明其研究設計及蒐集資
料的方式，並評論其優缺點。

第11章
歷史研究法與內容分析法

═══ 第一節　歷史研究的基本概念 ═══

壹　歷史研究的意義

我們要知道什麼是歷史研究法，就應該先知道什麼是歷史。歷史的定義有兩種：一種就是人類過去的活動，一種就是人類過去活動的記載。現在我們在科學上所謂歷史，當然專指第一種人類過去的活動而言，並不是歷史的著作或歷史的書籍（何炳松，2005）。但因人類過去的活動現代人是不清楚的，只有藉由前人所留下來的歷史紀錄來分析，因此歷史研究就是探討人類過去活動真相的方法，也就是以科學的方法探究「往事」，藉著往事的研究，以期對於當前的機構、實際和問題，能夠獲得較佳的理解（黃光雄，1987）。教育上的歷史研究法，是指透過蒐集某種教育現象發展和演變的歷史事實，加以系統的分析研究，從而達成疏理、解釋或評價、預測任務的一種方法（何炳松，2005）。Gay（1996）認為歷史研究法是有系統地蒐集和評鑑有關過去發生的事件，其目的在敘述事件的原因、結果或影響，這對解釋當前事件和預測未來事件有所幫助。當前的教育實務、理論和問題，若是擁有過去的經驗背景或是教育史的知識，則會對此有更深的理解，例如：教育的問題有其一貫性，當要推動教育改革工作時，主其事者若具備教育史的知識，則會發現某些作法或措施可能對現狀的改變是無效的。

貳 歷史研究的目的與價值

一、歷史研究的目的

以古鑑今，鑑往知來，始終是歷史研究的重要目的之一，而教育史研究亦是如此（周愚文，2003）。一般而言，歷史研究的目的是在研究過去所發生的事件，從錯綜複雜的歷史事件中，發現一些事件的因果關係以及發展的規律，以便作為了解現在和預測未來的基礎（郭生玉，1997）。李奉儒（1999）也指出歷史研究的目的在了解史實的真相，藉以探討歷史事件的因果關係及演進軌跡，進而了解現實或預測未來。教育史學家希望根據過去的歷史事件因果關係及演進之軌跡，以深入了解現有的教育制度及教育實務，甚至可以預測教育未來的發展。

二、歷史研究的價值

歷史研究既然是對已結束和已發生事情的處理，是否有必要花費力氣進行這種性質的研究呢？答案是肯定的，因為歷史研究也是具有實用價值的，其理由有以下幾項（袁振國譯，2003；徐振邦等譯，2004）：

1. 歷史是偉大思想的儲存庫。
2. 歷史使我們從過去尋找解決現代問題的方法。
3. 過去的知識，對於我們理解和判斷現實事件是十分必要的。
4. 歷史可以預知什麼是可能的，什麼是不可能的，暗示決策者他們的任務是什麼。
5. 歷史提供現今一個機會去重新評估過去所選擇的假設、理論與綜合的資料。

歷史研究在教育領域中的獨特價值是無庸置疑的，透過歷史研究而獲得大量的事實，能為教育問題的決策提供參考，且有助於理解問題的來龍去脈，也可以為某些無法經由其他方法加以解決的

教育問題提出洞見（徐振邦等譯，2004）。不論是教育改革或是社會改革，通常是要透過歷史研究，了解過去措施的錯誤及其負面的影響，避免重蹈前人的覆轍，並據以前瞻未來教育應該發展的方向，所以歷史研究對於預測未來趨勢也是相當有用的。

參　歷史研究的題材

歷史研究法應用在教育方面的題材相當廣泛，一般可分為以下十類（李奉儒，1999；潘慧玲，2003）：

一、一般教育史

例如：中國教育史、西洋教育史的研究。

二、教育法令的歷史

例如：課程標準的演變、教育機會均等方案、法院判例等。

三、教育主要貢獻者的史傳

例如：教育哲學大家，以及偉大教育實務工作者的生平、思想和事蹟之研究。

四、各類教育制度的歷史

例如：幼稚教育、初等教育、中等教育、高等教育、成人教育、職業教育、留學教育、特殊教育、軍事學校，以及師範教育的發展演進歷史之研究。

五、學校教育主要部門或內容的歷史

例如：學校教學目標、學校組織和行政、學校人事制度、學校財政、學校人事、學校建築，以及教師薪給制度等之研究。

六、教育文化的歷史

例如：教育人類學史、教育社會學史，以及教育經濟學史等。

七、教育政策與計畫的歷史

例如：延長國民義務教育政策、落實教育機會均等政策，以及多元文化政策。

八、教育的歷史評論

例如：基督教對臺灣音樂教育和鄉土教材的影響、清末西方教育思想對教育行政制度的影響。

九、當代教育問題的歷史研究

例如：潛在課程研究之評析、終身教育研究之評析、教育改革的決策歷程等。

十、國際比較教育的歷史研究

例如：主要國家中小學教師在職進修制度、教師評鑑制度之比較研究等。

第二節　史料的運用

史料是歷史研究的必要條件，亦是影響結果正確性的關鍵因素之一，因此在進行教育科學的歷史研究時，一定要妥善地運用史料。然而史料的真偽難辨，研究者就要善於鑑別史料，才能得到正確的研究結果。本節針對史料的類型與運用作一闡述。

壹 史料的種類

根據史料流傳下來的形式，可將史料分為以下幾類（周愚文，2003；林生傳，2003；潘慧玲，2003）：

一、文件資料

在所有的史料中以文件（document）最多，文件大都是用文字記載，而非由口述寫成。文件包括：官方文件、教育機關的公文檔案、學校所保存的學生資料、教育問題會議所提的建議案與紀錄、個人所保留的教育史實的記載或回憶錄等。有些文件是為保存歷史紀錄有意地記載，有些則是無計畫的短期留存文件。

二、數量紀錄

數量紀錄（quantitative record）是指以數字呈現的文件資料，如戶口普查資料、學生測驗資料、學校預算、學校出席紀錄、測驗分數、各級學校升學率、歷年教育統計資料等。

三、口頭紀錄

口頭紀錄（oral record）是早期人類在沒有發明文字之前，保留史事的方式，如民謠、傳說和民間故事等。有時歷史研究者訪問目睹或參與過去事件的人士，並將訪問的談話錄音轉化成書寫的紀錄，這就是所謂的口述歷史（oral history）。這是一種以人為本的研究方法，所記錄的是由個人親述的生活和經驗；透過深入訪談，歷史學家可以追溯耳熟能詳的歷史事件中，未被發掘的側面，或為傳統歷史文獻遺忘的段落。口述歷史獲得的資料，都是難以在官方文獻中尋獲的珍貴材料，例如：戰爭時期的個人際遇、個人或家族的移民歷史、親族倫理關係、個人事業發展歷程等。透過蒐集個人生涯和家族歷史，歷史學家和社會研究學者可以重構不同面向的歷史發展，如階級形成、移民和遷徙、社會流動和歷史的傷痕等。

四、遺跡或遺物

遺跡或遺物（remains or relic）是指以非書面文字形式保留下來的史蹟，有時比官方文件更能顯示過去的教育情況，其內容相當廣泛，例如：古代的書院遺址、孔廟史蹟、學碑、學田田籍碑、匾額、石經，乃至近代的學校建築、設備、教科書和教學材料等。

貳　史料的性質

史料依其性質可分為兩類：即直接史料與間接史料，這是依史料與史實在時空遠近的關係來區分，或稱為「一手史料」（firsthand information）與「二手史料」（secondhand information），或「主要史料」與「次要史料」。以下分別說明之（周文欽、周愚文，2000；何炳松，2005）：

一、直接史料

所謂直接史料，是指事件發生時，實際觀察者或參與者所提供的報告或留下的各項筆記和紀錄，這包括了當事人直接的記載與遺物，當事人事後的追記及同時代人的記載等，這種史料與史實在時空關係上最為接近。例如：一個教育政策的直接史料應是指政策決定委員會歷次開會的會議紀錄、原草案的簽稿、工作小組開會的議程與紀錄、公聽會的意見及其紀錄、有關的專案研究報告、政策執行有關單位的簡報紀錄等，而這些紀錄包括了書面或錄音錄影的形式，也包括了參與其事的當事人之日記、回憶錄或第三者的採訪紀錄。直接史料通常包括以下幾種：

(一) 當事人直接的觀察與直接的回憶

這一類的直接史料實際上是不常有的，但是最寶貴，例如：當我們要研究陳立夫在抗戰時期的教育政策時，就可參考他當時所留下來的各種文件檔案、信函或日記，或者是目前我們對他的訪問紀錄等。

(二) 同時代人的記載

同時代人對某一事件的記載可信度最高，比方說唐人記唐代的科舉制度、清人記清代的八股文取士。

(三) 與事實有直接關係的史料

無論是遺物或紀錄，凡是與已發生的事實有關係的材料，均可歸入此類，例如：北宋第一次教育改革前范仲淹的〈條陳十事疏〉。

二、間接史料

所謂間接史料，是指由非直接參與或觀察到事件發生的人所做的報導，或所留下的文件紀錄，此類史料在時空關係上與史實的間隔甚遠。然而，此等史料由於非當事人或目擊者的直接記載，轉述的報導難免會有錯誤或不可靠，有時甚至因基於某種特定的目的，而故意曲解或穿鑿附會，因此，間接史料在歷史研究裡的重要性比不上直接史料，不過，由於直接史料難找，且常常殘缺不全，歷史研究有時仍需藉由間接史料來一窺究竟。此類史料包括：轉述的史料、後人編纂的史書、教育思想史、教育史、百科全書或流傳鄉野的稗官野史等。

參　史料的蒐集和考證

史料是歷史研究的出發點，蒐集及考證史料是歷史研究的重要任務，蒐集史料並不僅只是蒐集與研究問題相關的歷史文獻，而且要掌握鑑定史料的方法，以確定史料來源的真實性和其價值。

一、史料的蒐集

從事歷史研究最重要的就是要有充足可信的史料，但對於一個初學者而言，如何找到正確的史料是個令人十分困擾的問題。研究者可以從以下幾個途徑來蒐集史料（周愚文，2003；葉重新，2017；潘慧玲，2003）：

1.查閱期刊論文索引、碩博士論文資料庫中與研究主題有直接相關的論著，從這些論著所附的參考文獻去尋找更多可用的史料。

2.查閱研究題目的相關領域中素有聲望學者的論著，由其著作中可以發現到哪些史料是他們經常引用的，則這些史料一方面可能是較可信的，而且也是較基本的。

3.蒐集史料的第一步須由目錄學著手，例如：查閱四庫全書總目提要的史部與集部，從中再詳閱有關書籍。資訊化時代也可透過線上檢索系統與資料庫的搜尋，找尋到所需要的資料。

4.參閱西洋教育史，可以找到部分西洋國家的教育史料。

5.歷史研究若想超越前人研究成果，便需探訪更多的原始資料，如深入探訪舊書店、學校遺跡、檔案、信函、手稿等。

二、史料的考證

任何一種史料蒐集之後，尚不能貿然引用，在使用之前都必須經過考證，以鑑定史料的真實性及可靠性。考證史料（或稱史料鑑定）的方法有二種：一為內部考證（internal criticism），二為外部考證（external criticism），以下分別說明之（周文欽、周愚文，2000；黃光雄，1987；杜維運，1999）：

(一) 外部考證

外部考證又稱為外證，是確定文獻效度的重要工具。外部考證暫不對史料的內容加以分析，而是以史料以外材料或人物來作為反證或旁證，以確定史料的的真實性（authenticity）或完整性（integrity）。通常外部考證較注意史料產生的時代、作者及偽書的辨別等三方面，通常須注意下列的問題：資料的真正作者是誰？資料在什麼時候和什麼地方寫的？為什麼寫？如何寫？資料是原作或修訂版？資料是否曾經增加和刪改？如果資料是屬於文件的，通常採用檢查或比較筆跡、拼法、原稿和簽名，有時還要利用化學檢定，依其紙張、墨漬、筆跡等化學反應，以確認其年代或真正作者。

(二) 內部考證

內部考證又稱爲內證，乃就史料本身的內容加以考證和鑑定，衡量其是否與客觀的事實相符合，或他們符合的程度，其著重點則在於史料內容的正確性（accuracy）、可靠性（trustworthiness）、價值性（worth）及其意義（meaning）。杜維運（1999）認爲史料的內部考證可從記載人信用的確定、記載人能力的確定，以及記載眞實程度的確定等方面加以探討：

1. 記載人信用的確定：史料內部考證的重點之一乃是研究史料記載人的爲人。原始目擊者直接記載或口傳某事，這是歷史的本源，目擊者及轉述者的爲人，則直接影響其所記某事的眞僞。他們是什麼樣的人？刺激他們記載的因素是什麼？環境對於他們又有什麼影響？凡此都須一一追究。

2. 記載人能力的確定：史料記載人的知識背景、素養與文字表達能力，都會影響內容的正確性。文字的能力不夠，即難將曲折複雜的事實清楚而正確地表達，而知識素養不足，凡所撰述，皆難期其精確無誤。

3. 記載眞實程度的確定：中外史學家已尋出確定記載眞實程度的一些通例，比如，凡是兩種記載，不相抄襲，而所記某事相同，則某事可信；凡有客觀的證據，如日蝕等，可資佐證者，則這一類的記載確實可信；兩種或兩種以上的記載互相歧異，較古的記載爲可信；比較正反兩方面的記載代表反方者對某事大加非難，代表正方者保持緘默，則反方之記載較可信。

與內在考證相關的問題是作者是否有什麼偏愛，因爲作者的地位會給出一種偏見而不是客觀描述，傳記性的自傳可能把重點由事移到人，由於一些人爲因素，小說般的細節可能被寫進去。例如：一個對現行教育政策持反對意見者可能會比贊同者強調更多不利的因素（袁振國譯，2003）。

第三節　歷史研究的步驟

　　學者對歷史研究法的實施步驟有不同的看法，Wiersma（2000）以圖示法說明歷史研究的步驟，其流程如圖11-1所示。依其看法，歷史研究的實施步驟包括：確定研究主題、形成假設、蒐集與鑑定資料、資料綜合與解釋、形成結論等五項。以下分別說明之（郭生玉，1997；林生傳，2003；王文科、王智弘，2017；葉重新，2017；McMillan & Schumacher, 2001；Wiersma, 2000）：

壹　確定研究主題

　　進行歷史研究第一個步驟是要對研究的主題加以明確地界定，例如：歷史時期、人物、理念、機構或政策，研究者要先獲得背景知識，再縮小主題的範圍，形成能詳細和深入解釋的問題。為了形成研究主題，研究者要先廣泛閱讀二手資料，以增加自己的背景知識，例如：教科書、百科全書、學位論文、期刊論文等，皆可增進背景知識。然後再逐漸縮小主題，以明確、嚴謹的方式陳述研究問題。問題的陳述如果過於廣泛或過於模糊，可能導致最後的研究報告缺乏方向。在確定一個研究主題時，先要發問四個問題：1.事件在何處發生？2.涉及哪些人？3.事件何時發生？4.涉及何種人類活動？藉著改變上面四個問題的範圍，我們可以修改研究主題的範圍。例如：地理空間的領域可以擴大或縮小，涉及的人物可以加多或減少，時間長度可以延長或縮短、人類活動的範疇可以增廣或窄化。

　　以中國教育史研究主題而言，大致集中於三方面：一是對歷代教育制度、學校制度與科舉制度；一是歷代教育觀念、思想和理論，這可以人物、學派、主題或朝代為中心；一是教育人物事略。至於題目尋找的方式，大致方法如下：1.從前人的研究建議中尋找，以補充前人所未完成的部分；2.從一般教育史的著作中找靈感；3.從期刊論文中去發現前人未做過的題目；4.廣泛地閱

讀教育史料，由其中尋找靈感。對於研究問題選擇方面，林生傳
（2003）建議可從以下途徑來思考：1.目前社會的議題；2.特定的
教育家或教育思想家；3.探求歷史事件或教育思想理念的新關係；
4.總合整理零散的資料，或與新發現的史料力求整合；5.對已有的
教育史理論進行批判，佐以新發現的史料，或利用新的概念重建新
的理論為修正主義者（revisionist）的研究。

圖11-1

歷史研究法的流程

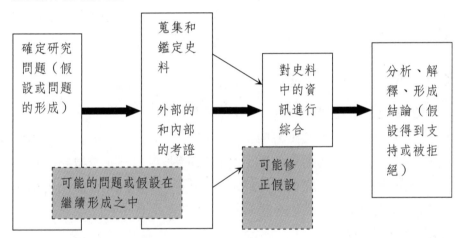

註：引自*Research methods in education* (p.222), by W. Wiersma, 2000, Allyn & Bacon.

貳　形成假設

　　另外一個與科學研究密切關係的問題是：歷史研究究竟是否需
要建立研究假設？關於此問題，多數學者均主張歷史研究也須有研
究假設，以作為研究活動的導引，否則，歷史研究將變成毫無目的
地蒐集一些孤立或無關聯的史實，除了缺乏意義外，亦不能對問題
提供有價值的答案，故在教育歷史上的研究，常常利用研究假設來
作為分析史料的依據。例如：教育史學家提出這樣的假設：「十九

世紀美國教育工作者對歐洲學校系統的考察,對美國教育的實際運作發生重大的影響。」然後去蒐集史料來詮釋分析。又如,教育歷史學者提出這樣的假設:「教師待遇低落的原因是因為傳統上小學教師大部分都是女性,而女性是廉價勞工。」然後據此一假設蒐集不同時期女性教師的人數和比率,以及教師待遇高低的關係來作解釋分析。

歷史研究的假設不同於其他研究的假設,歷史研究不以統計的方式敘述研究假設,也不能以統計方來考驗假設,只能蒐集證據仔細評鑑其可靠性,若證據與假設相符合,則該假設就獲得支持。有時,歷史研究者並不陳述正式的研究假設,而是以提出研究問題的方式,作為導引蒐集資料的依據,這是一種研究假設的變通方式。

參 蒐集與鑑定資料

歷史研究所蒐集的資料,不是僅與研究問題有關的文件聚集起來而已,而是要將主要史料與次要史料作一區分,盡可能使用主要史料。其次,史料的鑑定亦是一件重要的工作,外在考證與內在考證是確立資料可信性與可靠性的兩大過程,若資料不真便不可用。歷史研究法的成敗與價值,端賴研究者是否具有史料蒐集、分析及鑑定真偽的能力。

肆 資料綜合與解釋

研究者在閱讀所有資料並對其進行鑑定完成後,進一步便需將資料綜合、分析、批判與呈現。研究者需針對研究問題的中心觀念,加以組織資料,通常組織的方式有五種:一是依時間順序來呈現歷史的事實,依發生與演變的年代順序加以整理,並按照其發展特徵劃分為若干不同時期,歸納同時期的特點,比較不同時期的異同,探討其發展與演變的趨勢,然後加以評論。例如:將某一教育家或教育運動分成若干時期,然後論文的每章陳述一個時期。二是依據主題呈現歷史資料,例如:某論文的研究目的是探討不同的學

區如何設立幼兒園，則此論文可用不同的章節陳述各個學區幼兒園的設立情形。三是兼採年代順序及主題的方式，例如：每章包含一個時期，而章內的組織則採用主題的方法。四是依理論架構來分析，利用歷史的概念或借用其他學科的概念建立起理論架構，以進行詮釋分析。五是依檢驗研究假設的方式來進行分析。當研究者閱讀資料以及綜合資料之時，可能會形成更多新的假設，或者是修正最初的假設。呈現的證據可能拒絕最初的假設，未預期得到的資訊可能支持新的假設，或者是產生與研究問題有關的新問題，這時研究者即需將這些問題或發現，統整到研究之中。

伍 形成結論

歷史研究方法的最後一個步驟是提出與研究問題相關的結論，以支持或拒絕研究假設，並對結果提出合理而客觀的解釋，其中最重要的是要對歷史事件的因果關係作解釋。歷史研究的因果論乃是探討一組事件直接或間接導致另一組事件形成的過程，雖然研究者無法「證明」過去某一事件是引起另一事件的原因，但是，他可以清楚地假定歷史事件發生順序的因果關係。在推論因果關係時，研究者常強調各種不同原因的影響，例如：某重要人物的行動、有力意識形態的作用、科技的進步、地理的因素、社會學的因素、經濟、心理等因素。

歷史研究常被賦予鑑往知來的功能，然而要達成如此期望並非易事，因歷史研究常常受限於史料，不若實證研究資料的蒐集較為容易，樣本也較具代表性，它只能就有限的資料來加以鑑定並作詮釋分析，所以歷史研究所研究的可能只是一個很小的樣本，很難代表它的群體，更難將其推論到不同的時空環境，建立起普遍的原理原則，因此對於歷史研究的研究結果之推論上，實應採取小心謹慎的態度。所以，為了能建立普遍原則，歷史研究者必須致力於增加資料的樣本，盡可能尋找主要資料和次要資料，愈多愈好。如果歷史證據有限，研究者應限制其歷史詮釋的可概推性。

━━━ 第四節　歷史研究的展望與限制 ━━━

　　教育史研究有其重要性與價值性存在，故這方面的研究有必要持續不斷進行。爲了使歷史研究真正走向科學化，我們要了解這種方法論的限制，並且力求突破。

壹　歷史研究法的展望

　　歷史研究的主要優點就是對於過去事件的探討，到目前爲止仍無法以其他方法取而代之。歷史研究法能夠提出過去的證據，而且能提出不同種類的證據，能爲特定主題提供豐富的資訊。例如：研究者想研究這樣的主題：課程的改變如果不是經過廣大的實驗和教師的參與經常是失敗的，這個問題可以用因果比較研究、實驗研究等方法來進行，也可以由檢視過去五十年的文件，包括新課程相關報告書，或是教師的日記等來進行研究（卯靜儒等譯，2004）。以下僅就歷史研究在未來的展望作一陳述（徐振邦等譯，2004；黃光雄，1987；McMillan & Schumacher, 2001）：

一、研究主題的多元化

　　教育史的研究不應侷限在傳統的領域，應設法開拓新的主題，例如：感化學校、孤兒院、少年法庭等特別機構的研究；電視、歌曲和文學等流行文化的研究；專業組織或少數族群教育的研究等。

二、重視科際整合

　　歷史研究應設法引入社會學、心理學、經濟學和人類的方法和概念，作爲解釋或分析教育史事的依據，例如：應用社會學的理論，從文化資本與階級再製觀點，分析官宦世家在科舉制度中的流動情形。

三、重視量化的方法

　　近年來有人倡導將科學家所使用的量化方法應用於解決歷史問題，運用統計學的技術以建立歷史的通則、了解教育運動的趨勢。所使用的方法為內容分析法，將字句、非量化的文件轉變為量化的資料。

 ## 歷史研究的限制

　　任何一種研究都有限制，歷史研究也不例外，就其研究本身的限制而言，主要有以下四項（王文科、王智弘，2017；周愚文，2003；卯靜儒等譯，2004；吳明清，2004）：

一、研究成敗受限於史料是否充足

　　如果研究者缺乏充足可信的史料，則根本無法進行歷史研究，然而歷史知識總是不完全的，難免會有資料太少或資料不正確的情況發生。史料之所以不完全，其主要原因有三：第一是所存遺跡和供證的殘缺不全，例如：遭遇戰火的洗禮；第二是供證的內容乃是改進與選擇的結果，例如：可能是帝王、官方特意保存的內容；第三是資料蒐求必有限制，包括資料的多寡、取得的管道等。歷史研究的這項缺點嚴重威脅到研究的內在效度，但卻無法控制，由於文件樣本和分析過程帶來的限制，研究者不能確信樣本的代表性，也沒有辦法檢查由資料得到的推論是否合乎信度和效度。

二、歷史研究具有太高的主觀性

　　由於歷史研究中的史料是由研究者解釋，難免夾帶主觀的成分，偏見的可能性總是會出現，而不若其他實證研究的客觀，因此結論的普遍性受到相當程度的限制（吳明清，2004）。歷史研究法並無法取得控制這類威脅的方法，使得歷史研究法過於依賴研究者的技巧和誠實。

三、科學化較為困難

歷史研究的對象是已發生的事件,因此研究者無法加以控制操縱,這與實證研究有很大的不同。同時,歷史現象因受到許多先前因素交織作用的影響,大部分的歷史事件無法用單一的原因來解釋,因此在建立假設方面頗為不易。

四、歷史研究所花費的時間較實證研究長

因為史料的蒐集、整理、考證及閱讀,需要較長且充裕的時間,才可能獲得較可靠的結論,所以研究何時能完成、是否能有具體結果,比較沒有固定的期限,而完全受制於史料。

五、研究者能力的問題

在研究者的能力方面,研究者本身的學識不足、語文能力(古文或外文)薄弱、史學訓練不夠、缺乏考證能力、通史素養缺乏,以致無法有效地掌握與運用直接史料,而轉為依賴間接史料,導致研究結論的可靠性,往往受到歷史學者的質疑。

第五節　內容分析法

內容分析(content analysis)又稱資料分析(informational analysis)、文本分析、論述分析(discourse analysis),這類的研究方法近年來越來越受到社會科學研究的重視,這種研究法與歷史研究相類似,主要的差異在於歷史分析處理過去的史實,而內容分析法則用於描述研究,是利用目前的文件資料或資訊傳播資料來進行分析(林生傳,2003)。內容分析法最早是應用在傳播內容的研究,再擴充到整個社會、行為科學及文學藝術的研究,而教育研究也常應用此法來對教科書的內容加以檢視分析。其意義為:結合

與運用量化技巧與質性分析，對傳播內容進行研究，分析其明顯內容與探究其潛在意義的一種研究方法。這種方法具有以下的特性：1.資料極為多元，包括正式文件、私人文件、數量紀錄及其他；2.可以應用電腦來處理資料；3.因文獻大都可在圖書館查尋，故研究成本較低且較省時（林瑞榮，1999）。游美惠（2000）具體說明可用作內容分析的資料來源有：書籍、雜誌、詩集、報紙、歌曲、畫作、演講、信函、法條或日記、遺囑、個人信函等私人文件與口頭證詞、口述歷史等。

 壹　內容分析法的定義

　　內容分析法最初是一種分析媒體訊息的量化法，將此法定義為是一種量化的研究技術，是想要透過標準化的計量單位與測量，將文件之中的特質彰顯出來或作比較（游美惠，2000）。這種強調量化的內容分析法學者稱之為「古典內容分析法」，是一種最系統化的文本分析法，有具體的分析步驟，主要以量化方式處理文本資料。但這種內容分析法並未能持續激發學界對它的興趣，原因可能是採用此方法的多數論文讓人留下負面觀感：採用之概念過於簡化、議題範圍過小、受限於內容載體忽視未呈現的意識形態及動機、不易推論至實際狀況中。然而如今電腦程式的改良、網路連結的密實、電子資料庫的日趨完整，又重新激發了學術界對內容分析的熱情（羅世宏譯，2008；張芬芬，2011）。

　　早期因為量化內容分析的缺失，引發了質性內容分析法之開發，而質性內容分析早期受符號學（semiotics）與文學批評等結構主義的影響，晚近則受詮釋理論及後結構主義等思潮衝擊，因而出現了新的分析方式，如故事分析（narrative analysis）、論述分析（張芬芬，2010）。因此歐用生（2005）對內容分析的定義為：透過量化的技巧以及質性分析，以客觀及系統的態度，對文件內容進行研究與分析，藉以推論產生該文件內容的環境背景及其意義的一種研究法。內容分析法已經瀰漫整個社會科學領域，應用的範圍

也越來越廣，研究者用它來分析字詞、句子、段落、超語言特徵（paralinguistic feature），甚至分析文本中遺漏的東西。研究者詮釋、畫記、取用與計算，他們交替使用量的計算與質的詮釋。研究者運用內容分析法找出主旨（theme）、說明主旨，再做跨個案與跨群組的比較。最後，再將各主旨放入概念模式與理論中，好解釋與預測社會現象（張芬芬，2011）。

貳 內容分析法的研究方式

內容分析的研究設計有六種：一是純描述性研究，即計算文本中各類目出現的次數或百分比，例如：「二二八事件」在同一時期的不同版本歷史教科書中所占篇幅之比較。二是規範性分析，用某些標準去做判斷，例如：某報某主題的數篇社論中，符合「客觀」標準的有幾篇。三是橫向分析，例如：比較同時代不同版本的歷史教科書。四是縱向分析，例如：比較六十年來歷次課程標準下的高中課本中文言文的比例。五是文化指標研究，此類研究橫跨多年的數個脈絡，例如：生物科技在近三十年來的哪些公共領域成為議題。六是平行設計（parallel designs），是以內容分析的縱向設計，再搭配其他的縱向資料，例如：民意調查或數梯次非結構訪談（羅世宏譯，2008）。

一、研究流程

歐用生（2003）認為運用內容分析法可依下列步驟進行：1.形成問題或提出假設；2.明確規劃與界定母群體（文件）；3.抽取具有代表性的樣本；4.決定分析的單位（units）和類目（categories）；5.建立量化系統，開發類目分析表；6.預測、建立信效度；7.依照單位與類目的定義，將內容進行編碼；8.分析資料（分類與量化統計）；9.客觀地解釋結論、驗證假設。

流程中較獨特的研究步驟為訂定研究分析單位和類目，分析單位是內容量化時依循的標準，最常用的單位有：字（words）、

主題（themes）、人物（characters）、項目（items）、時間及空間單位（space and time units）、課、章、段、詞、句、頁等；分析類目（categories）是內容歸類的標準，內容分析的類目有兩大類：一是說什麼（what is said），用以測量內容的實質內容，包括主題、方向、特徵、主角、權威或來源、出處等類。二是如何說（how it is said），屬於內容形式部分，包括傳播的類型、敘述的形式、感情的強度、策略等類。類目的發展可依據理論或過去研究結果發展而成，也可由研究者自行發展（歐用生，1989，2003）。假如研究者要發展類目分析表這項研究工具，首先要發展類目體系，建立大類目及小類目，接著要對這些類目的明確地界定其定義，下一步則是建立單位，單位建立完畢後則要進行資料分析，研究前要先預定要如何分析，例如：如要探討性別差異與性別角色有何關聯，則要以何種統計方法確定二者有關聯（吳和堂，2024）。

二、資料分析模式

資料的分析是質性研究需要花費較多時間的地方，當研究者依據研究問題在自然情境裡觀察、訪談或蒐集實物，然後將之整理為文字資料，進而分門別類、提取意義，再將之用來回答研究問題。張芬芬（2010）提到資料分析的四種模式，分別是準統計式、模版式、編輯式、融入式，茲以前兩項較為常用的模式說明之：

(一) 準統計式

先將登錄簿準備好，其中包含分類系統，然後將待分析的文字資料中的特定字詞找出來，在登錄簿上畫記，然後進行統計，以顯示文本中的關聯性，再回到文本中去驗證，最後提出報告。教科書的內容分析法，許多是採用這種準統計模式。

(二) 模版式

模版式（template analysis style）是由研究者先準備一份模版，即預建的分類系統，然後半開放地對文字資料進行歸類，有需

要時再調整原分類系統。之後以詮釋方式（非統計方式）說明文字資料中的關聯性，再回到文字資料中去驗證，最後提出報告。此模式在國內質性研究上普遍受到採用。

圖11-2

質性資料分析的二種模式

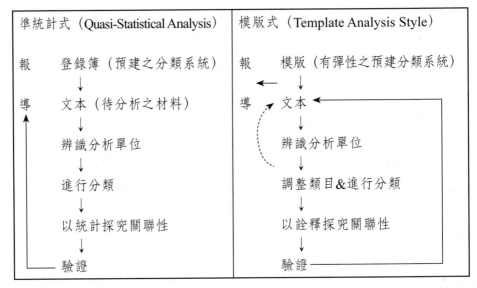

註：修改自質性資料分析的五步驟：在抽象階梯上爬升，張芬芬，2010，初等教育學刊，**35**，93。

💡 問題與討論

一、歷史研究法的主要目的為何？在當今教育研究上，歷史
　　研究有何價值？

二、歷史研究法適合用來探討哪些教育主題？

三、歷史研究法的過程中，史料的蒐集與考證是相當重要的
　　一環，請問要如何蒐集史料及考證史料的真偽？

四、請簡述歷史研究法的步驟。

五、歷史研究法有哪些限制？如何克服這些限制？

六、何謂內容分析法？此研究法與歷史研究法有何異同？

七、內容分析法的研究流程為何？在分析資料時要如何進行？

八、找一篇內容分析法的論文，說明其資料分析的架構，並
　　評論其優缺點。

第 12 章
行動研究

第一節 行動研究的基本認識

　　一般而言，研究的目的不外以下三種：1.對現況的了解，即了解實際存在的情況；2.關係的敘述，即探討變項與變項的相關；3.探討變項間的因果關係，即什麼原因導致什麼結果。「研究者」是教師的角色之一，所以教師要進行研究工作，研究工作不是在大學任教的學者、專家才有能力進行，老師為解決教學上的問題，也要經常不斷地作研究，只是教師的研究有別於學術界的研究，對教師而言「研究」一詞要視為動詞而不是名詞，即有系統地從事探索，以解決教學上的問題，即稱之為研究（Henson, 1996）。

壹　行動研究的定義與目的

　　許多研究者對行動研究的定義作了不同的解釋，例如：Lewin（1947）認為行動研究是螺旋式的探究過程，其過程包括三個步驟：1.計畫行動包括勘察和實情調查；2.採取行動；3.審查行動的結果。Noffke（1997）認為行動研究通常由老師擔當重要角色，雖然不是唯一的執行者，老師可以透過行動研究制度和研究教育改革。蔡清田（2000）認為行動研究是將「行動」與「研究」二者合而為一，由實務工作者在實際工作情境當中，根據自己實務活動中所遭遇的實際問題進行研究，研擬解決問題的途徑與策略，並透過實際行動付諸執行，進而加以評鑑反省回饋修正，以解決實際問

題。綜合以上學者所下的定義，所謂行動研究是教師在教學情境當中，尋找出自己在教學活動上所遭遇到的問題來進行研究，並提出一套解決問題的策略，經過實施之後，對這套策略進行評鑑、反省、回饋、修正，以研判策略的可行性及適用性。

學校及教室一定會有問題產生，教師以實證方式來檢視自己的實務工作，尋求問題解決及提升教學效能，這是教師專業發展的重要基礎。行動研究的焦點，在於即時的應用，不在理論的發展，也不在於普遍的應用，只強調切近情境中問題的解決。其目標在於改進學校的實務，以及把研究的功能與教師中的工作相結合，藉以提升教師的素質，改進教師的研究技巧、思維習慣，促使教師與別人和睦相處，並強化教師的專業精神（王文科，1996）。行動研究雖然重視實務問題，但不只注意實務問題的解決，也不只重視行動能力的培養，同時更重視批判反省能力的培養，藉此增進實務工作者的實踐智慧。

貳 行動研究與學術研究的差異

教師會認為研究工作是大學教師的職責，他們的課表排得滿滿的，要擔負很多工作，哪來的時間做研究？況且本身也沒有受過學術研究方面的訓練，因此自認為沒有能力進行研究，但是教師如果能夠了解行動研究其實是不同於在大學教授所進行的學術研究。大學教授與學者是教育專業知識的研究者、生產者，在研究方法上孤立研究變項、標準化實驗情境、設計計量分析；利用科學的方法來進行研究，研究結果自然是重理論輕實務，這樣的研究結果許多教師都認為對解決教育問題的助益不大（林生傳，2000）。林生傳（2000）檢視教育學術研究的發現或理論對於教育決策與教育實務有哪些影響或貢獻，發現很少的研究結果是真正對實務有用的，因為教師所面臨的教學情境是特殊的、實際的、零碎的、混雜的，正式理論或教育科學知識需要經過轉化才能適用。至於教師的行動研究，其目的主要在於解決學校或任教班級所發生的實際問題，不

是在於建立一套理論，所用的研究方法不要求嚴格、複雜的設計，也不需用到高深的統計方法，研究結果可應用在自己的教學工作，又不需要花費冗長的時間來撰寫研究報告，但是研究結果無法推論到其他班級或學校情境。由以上的敘述可以了解行動研究與學術研究之間存在明顯的差異，其差異可由表12-1可以得到清楚的了解。

表12-1

行動研究與學術研究之比較

主題	行動研究	學術研究
研究目的	實際問題解決、增進能力	擴展可推論的科學知識
研究設計	過程較鬆散、不嚴格控制	嚴格控制流程、設計複雜
研究對象	自己任教學校的學生	自己任教學校學生及其他地區學生
抽樣方法	全班或全校採普查方式	隨機或代表性抽樣
資料分析	簡單的統計分析或呈現質化的原始資料	複雜及高深的統計分析或質化技術
結果應用	強調能應用到實際教學	重視理論的建立或印證
研究報告	無固定架構、格式	固定的架構、格式

 參　教師參與行動研究的模式

教師以往大都是擔任「被研究者」，被要求填寫問卷或是教學時接受觀察，現在則是倡導教師要參與研究，因此有必要先對教師參與研究的模式有所認識。基本上，可以將教師參與研究分成三種模式（Henson, 1996）：

一、教師提供資料

這種模式主要是教師提供上課情境或學生給外部研究人員進行研究，或者是提供資料（行為紀錄、測驗成績等）給大學研究人員進行研究。

二、傳統的合作模式

教師與校外人員如大學或其他機構合作的教授或碩博士班學生共同研究，由大學研究人員實施，教師較少參與研究過程中的決定，決定權在別人的手中，教師缺乏主導權。這種模式受到很大的批評：主題太過理論、廣泛或膚淺、研究的主題老師不認為是重要的，這種研究模式對學校或教室沒有明顯的幫助，而其優點是使教師能對社會大眾呈現教學歷程。

三、教師完全參與的研究

這種模式教師可以完全掌控研究的決定權，可能是一人進行，也可能是組成研究小組進行研究，研究結果可應用在改進學校或是班級的實務。也稱為教室本位模式，教師對教學及管理實務的問題可以得到立即的回饋，不用發表在專業期刊，但可了解改變做法是否能改善教室表現或行為。教師要進行行動研究，應該採用第三種模式，自己掌握決定權，而這種模式依參與成員的多寡，又可分為下列幾類（方永泉，1999）：

(一) 個別式教育行動研究

基於實際情境中所遭遇到的問題、困難，由教師個人所主動進行的行動研究，研究的過程係由研究者本人獨力完成。

(二) 合作式教育行動研究

教師、研究者或其他志同道合者，共同協力進行研究，解決學校或教室內所發生的問題，又可稱為「合作的行動研究」（cooperative action research），這個方式是教育行動研究中的最重要主體。這種研究結合了理論研究者與實務工作者，可說是拉近理論與實際、研究與行動的最好示範。

(三) 技術式教育行動研究

指研究者去說服教師實施某一種創舉，教師雖然仍是實地研究者，但實則是研究的代理人（agent），一切均依據研究者預擬的計畫行事。

━━━━━ **第二節　行動研究的實施方式** ◀━━━━━

壹　行動研究的基本歷程

　　行動研究包括了幾個主要的階段：尋找研究起點、釐清情境、發展行動策略並付諸實行、公開知識，以下分別說明之（趙長寧，1999；夏林清與中華民國基層教師協會，1997；Altrichter et al., 1993）：

一、尋找起始點

　　行動研究典型的起始點是一些失調的經驗，以及對這些失調經驗的反思，或者是想嘗試新方法以增強個人的力量或改善現實的情境。而失調的經驗可能來自於以下幾方面：期望與真實狀況之間所發生的差距、現在情境與一般價值的傾向或目的的差距，或者人與人之間對同一情境或觀念的差距。行動研究開始於反省這些差距，且試著去減少認知差距的產生。如何尋得研究的起始點？Altrichter等人（1993）建議可從幾個方面著手：1.從教師實際經驗著手，想想有哪些問題，是長久以來一直想要探究的？有哪些情境造成教學或學生學習困難，想有效地去解決？2.從教學日誌中去尋找，從教學的情境去分析，例如：什麼問題常常出現在教學的情境中？為什麼某個學生上課老是無精打采？為什麼用傳統的講述，學生的反應總不如用角色扮演來得有趣等。3.情境中發現問題，例如：當某一事情發生了，可能會浮現幾個問題：是什麼因素造成這個情境？是誰造成的？為了要了解這情境，什麼背景因素是特別重要的？

二、釐清情境

　　在釐清情境的階段，最主要包含三個部分：澄清研究的起點、

蒐集資料及分析資料。澄清研究起點的方法很多,例如:利用與朋友或不同團體的對話。在對話中,一方面,研究者盡可能對其研究的問題、構想提出詳細的說明;另一方面,與研究者對話的朋友或團體盡可能提出問題,要求研究者說明,但不要表達個人的價值判斷或告訴研究者該如何進行研究。亦即,不要試著主導研究的方向或方法。

蒐集資料的方法很多,例如:文件分析,從文件中可以獲得一些與研究問題有關的訊息;例如:分析課程表和工作計畫、用於考試的報告或測驗、會議紀錄、工作卡和任務分配的資料、教科書的章節、學生的作業簿等。其他蒐集資料的方法還包括:日誌、上課情境的札記、照片、錄影錄音、觀察、訪談等。

資料分析的方法很多,以建構性的方法(constructive methods of data analysis)和批判性的方法(critical methods of data analysis)最常被使用。資料分析建構性的方法的過程,首先摘要所蒐集到的資料,例如:在什麼情境下蒐集?為什麼蒐集?用什麼方法蒐集?這份資料最主要的事實是什麼?有什麼特別之處?其次,將所蒐集的資料加以分類,並根據類別登錄資料,例如:哪些資料是屬於教學法的資料?哪些資料是屬於師生互動的資料?哪些是屬於學生反應方面的資料?最後,再將各類資料加以量化的處理,例如:哪些類別的資料出現的次數有多少?在批判性的方法方面,其分析應包括:檢核任何發現支持證據的信度及尋找任何反對它的證據。

三、發展行動策略並付諸實踐

例如:發展一套新的課程方案、一種新的教學方法,或是不同的班級經營策略,以改進教師的教學與學生的學習。研究者要如何找到各種適用的行動策略?其途徑如下:從分析教學情境、從實際資料蒐集、從教育目標(即價值的探討)、從與同事的討論、從觀察別人如何處理類似情境中、從書本或文獻的建議等過程之中,

去發展行動策略。發展行動策略之後，進一步將發展之行動付諸實踐。從實踐中，研究者必須觀察、自我反省、批判其行動策略及實踐的情形，檢視行動後的結果，如未能解決或改進所提出的問題，必須再重新回到釐清情境的階段，澄清問題、蒐集資料、分析資料。之後，再發展行動策略並付諸實踐。如未能解決所提出的問題，必須再重複以上的步驟，直到問題得到解決或改善為止。

四、公開知識

行動研究最後的階段是公開研究所得的知識。為何公開知識很重要？因為公開發表可讓其他教師也分享研究成果，使教師研究的知識免於被遺忘，也讓教師在寫作發表知識過程中，增加其反省教學品質，在專業成長上扮演更積極的角色，進而強化自我專業的自信及地位。基於上述的優點，行動研究鼓勵教師公開從研究中所建構出的理論和知識。

 行動研究的實施步驟

依據上述的基本歷程，行動研究的主要實施步驟可分為九項，茲概述如下（張世平、胡夢鯨，2000；林生傳，2000；蔡清田，2000；楊龍立，2016）：

一、找尋研究問題

行動研究的問題通常就是實際工作中所遭遇的問題，從事行動研究的教師，經由日常教學的札記、心得、日誌、教學觀摩、與同事溝通討論、向學者專家請益等各方面所得到的訊息，來思考所要研究的問題。

圖12-1

行動研究螺旋模式

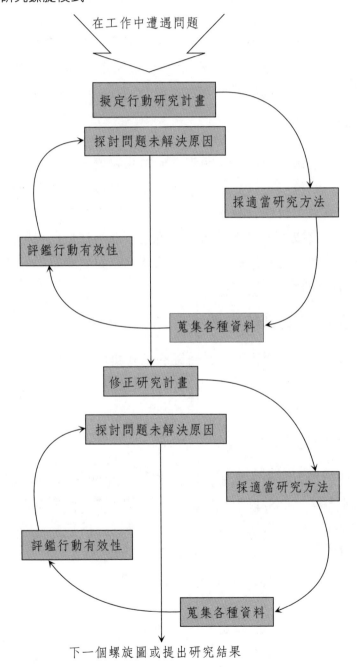

註：引自教育研究法（頁318），葉重新，2017，心理。

二、分析問題並研擬解決問題的可能行動方案

即對問題予以界定，研究者要確定問題的範圍、決定待答問題的陳述方式並診斷其原因，以期對問題的本質具有較為清晰的認識。研究者並且要研擬解決問題的行動方案，行動方案中的內容包括：1.說明需要改善的因素或情境以及所應採取的具體行動；2.說明行動研究中所需的資源；3.說明訊息的來源與管道，以及相關的理論架構。

三、閱讀相關文獻

研究者參閱相關文獻，可以從前人的研究發現，加以整理、分析、歸納、批判，作為自己研究的參考。

四、擬定研究計畫

研究計畫包括：研究的對象、研究工具、採用觀察、訪談或問卷調查，工作人員的任務與分配，蒐集資料的過程與方法，邀請學者專家參與指導等。擬定研究計畫時可以和同事討論，以修正或再定義第一階段中所陳述的初始問題。

五、採取行動及蒐集資料

這個階段要將所研擬的行動方案付諸實施，研究者統合各種研究法，不自限亦不排斥特定研究法，例如直接觀察、問卷、調查、測驗、工作日誌、週記、教學札記等，有系統的來蒐集所需的資料，再對資料做深入分析，以了解問題的原因。

六、修正行動方案與再實施

研究者藉著情境中提供的事實資料，來批判修正原行動方案內容之缺失。如果問題尚未獲得滿意的解決，則必須反省、修正行動方案，直到能有效消除困難或解決問題為止。

七、評鑑與回饋

研究者可與參與研究者共同檢討，並判斷問題解決成功與否，若問題尚未獲得完全的改善，則評估再次實施行動研究的可行性與必要性。

八、提出研究報告

在整個研究結束之前，研究者必須將行動研究中所蒐集到各種資料加以分析，藉以釐清研究問題，最後作結論與建議。但研究者須注意本身研究資料的特殊性，以免類推應用到其他情境。

九、經驗分享

在行動研究結束之後，研究者宜將研究的結果發表出來，以增進彼此經驗交流，進而達到不斷成長與創新的功效。原則上，行動研究的結果不是一定要整理成論文，發表於刊物，不過，如能與教育同行分享經驗當然值得鼓勵。

第三節　蒐集資料方法及行動研究的效度

教師一邊教書一邊蒐集資料並不容易，為了更能完整地了解問題真相，至少要在同一段時間內以二種以上不同方法蒐集資料，或是從二種以上不同對象了解其對某一問題或事件的看法，這稱之為三角交叉法。因為只用一種資料或一種分析，會扭曲現實，資料來源愈多愈能接近現實，所以教師要透過訪談、觀察與文件分析進行資料的校正；或對從教師、家長、學生取得資料，進行人的校正。資料蒐集到一個段落，就要透過分析使資料意義化，質性資料通常比較難整理，要將資料依不同主題歸類整理，最後要形成結論，分析過程中要融入教師自我反省與批判思考的精神（Miller,

2002）。因為蒐集資料與行動研究的效度有密切關係，本節同時論述有關效度的議題。

壹 資料蒐集方法

　　蒐集資料在行動研究過程中屬於重要而複雜的一環，有必要作詳細說明。正式研究所使用的方法皆可適用在行動研究之中，但因為行動研究的樣本數不大，在取樣上比較不需要複雜的抽樣方式，而在研究設計上雖不必十分嚴謹，但也不能太過離譜。筆者檢視行動研究與班級經營相結合的研究報告，發現多數的研究是採質化技術來蒐集資料，純粹是量化的資料的研究則是少見，行動研究重視資料來源的多元化，量化資料或是質性資料均可應用到研究之中，以下分質、量兩種資料說明之。

一、質性資料的蒐集方法

　　所謂質性資料是指經由觀察、訪談和文件分析所獲得的文字資料，這些資料不是計量的，是無法用統計學進行分析的，這些方法有（Freeman, 1998; Miller, 2002）：

(一) 教師、學生的日記

　　教師日記（journals）可記載教學、學校活動和教室事件，包括個人的想法、情感反應、反省和對周遭的觀察及解釋。教師的反省日記可以由以下三種途徑來撰寫：事後反思、社會互動反思以及行動中反思。事後反思屬於教師個人反省的層次；社會互動反思是與夥伴分享，屬於教師專業知識的討論、批判；行動中反思是觀察學童、對教室現場靈敏的體察，屬於後設認知的運思。學生的日記亦是行動研究的重要資料之一，教師可引導學生寫下自己對學習的知覺，徵求同意後適度引用到研究報告中。

(二) 教學日誌

　　教學日誌（teaching logs）或稱為研究日誌，是行動研究常用的方法之一，記錄上課中發生的事情，包含個人有關觀察、情感、

反應、詮釋、反省、直覺、研究假設和解釋的相關紀錄，例如：偶發事件、學生參與、資源使用、過程和結果等，其目的在讓教師了解自己的教學過程是如何進行的。如能與老師的教學計畫合併使用效果最好，可比較教師對教學的期待和真實發生情況間的差異。

(三) 文件蒐集

有關研究主題的文件資料蒐集後加以分析，例如課程大綱、單元計畫、學生寫作、學生作品、教科書、評量工具、學生檔案、學生紀錄等。

(四) 軼事紀錄

教師對學生行為表現迅速寫下的紀錄，包括師生的行為互動、教學或學習情境下的表現，軼事紀錄（anecdotal records）可協助教師歸納出學生行為和學習的模式。

(五) 田野札記

觀察要作田野紀錄，可與軼事紀錄相結合，但教學時要蒐集資料有時也很難做到，非參與觀察比較可以蒐集到有價值的資料。觀察法也可以與錄影和錄音結合使用，事後再將這些資料轉譯成文字資料。

(六) 訪談

半結構訪談及非結構性訪談所得到的書面紀錄是質性研究的重要資料來源，如果教師有時間上的壓力，可以採用「二分鐘訪談」，利用下課時間只問一或兩個問題，結束後立刻寫下訪談重點。

二、量化資料的蒐集方法

質性資料是以文字方式呈現，相反地，量化資料是以數字呈現，需要運用統計分析來解釋資料，蒐集量化資料的方法有以下幾種：

(一) 問卷調查

問卷調查是老師設計一組集中在特殊主題或領域的問題，讓學生勾選個人的意見或想法，例如李克特式五等量表、封閉式問卷。

(二) 實施心理或成就測驗

對特殊行為或心理問題的學生，可以適當的測驗施測之，以了解其未接受行動方案前的狀態，也就是建立行為的基準線，但老師要注意的是施測之前最好取得家長的同意。

(三) 社交計量法

為了解同儕之間的互動情形，老師可實施社交計量法（sociometry），實施時老師先發一張紙給學生，然後再假設一些情境，如讓全班學生自由選擇座位，他喜歡和哪些同學坐在一起，同學可寫出三個人的姓名，再標上順位，並寫出原因，接著進行統計工作，畫出「社會關係圖」（sociogram）（張春興，2006）。老師可以改變問題讓學生回答，例如：誰是班上作文寫得最好的、誰的口才最好等。

(四) 結構式訪談

年幼或智商較低的學生，可能文字理解能力不夠，無法直接填寫問卷，老師要採用這種方式蒐集資料，由老師問學生回答，再將答案歸類，以統計分析解釋資料。

(五) 考試成績

學生的平時考試、定期考試成績，可拿來分析行動前後的進步情形，是行動方案成功與否的一項重要指標。

(六) 檢核表

老師將全班姓名及行為類型列出，由學生自行填寫或供教師上課觀察紀錄，然後統計行為類型發生的次數。

貳　行動研究的效度

行動研究的效度是可用來判斷研究品質的好壞，王文科和王智弘（2017）提到行動研究的效度有民主效度、成果效度、過程效度、觸媒效度與對話效度。以下為確保行動研究符合上述效度的策略（王文科、王智弘，2017）：

一、講得少聽得多

研究者執行訪談、問問題或討論研究問題時，必須小心調控聽與說的比率，多聽少講，以避免自己成爲最佳資訊的提供者。

二、準確記錄觀察

在教學事件後，研究者要盡早去記錄所觀察到的現象，雖有錄影或錄音可協助，但研究者在許多場合還是要仰賴自己的田野札記、日誌或記憶。

三、提早開始撰寫

研究者要在工作的時間裡，找出時間撰寫日誌，以記載教室發生的事情，並且要利用時間記錄自己的反思。同時也要記下須重新蒐集的教學事件或觀察，以塡補空白。

四、充分報告全部資料

研究者想到去蒐集有關解決問題的資料時，經常會忽視與預期不一致的事件或資料，雖然研究者不需要報告每一件事，但是記載不一致的資料以及進一步去解說，對於了解正在研究的班級或學校所發生的一切是有助益的。

五、要坦白

研究者對他們的工作應保持坦白，假如他們撰寫的敘事希望公開出版或與有關人士分享，則他們要公開揭示在執行探索時可能的偏見。

六、尋求回饋

對於研究者所提出的研究報告，尋求來自同事的回饋是一種好的理念，協助提出有關問題，或尋求文本中的矛盾，讓研究者重新省思，或是再回到班級裡作更爲正確的探究。

第四節　行動研究的實例

　　以下為以行動研究進行班級經營研究的實例：王老師是某國中一年五班導師，他發現班上的上課秩序不佳，學生不專心聽課，他想以「如何改變班級秩序」為題進行研究。他開始以問卷調查、訪談、觀察等方法蒐集資料，了解學生上課有哪些常規問題，二週之後他得到這樣的結論：1.某些人上課經常不守秩序；2.不守秩序的類型有說話、睡覺、看漫畫等；3.早自習、英文課、公民課、午睡等時段秩序最差。王老師依據結論擬定行動方案，利用班會課向同學宣布新的班級經營策略，設計「行為觀察紀錄表」供任課老師填寫班上上課情形，以代幣制定出獎懲標準，以一週為單位統計違規次數，依登記次數給予不同處罰，表現優良者給予獎勵。一個月後再蒐集資料檢討實施成效，成效不彰則加重罰則，當行為常規問題獲得改善，可試著實施新的策略。因為班級經營的問題是層出不窮的，如此行動研究是一直不斷地在進行，教師在實施新的策略之前先要了解問題的現況，才能做到對症下藥，實施後也要探討實施的成效如何，很多教師也都以這種方式在經營班級，但所欠缺的是客觀的資料及實施過程的紀錄，行動研究法的應用可以使教師在面臨班級問題時有更加完善的處理方式。

　　以行動研究來構思班級經營這方面的研究還有以下三篇已發表的文獻。蔡雅泰、田奇玉、徐琬貞（1999）以十三個月的時間進行一項合作行動研究，對成員中蔡老師的班級做長期的研究，目的在探究實際教學過程所面臨的困境及其因應之道，進而探究遭遇困境是受哪些因素的影響。該研究所用的方法主要有觀察、訪談及問卷等三種，再輔以文件、學生日記及教師教學日誌等資料。將這些資料加以剖析之後，研究者得知影響班級運作的負面因素主要為：學生間不良的互動模式、學生違規事件不斷發生、教師外務或工作過多、教師經常不在、教師處理違規事情過於情緒化、科任老師的

批評與貼標籤、過多的大型活動集中在同一學期、訓導工作與導師輔導工作不協調。針對問題癥結，研究者擬訂出重建與維持班級常規的策略：加強上課常規的控制、抑制偷竊與違規事件的持續發生、讓學生自立自主地籌辦園遊會以建立學生自信、運動會中有效地鼓勵與支持使學生更加團結。

幼兒園實習老師秀秀（2000）以行動研究法撰寫實習報告，該報告是以參與觀察、撰寫教學日誌為蒐集資料的方式，作者對她的幼兒園實習的見聞提出一些省思。例如：遊戲時間的吵雜問題、實習老師與輔導老師之間的溝通問題、自己的生涯規劃問題等。由這些省思中，研究者澄清自己心中的疑慮與困擾、了解自己所處的情境、建立清楚的價值觀，因而在教學專業上的成長有極大的幫助。所以行動研究對培養一位「反省性的教師」有不小的助益。

阮惠華（2002）以行動研究的方式研究國小五年級的親師溝通問題，目的在改善班級中親師溝通的困境。研究的進行首先藉由文獻探討了解目前國內親師溝通的情況及影響因素，作為行動研究的理論依據，再透過問卷與訪談的方式調查班級親師溝通的現況，以規劃加強親師溝通的行動策略，在行動研究歷程中，研究者透過導師日誌的記載，詳實地記錄親師溝通的過程與自我的省思，並善用各種溝通途徑來營造良好溝通的氣氛。

第五節　行動研究的優點與限制

行動研究具有激發教師研究動機、改變教師教學態度、改進教師教學方法、發展學生學習策略、加強教師教室管理、建立考核評鑑程序、提高行政效率和效能、教育理論應用於實際等八項的功能（張世平、胡夢鯨，2000），所以在教育上的應用日益普遍，對改善教學及提升個人的專業成長有很多的幫助，然而這個研究模式尚存在許多有待克服的限制，研究者必須避免陷入困境而不自知。

壹　行動研究對教師的正向影響

　　許多學術論著也一直強調「教師即研究者」（teacher as researcher），認為要真正成為一位專業人員必須投入研究工作，這是教師的基本職責（方永泉，1999；蕭英勵，2001；Henson, 1996）。話雖如此，又有多少教師能樂在研究？如果教師能了解行動研究精神，了解參與研究能為自己帶來許多好處，相信對研究的抗拒會降低很多。國外學者（Stevens, Slanton, & Bunry, 1992; Henson, 1996）曾對教師進行一項參與研究對專業影響的研究，大部分教師認為在研究過程中，因對有效教學的實務作法有了更深的體會，所以對改變自己的教學有很大的助益。接受訪問的教師認為參與研究可以得到以下的好處：1.教師能應用研究結果解決班級問題；2.鼓勵以有效率的方法來改變現況；3.恢復教師的活力，避免產生職業倦怠；4.增進教師決定的正確性；5.找出有效的教學和學習方法；6.提升教學的自我反省能力；7.教師成為持續的學習者；8.透過研究發展觀察力和批判力，不再無疑問地接受他人的意見；9.從學生的反應中知覺到學生的需求，增加與學生的互動。

　　國內對此主題的實證研究很少，陳春秀（2002）以教師自我反省的方式，探討課程行動研究與教師專業成長的關係，發現經由行動研究教師可得到以下的專業成長：課程觀的改變、行動研究觀的改變、理論與實際關係的新體認，在研究觀方面，肯定教師可以自己主導研究、可以扮演好「教師即研究者」的角色。大部分的文獻都從理念上來認定教師參與行動研究可得到的好處，歸納這些好處有以下幾項（趙長寧，1999；張世平，2003；蕭英勵，2001）：

　　1.研究在針對工作情境的問題，結果可以立即應用。

　　2.研究者與實際工作者結合，有利於問題之解決。

　　3.研究過程中的立即回饋與發展性有利教育活動的發展。

　　4.可促使參與研究的工作者獲得專業成長。

5.適用於教育活動各種實際情境中問題之解決。

6.對參與研究的工作者研究能力的要求不高。

7.帶動學校內研究的風氣。

8.幫助教師成為終身學習者。

9.培養教師反省批判能力。

10.凝聚內部成員的向心力。

行動研究的限制與改進方法

一、行動研究的限制

蔡清田（2000）和陳伯璋（1988）認為行動研究有以下的限制：

(一) 實務的限制

教師在繁忙的教學工作之餘是否還有能力與動機從事研究工作是值得考量的，教師要同時扮演好研究與教學這兩種角色誠屬不易。

(二) 類推的限制

行動研究沒有抽樣，而且樣本有限，故其研究結果不具有外在效度，只限於當時的特殊情境中適用，如此使行動研究的結果在推廣上受限。

(三) 資料的限制性

行動研究在資料上的取得及資料測量的精確性等問題受到質疑，行動研究者不一定受過嚴謹的測驗理論訓練，其測量結果的信度與效度可能無法讓人信服。

(四) 研究品質不高

由於行動研究的取樣及資料處理較為簡易，而且無法控制變項，因此效度不高，研究品質自然難與正式的科學研究相提並論。

(五) 協調困難

行動研究強調教師與專家學者密切合作，但是研究工作與時間的分配很難恰到好處，而且專家學者的意見可能會有左右教師的想

法或作法。

(六) 研究者的自行應驗作用

　　行動研究以實際問題之解決爲導向，而研究者又是實際工作者，因此是否能正確診斷問題而進行研究不無疑問。此外，在研究過程中大都就技術方面作考量，反省和批判的機會不多，所以可能會產生研究的自行應驗作用，而得到不正確的研究結果。

二、改進的方法

　　行動研究普遍令人質疑的一點爲行動研究的探究缺乏「效度」（validity）。教育行動研究偏向其「內在效度」的評鑑，而較不重視「外在效度」的追求，亦即較重視研究的可靠性或可信賴性，而不重視研究的普遍性（吳明隆，2001）。以下茲就行動研究的效度及推論（generalizability）問題提出改進的方法：

(一) 行動研究的效度問題

　　關於行動研究的效度，有學者提倡「合作探究」，藉由與具省思力的研究人員合作，即可保證研究的效度，此種效度類似於正統科學所稱的「專家效度」，只是行動研究中的專家，不只是經過學院訓練的教授們，而且也包括實務工作者（張芬芬，2001）。由於教育行動研究重視研究者間或研究者與被研究者間的對談，因此有學者提出「溝通效度」的應用也是一種驗證效度的有效方法。所謂「溝通效度」就是指透過訪談者、受訪者之間的對話與討論，來檢核解釋資料的一種效度，此方法在於建立一個雙方都可以接受同意的觀點，如果學生（受訪者）同意，就表示教師（研究者）的解釋是可被接受的。此外，也可以將研究者的解釋相互比較，並請有經驗的教師作分析批判，亦是提高效度的可行方法（夏林清譯，2000）。

(二) 研究結果的推論問題

　　理論應該要具有普遍有效性嗎？後現代的批判理論學者提出挑戰，他們認爲並無普效性的理論存在，理論不應被要求具有普效

性，就如同醫生對於某一病症所開的處方，未必適合所有病人。人類學家米德（M. Mead）認為，問題不是「這一個案具有代表性嗎？」而是「這一個案代表哪一類？」（張芬芬，2001）。行動研究的目標在於了解學校或班級中所發生的事件，並且決定在此脈絡下該如何解決問題。因此，行動研究者不必擔心資料的推論，因為他們的目的並不在追求終極真理。行動研究所探討的問題，是某個情境中的迫切問題，問題的探究與解決是以該情境為範圍，因此研究結果的應用不宜做過多的推論。

💡 問題與討論

一、何謂行動研究法？並簡述進行行動研究法的流程。

二、試比較正式的教育研究與行動研究有哪些差異。

三、某國中成立資源教室對一年級數學低成就學生進行補救教學，請以此研究情境為例，設計行動研究法的實施步驟。

四、行動研究蒐集資料的方法有哪幾種？

五、何謂三角校正（triangulation）？舉實例說明行動研究要如何應用。

六、行動研究有何優缺點？針對其缺點要如何克服？

第 *13* 章
資料的整理、分析與解釋

<hr>

第一節　資料的整理

<hr>

　　量化資料本身並不會說話，我們必須適當地應用統計，來組織、評估、分析這些資料，使這些資料的意義呈現出來。當問卷資料回收之後，研究者要將這些原始資料加以整理，確定資料正確無誤之後，才能進行統計分析，以下是資料整理的要點：

壹　資料的編碼與計分

　　編碼（coding）是資料處理的第一步工作，這是一種技術性程序，研究者透過此一程序將資料加以類別化，並將原始資料轉化成數字，以便統計分析之用。編碼可分為兩種：事前編碼（precoding）和事後編碼（postcoding）（郭生玉，1997）。

一、事前編碼

　　所謂事前編碼是指在問卷或量表上，即將受試者的反應加以編碼，例如：封閉式的問卷在施測前已將編碼印製在上面，受試者填答完畢後，就可以直接輸入到電腦之中。開放式題目研究者在未登錄之前，即已將反應類別項目預作規劃，以便資料蒐集時，能立即將自由的反應分類到某項反應類別之中。

二、事後編碼

事後編碼是指在受試者填妥問卷或量表後，根據受試者的反應記錄進行編碼。比較麻煩的是開放式題目的編碼，研究者對答案的類別化應審慎處理，確定各個答案均予以分類，而且要確定各類別是互斥的。

 資料的登錄

所謂資料的登錄即將問卷資料以數字的形式抄錄在資料表上，資料的登錄可以分成兩個步驟：先編製代碼表，再作成資料表。

一、編製代碼表

代碼表的目的在界定數字代碼的意義，並讓人了解變項在電腦資料檔上的位置。所以代碼表不但是登錄資料的依據，也是說明資料檔內各欄位代碼意義的工具。代碼表須包含欄位、變項名稱、變項值與變項值意義等四項內容，請參閱表13-1的格式。編製的原則如下（周文欽，2001）：

1. 每一位受試者資料都須有一個流水號（即編號），其目的是查尋受試者資料之用。

2. 每一個變項都須有欄位，複選題則每一個選項都視同一個變項，並預留足夠的欄位。

3. 問卷裡的每一個問題就是一個變項，並儘量以最關鍵、簡單易懂的英文或中文為變項命名。

二、登錄至資料表

代碼表編製完成後，接下來就可將問卷或量表的原始資料登錄至資料表上。資料表是以矩陣的格式呈現受試者的原始資料，欄位（column）顯示各變項的資料，列（row）則顯示每一個受試者的資料，一位受試者一列資料，若題目很多，則增加到二列資料。

表13-1

問卷的代碼表

欄位	變項名稱	變項值	變項值意義
1-2	NO		每一個值代表一位受試者
		1	基隆市
3-4	CEN	2	新北市
		3	臺北市

註：引自研究方法概論（頁260），周文欽，2001，空中大學。

使用資料表的好處是資料輸入電腦時比較不會出錯，而且發現電腦資料出了問題，可以查尋資料表上的資料，不必再調閱問卷。資料表另一個好處是可以保存資料的原貌，有時研究者常因某些理由把原始資料做加權或轉換，例如反向題，而以轉換後的資料取代了原始資料，隔了一段時間研究者可能記不得資料是否已經轉換過，以致進行分析時得到錯誤的結果。避免出錯的方法是保存原始資料，連反向題都不要重新編碼，直接將問卷的反應抄錄在資料表上（周文欽，2001）。現在資料表的功能已經被微軟的Excel、Word所取代，研究者直接將問卷資料輸入到電腦之中，或是直接輸入SPSS（statistical package for the social science）的資料視窗中，即完成資料建檔工作，發現問題再調出問卷來核對。

參　資料的審核

當問卷回收之後，研究者首先要審核資料的完整性與正確性，其目的在剔除不堪使用的問卷或量表，以確保資料的信度與效度。剔除問卷的原則有二（周文欽，2001）：

1.資料殘缺嚴重者，例如：缺答率在10%以上者，或缺少關鍵資料者。

2.作答反應不可信者，例如：作答反應連續一致者（如全部勾3）、規則變化者（如123123123……）或超出預設的選項值者

（如只有1-5選項，卻答0或6或7）。

肆　缺失資料的處理

　　若受試者在問卷的某一問題缺答、漏答或答案無法判讀，這類資料稱爲缺失資料（missing data），研究者可採用三種方法的一種來處理。第一種方法是隨機法，即用抽籤來決定該一問題的選項或數值，以作爲缺答者的反應。第二種方法是採用各選項的中央程度，以作爲缺答者的反應，假如各選項是「好」、「無意見」、「不好」三者，則可以「無意見」作爲該題的答案。第三種方法是隨機抽取相當數量的問卷，算出在該題上的反應，以平均數或眾數作爲缺答者的反應，如此則可使缺答資料的影響減至最低程度（楊國樞等，2001）。

伍　檢查資料的正確性

　　當資料建檔完畢而尚未執行統計分析之前，有必要先檢查輸入的資料是否正確無誤。因爲資料很多，無法用目測或是與問卷相核對的方式來檢查，通常是先執行電腦統計軟體中「次數分配」這項指令，了解輸入的變項資料是否均在預設的範圍之內，假如發現資料有誤，則以電腦中的「搜尋」指令找到錯誤的數字，再將之作更改，更改完之後一定要按「儲存」這個指令。

第二節　描述性統計

　　統計分析大致可以分爲兩大類：描述性統計（description statistics）與推論性統計（inference statistics）。描述性統計是描述樣本或母群體資料分布情況，其功用是在化約資料（data reduction），當原始資料很多時，如不加以組織及整理，我們很難了解資料中所含之訊息及意義。利用一些基本的描述統計來適當地

呈現資料，這種統計分析適用在沒有研究假設的論文中，或是呈現樣本的分布特性，也可應用在檢視原始資料的正確性與否。推論性統計則從分析一個有代表性的樣本著手，將其結果推論到母群體。以下為常用的描述性統計法（林清山，2014；吳明隆，2022；唐盛明，2003；Best & Kahn, 1998；Martella et al., 2013）：

 壹　次數分配與百分比

　　描述統計中最基本也最常見的摘述資料方法是次數分配（frequency distribution），為了解原始資料的意義，我們必須根據某種方法來將這些資料加以分類，然後報告各個項目中之件數為何，以得到一個次數分配表。建構次數分配表往往是統計分析的第一步，要特別注意的是分類別時，要遵守每一樣本只屬於一類別之原則（mutually exclusive），以及類別要能窮盡地涵蓋全部資料的原則（exhaustive）。從表13-2便可看出這團體特性的大概趨勢。基本的描述統計包括以數字、圖表之方法來呈現資料，我們日常生活中經常碰到這類的統計，最常見的描述性統計是百分比（percentage）、比例（proportion），百分比以100為單位，比例則是以1.00為單位，它的最主要作用是把數據標準化，以便於進行各種比較。以表13-2為例，我們可以了解樣本性別的分布狀況，男生有165人，女生有135人，所占的百分比分別為55%、45%。透過百分比及比例，我們可以比較不同項目間，或不同樣本間同一項目間相對大小的比較。

表13-2

樣本性別分布

性別	次數	百分比	有效百分比	累積百分比
男	165	55.0	55.0	55.0
女	135	45.0	45.0	100.0
總和	300	100.0	100.0	

　　若研究者希望說明兩變項之間的關係，通常會將資料以交叉表（cross tabulation table）（或稱列聯表）的方式呈現，最簡單的交叉表是一個2×2的表，如表13-3。假如我們訪問了415位已婚女性和996位已婚男性，詢問他們對婚姻的滿意程度，得到的回答如表13-3。從這些原始資料中的人數，我們很難看出男女之間對婚姻滿意程度的差別，因此，需要使用百分比把這些原始數據加以標準化。

表13-3

男女婚姻滿意情形人數及百分比

項目	女	男
非常滿意	203(48.92%)	512(51.41%)
滿意	82(19.76%)	279(28.01%)
不滿意	37(8.91%)	88(8.83%)
非常不滿意	93(22.41%)	117(11.75%)
合計	415(100.00%)	996(100.00%)

註：引自社會科學研究方法新解（頁160），唐盛明，2003，社科院。

　　根據這些百分比，我們可以清楚地看出：在樣本中，已婚男性對婚姻的滿意程度高於女性。每100個男性中，有51個對婚姻非常滿意，28個表示滿意；而在每100個女性中，只有大約49個對婚姻非常滿意，近20個表示滿意。百分比的計算非常簡單，用 f（frequency）代表任何一個回答的人數，用 N（number）代表所有回答的總人數，我們就得到了表達百分比的公式：

$$百分比（\%）=\left(\frac{f}{N}\right)\times100 \qquad 比例（proportion）的公式為：P=\frac{f}{N}$$

　　建構類別變項、次序變項的次數分配非常容易，就是計算每一類別中有多少樣本，然後將各類別次數的加總報告出來。而等距或比例變項的資料比較多，因此需要將這些分數型的資料做適當的分

組，以簡要呈現整體次數分配的情況。在建構此種變項的次數分配表時，研究者要決定的事情包括：每組的組距（interval width）要多大？要分成幾組（class interval）？例如：將大學生年齡的組距分為18-20、21-24、25-以上三組。

貳　圖示法

圖示法（graphic representation）也是描述統計常用的摘述資料方法，即以圖形來描述變項的數值，常用的圖表有圓形圖（pie chart）、條形圖（bar graph）與曲線圖（polygram）。條形圖又稱直方圖（histogram），曲線圖或稱多邊圖，適用於類別、次序或不連續之等距變項的圖形。當變項的類別多過4或5個時，條形圖是比較能清楚地呈現次數分配的情況。長條圖也能用來清楚呈現一個變項中不同類別間次數分配的不同。適用於等距變項（特別是連續變項）包括直方圖及曲線圖。直方圖主要是用來呈現連續變項的次數分配，建構連續變項的直方圖時，需要用到組距的真實上下限，如此方能顯示變項為連續的。曲線圖或次數多邊圖（frequency polygon）的建構步驟與直方圖相同，不同的是，其次數分配的狀況不是以長條來呈現，而是以呈現每個組距的中點來呈現，然後將這些中點以直線來連接，曲線圖也常用來呈現趨勢的變化。上述的統計圖請參見統計學之書籍。

參　集中趨勢量數

所謂集中趨勢量數（measures of central tendency）是描述所蒐集到的資料裡各分數的集中情形，也是描述一個團體中心位置的一個數值。例如：我們調查了100個人的收入情況，其中有的人收入很高，有的人收入很低，那麼在這些樣本中，一個人的平均收入是多少呢？這就是集中量數所要探討的問題。集中量數可以用三種方法來測量，即眾數、中位數與平均數。

一、眾數

眾數（mode）指在一個變項分布中出現頻率最高的變項值。變項分布的情況為2、3、3、3、3、4、4、5、5、5、5、5、6、7，這些變項的數值以5出現的次數最多，因此5是眾數。由於知道眾數對於分布的了解無大助益，因此教育研究並不常用眾數。

二、中位數

中位數（median）或稱中數，以Md來代表，是指變項依順序大小加以排列後占最中間位置的分數。在變項的分布中，中位數的值介於這樣一種情況：50%的數值高於它，而另外50%的數值低於它。如果一項分布的數字總個數是單數，中數就是最中間的那個數，如果總個數為奇數，我們先依順序排列，再找出介於中間位置的數值即可，例如：1、2、3、4、5的分布，中數就是3。但是，如果總個數為偶數，我們就有了兩個介於中間位置的數值，在這種情況下，需要把這兩個數值相加再除以2，以求得中位數。例如：變項的分布為2、4、4、4、6、7、8、9共8個樣本，由於總個數為偶數，因此，我們需要取兩個介於中間位置的個案4與6，將它們相加後除以2求得中位數5。

三、平均數

平均數（mean）是最為常見的集中量數描述方法，也是我們最熟悉的方法。計算平均數的時候，我們需要把所有樣本的值相加再除以樣本的總數。平均數常用$\overline{X}$來代表。如果用X_i來代表任一樣本的分數，用N來代表樣本總數，則計算平均數的公式：

$$\overline{X} = \frac{\Sigma(X_i)}{N}$$

其中，希臘字母Σ是一個運算符號，表示所有數值的相加，因此，$\Sigma(X_i)$就是把所有樣本的值相加。

　　什麼情況下使用眾數、中位數或平均數？這與變項的測量精密程度有關，一般而言，對於類別變項，眾數是最合適的選擇；對於次序變項，中位數是最合適的選擇；對於等距與比率變項，則大都使用平均數。但是，選用哪個統計數據有時也視情況而定。例如：在收入的變項分布中，中位數與平均數常常不相一致，由於只有少數人具有較高的收入，而平均數對極大的數值特別敏感，因此收入的平均數往往高於收入的中位數，只看平均數會導致收入的數據失真。在這種情況下，如果想要顯示某種職業員工的收入較低，則可以選擇中位數，當然最好是平均數與中位數同時呈現。

肆　離中量數

　　要了解一個團體的性質，只知道它的集中情形還不夠，還得知道它的分散情形，一般來說，如果一個團體的組成分子能力很接近，則他們的分數會集中在某一點附近，最低分和最高分會相差很小；相反地，如果他們的程度參差不齊，則分數會分散得很廣。用來表示團體中各分數的分散情形的統計數就叫做「變異量數」（measures of variation），這是用來表示個別差異大小的指標。常用的變異量數有下列幾種：

一、全距

　　全距（range）是最簡單的離中量數，它是表示差距的量數，所以適用於等距變項，不適用於次序變項。全距是團體中最大值與最小值的差，但全距不是一個反映數量分布情況的理想數據，因為未能考慮到其他數值的分散情形。

二、平均差

　　用來表示團體中各量數的分散情形的第二種變異量數是平均差（average deviation, AD），用來表示某種量數與平均數之距離，然後再把距離相加，用公式表示為：$\Sigma(X_i - \overline{X})$，其數值也稱為離

差值（deviation）。但這個數值也不能直接用來表達變項的離散情形，因爲離散值的總和往往與樣本的規模有關，如果兩個樣本大小不一，就無法進行比較，因此還要除以總數後才可進行比較。

三、變異數與標準差

爲解決 $\Sigma(X_i - \overline{X})$ 等於0的問題，通常是採用 $(X_i - \overline{X})$ 加以平方的方式，先算出離均差平方和，然後再除以 N，得到變異數，用公式來表示：

$$S^2 = \frac{\Sigma(X_i - \overline{X})^2}{N}$$

而在處理樣本數據時，變異數（variance）的分母通常是取樣本的自由度 $N-1$，而不是樣本的總數。因爲變異數是標準差的平方，所以將變異數開平方便得到標準差（standard deviation, SD）。其公式爲：

$$S = \sqrt{\frac{\Sigma(X_i - \overline{X})^2}{N-1}}$$

式中的 S 稱爲標準差它是表達離散趨勢的量數中，最常被使用的數據，S 值愈大，變項間的分數愈分散，分數愈集中，標準差就愈小。樣本的標準差常以 S 表示，而母群體的標準差則以 σ 表示。

伍 常態分配與標準分數

如把學生的身高、體重、智商等特質分別測量，並將所得的結果繪成次數多邊圖（曲線圖），可能會形成鐘形的常態曲線（normal curve）或常態機率曲線（normal probability curve），也就是所謂的常態分配（normal distribution）。常態分配在統計中是一個很重要的概念，對於描述統計及推論統計均相當重要，是推論統計的基礎。

一、常態分配

　　常態分配是一種理論上的分配模式，但透過這理論模式，配合平均數及標準差，我們可以對實證研究所得的資料分配，做相當精確的描述及推論。因為常態分配具有以下重要的特性：1.常態曲線的形狀為左右對稱若鐘形之曲線；2.這個曲線只有一個眾數，並與中位數及平均數的值相同；3.曲線的兩尾是向兩端無限延伸，但不會觸及基線；4.各分數聚集在中央（平均數）附近。雖然實際調查得到的資料，不可能是這種完美的理論模式，但許多實際得到之變項的資料分配相當接近這種模式，因此可以假定它們的分配是常態的，進而使我們得以運用常態曲線的理論特性。

　　配合平均數及標準差之觀念，我們可以得到常態分配一個重要的特性：在常態曲線下，以平均數為中線，每一邊的面積各占50%。如圖13-1所示，在平均數±1標準差之內的總面積為68.26%，而在平均數±2標準差之內的總面積則有95.44%，在平均數±3標準差之內則有99.72%的總面積。例如：如果全部樣本數是

圖13-1

常態分配中落在平均數與標準差範圍內的次數百分比

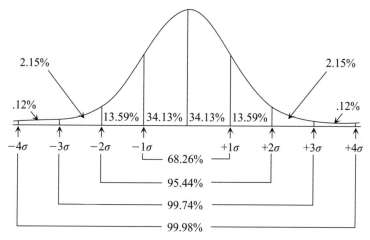

註：修改自*Research in education* (p.354), Best, J. W. & Kahn, J. V., 1998, Allyn & Bacon.

1,000人，則平均數加減一個標準差就有約683人。所以，就常態分配而言，只有少數的樣本是在平均數加減三個標準差以外。

三、偏態分配

　　然而並非所有的分配均是常態分配，有些樣本的資料會呈現偏態分配（skewed distribution）與雙峰分配（bimodal distribution）。在偏態分配，分數較多集中在低分方面，是為正偏態分配（圖13-2），分數較多集中在高分方面，則稱為負偏態分配（圖13-3）。產生偏態分配的因素有很多，如測驗太難或過易，或者樣本異常（智力很高或很低）都是可能原因。雙峰分配則是有兩個眾數，不像常態分配或偏態分配只有一個眾數，其圖形如圖13-4。2005年和2006年2次國中基本學力測驗的英文科，在統計圖上就出現了雙峰分配現象，可能是因為城鄉差距或貧富不均的因素導致英文成績有這麼大的落差。

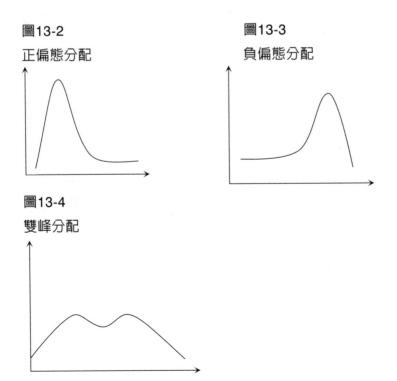

圖13-2
正偏態分配

圖13-3
負偏態分配

圖13-4
雙峰分配

三、資料標準化

　　由於很多變項分布不呈常態分配，因此我們必須把這些變項轉換成常態分配，其方法為將變項的每一個數值轉化成一個 z 值，由 z 值組成的新變量，它的分布形態是一個常態分配，其平均數為0，標準差為1，這種將原來資料中的分數變成 Z 分數（Z scores）就稱為資料的標準化。z 值的公式為：

$$z = \frac{X_i - \overline{X}}{S}$$

　　將原始分數加以直線轉換為 Z 分數時，團體中各個人之間的相互關係仍然保持原狀，毫不改變，只是變為平均數等於0，標準差等於1而已。這種 Z 分數可以用來比較兩個處在不同變量分布中的變量值。例如：某學生參加了兩次考試，第一次得54分第二次得了89分，我們想要知道相對全班的情況，他在哪一次考試中考得比較好，我們可以利用 Z 分數來做比較。

　　標準化之後，常態曲線之下面積的劃分情形變成圖13-5所示，平均數與 $+1z$ 間的面積為.3413，落在這個區間的事件機率為.3413，落在這個區間的人數百分比為.3413。透過 Z 分數表的查尋，我們可以找到從某一個 z 值到平均數之間的面積，從而看出該 z 值在分配中的位置。例如：一名智商為120的女子，z 值為2，由圖13-5可知由0-2區間的面積為.4772（.3413＋.1359），因此她的智商大約高於98%（.05＋.04772＝.09772）的女性。因為 Z 分數在實際用時會帶有小數點，使用起來不太方便，因此將 Z 分數以直線轉換成 Z 分數（用大寫 Z 表示），其公式為：$Z = az + b$，像 T 分數、托福考試成績等，均由此轉換而來。

圖13-5

常態曲線的面積

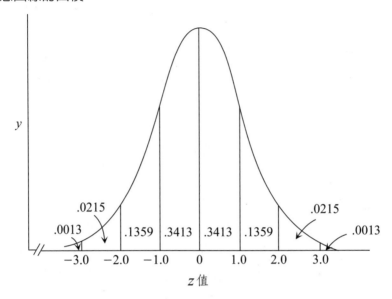

註：引自心理與教育統計學（頁103），林清山，2014，東華。

第三節　推論性統計

　　在教育研究中，普查的機會是很少的，絕大部分的研究是從母群體中抽取樣本，根據樣本測量結果再預測或推論至母群體。在統計學上，處理這方面的內容就稱為推論性統計，如果母群體人數不多，因而採用普查的方式，則需要使用無母數統計分析（nonparametric statistical methods）。推論性統計主要的內容有二：估計（estimation）與假設考驗（hypothesis testing），說明如下（林清山，2014；吳明隆，2022；張紹勳、林秀娟，2005；翁定軍，2004；Best & Kahn, 1998；Gall, Gall, & Borg, 2007；Gay, Mills, & Airasian, 2006）：

壹　估計

當母群體的性質不清楚時，我們須利用某一量數作為估計數，對母群體的特徵進行估計，以幫助了解母數的性質，這種估計稱為母數估計（estimation of parameters）（或稱參數估計）。估計可以分成點估計和區間估計兩種。

一、點估計

點估計（point estimation）是指當母群體參數不清楚時，用一個特定的值（統計量），例如：以樣本平均數（$\bar{X}$）來代表母群體的平均數（μ），以樣本變異數（S^2）推估母群體的變異數（σ^2）。但在獲得資料時，可能會因使用的研究方法不正確，造成估計偏差，有時雖然抽樣方法沒有偏差，但因樣本太小或運氣不好，抽到的資料不具代表性，這種由於抽樣資料算出的估計值與母群體參數值之間的誤差，稱為抽樣誤差。故統計估計值可列成這樣的關係式：估計值 = 參數 + 方法偏差 + 抽樣誤差。

所以一個好的估計值應具備的三個條件：不偏性（unbiasedness）、一致性（consistency）、有效性（efficiency），才能得到較準確的估計值。但點估計仍是以誤差的存在為前提的，而且不能提供正確的估計概率，故不是一個好的估計方式。

二、區間估計

區間估計（interval estimation）是用數線上的一個線段，來說明參數的值可能落在這一個線段之間，這就是以信賴區間（confidence interval）來表示所欲估計之參數在某區間內的可信賴程度。區間估計的原理是來自抽樣分配（sampling distribution），是由同一母群體做同樣方式重複的抽取同樣大小之樣本後所得到的次數分配。因此，抽樣分配也就是所有可能得到之統計值的次數分配，而此抽樣分配的標準差叫做「標準誤差」（standard error）。標準誤愈小，信賴區間就愈短，估計正確機率也就愈高，減少標準

誤的方法是增大樣本數量。

最常用的區間估計方式是母群體平均數的區間估計，其計算方式可分為母群體的σ已知時和σ未知時兩種情況（二者之界定請見表13-4）。σ已知時的計算比較簡單，樣本平均數的上下加減1.96個標準誤，包括有母群體平均數在內的可能性將有95%；以樣本平均數的上下加減2.58個標準誤，包括有母群體平均數在內的可能性將有99%。以95%的信賴水準為例，其區間估計值的表示方式如下：

$$\overline{X} - 1.96\sigma\overline{X} < \mu < \overline{X} + 1.96\sigma\overline{X}$$

σ未知時的計算步驟則比較複雜，其步驟為：1.計算樣本的平均數和標準差；2.計算標準誤；3.確定顯著水準；4.根據樣本的自由度（$N-1$）查t分配表，確定t值；5.確定並計算信賴區間。標準誤的公式如下：

$$S\overline{X} = \frac{S}{\sqrt{N}} \quad N為樣本的數量$$

表13-4

σ已知或未知的界定

σ已知	σ未知
1.已有研究者就母群體的性質做過研究，或大量取樣建立過常模。	1.沒有人研究過，或仍不了解母群體的性質；沒有有關常模。
2.可查到的資料。	2.查不到σ的資料。
3.不必估計。	3.須用不偏估計數估計。
4.不必抽樣，假定N無限大。	4.必須自母群體中抽樣，抽樣大小為N；因為N有大有小，所以自由度隨取樣的大小而有不同。
5.樣本平均數成常態分配。	5.樣本平均數成t分配。
6.統計考驗時，要查常態分配表。	6.統計考驗時，要查t分配表。

註：引自心理與教育統計學（頁220），林清山，2014，東華。

母群體參數μ的信賴區間的表示方式如下：

$$\bar{X} - t_{\frac{\alpha}{2}(df)} S\bar{X} < \mu < \bar{X} + t_{1-\frac{\alpha}{2}(df)} S\bar{X}$$

因爲求95%的信賴區間$\alpha = .05$，使用雙側考驗故α除以二分。

 貳　假設考驗

假設考驗是推論統計中應用最普遍，也是最爲重要的統計方法，假設考驗也稱爲顯著性考驗（test of significance），是研究者從理論出發，對母群體的有關特徵提出一定的研究假設，再透過抽樣設計抽出研究樣本，依據樣本的統計結果對假設成立與否進行判斷，也就是依據樣本結果證實或推翻母群體有關假設的一種統計方法。以下分爲假設考驗基本概念、基本步驟和假設考驗方法三部分說明之：

一、假設考驗的基本概念

假設考驗具有以下幾項基本概念：

(一) 虛無假設與對立假設

推論統計的一個重要概念是假設的設立，假設分爲虛無假設（null hypothesis）與對立假設（alternative hypothesis）兩種，虛無假設以符號H_0表示之，對立假設以H_1表示之。虛無假設表示在樣本中我們所觀察到的差異，或者在樣本中可能存在的變項關係，在母群體中並不存在，虛無假設的一般形式爲$H_0：\mu_1 = \mu_2$。假如我們在樣本中發現女性每天看電視的平均時間多於男性，那麼我們必然要問，這種差別在母群體中是否也存在呢？這就是一個假設考驗的問題，其虛無假設爲$\mu_1 = \mu_2$，即在母群體中男性觀看電視的平均時間（μ_1）與女性觀看電視的時間（μ_2）不存在任何差異。第二種假設稱爲對立假設，與虛無假設正好相反，對立假設是假設兩個團體存在著差異或相關。例如：在上述觀看電視的例子中，對立假設

可以是$\mu_1 \neq \mu_2$、$\mu_1 < \mu_2$，或者是$\mu_1 > \mu_2$。

在統計學的傳統上並不直接去考驗對立假設，而是以考驗虛無假設為中心，在統計考驗裡，並不是用正面的證據來證明我們所提的理論為真，而是用反面證據來否證（refutation）它。如果統計考驗的結果是虛無假設錯誤，那麼我們就排除虛無假設，接受對立假設。虛無假設的排除意味樣本中存在的差異或相關，同時也存在於母群體之中。例如：探討不同教學法對國中一年級學生在科學態度上的影響，實驗組接受合作學習法上課方式，控制組接受傳統講述法上課方式，統計假設的寫法如下：

對立假設：實驗組與控制組學生在實驗處理前後，其科學態度之改變有顯著差異。

虛無假設：實驗組與控制組學生在實驗處理前後，其科學態度之改變無顯著差異。

(二) 單側考驗和雙側考驗

假設考驗可以分為單側考驗和雙側考驗，凡考驗單一方向性的問題就叫做單側考驗（one-tailed test），將所有α全集中於左端或右端，它通常適用於含有「大於」、「多於」、「少於」之類的問題，例如：當$H_1 : \mu_1 > \mu_2$時，就把α全部集中在曲線的右端，α所占的區域稱為臨界區或拒絕區。單側考驗統計假設的寫法如下：

$$H_0 : \mu_1 = \mu_2$$
$$H_1 : \mu_1 < \mu_2 或 \mu_1 > \mu_2$$

當研究假設為$H_0 : \mu_1 = \mu_2$；$H_1 : \mu_1 \neq \mu_2$時，因不強調方向性只強調有差異的假設考驗就稱為雙側考驗（two-tailed test）。雙側考驗指拒絕區域位於曲線的兩端，每端的機率為$\alpha/2$，若$\alpha = .05$，則每一端的機率為.025，使用雙側考驗較難達到顯著水準。電腦統計套裝程式（如SPSS）的顯著性考驗常直接使用P值法，P值是指在虛無假設H_0為真的情況下，得到等於或大於此一觀察結果的統計

考驗值的機率，若$P < .05$就可以拒絕虛無假設。

(三) 兩類錯誤

假設考驗的結論並不是絕對準確的，無論是拒絕或接受虛無假設，都存在著犯錯的可能性，只是所犯錯誤的機率有大有小而已。所犯的錯誤有下述兩類：

1. 錯誤地推翻虛無假設

虛無假設實際上是正確的，但我們卻拒絕了它，這種錯誤稱為第一類型錯誤（type I error）。犯第一類型錯誤的機率常以α來表示，α又叫做「顯著水準」（level of significance），在一般心理學與教育研究的文獻裡，通常都採用0.05顯著水準或0.01顯著水準，若計算得到的p值（probability）小於α，表示p進入否定區，從而否定虛無假設。顯著水準訂得愈低，則犯第一類型錯誤的機率愈大。

2. 錯誤地接受虛無假設

虛無假設實際上是不正確的，但我們卻接受了它，這時所犯的錯誤稱為第二類型錯誤（type II error），犯此錯誤的機率以β表示之。假定我們為了儘量避免第一類型錯誤，把α定得更小，例如$\alpha = .001$，則臨界線必須再向右移。此時，犯第二類型錯誤之概率反而又增加了，為了減少犯第一類型錯誤，而冒犯更大第二類型錯誤和使統計考驗力（power of test）降低，這是不值得的。統計考驗力是指正確拒絕H_0的機率，其算法為$1-\beta$，以（$1-\beta$）來表示，統計考驗力愈強，犯第二類型錯誤的可能性就愈小。由表13-5可以知道α、β及（$1-\beta$）的關係。

二、假設考驗的步驟

假設考驗通常包括下列五個步驟：

(一) 建立先決條件

由於假設考驗屬於推論性統計，故其先決條件有：1.樣本必須用隨機取樣的方法取得，只有滿足了這個先決條件，樣本的結果才

表13-5

α、β及（$1-\beta$）的關係

母群體的真正性質 裁決	H_0是真（兩者相等）	H_0是假（兩者不相等）
拒絕H_0（認為兩者不相等）	第一類型錯誤 α	裁決正確 （$1-\beta$）統計考驗力
接受H_0（認為兩者相等）	裁決正確 （$1-\alpha$）	第二類型錯誤 β

註：修改自心理與教育統計學（頁212），林清山，2014，東華。

可能被推論到母群體；2.樣本的大小也有一定的要求，要使樣本的抽樣分布呈常態分配，樣本就不能小於一定的規模。

(二) 提出對立假設與虛無假設

統計假設包含虛無假設與對立假設，虛無假設一定是一個關於「不存在」的假設，對立假設是一個關於「存在」的假設。在研究設計時，研究者通常會提出研究假設，研究假設的寫法比較接近對立假設，所以研究者要根據研究假設提出對立假設，再依對立假設決定虛無假設。例如：在考驗兩個母群體平均數的差異情況時，對立假設可能是$\mu_1 \neq \mu_2$、$\mu_1 < \mu_2$，或者是$\mu_1 > \mu_2$，第一種對立假設說明了一種不相等關係，在具體的考驗方法上，我們需要採用雙側考驗的標準；第二種與第三種對立假設說明兩個不同方向的關係，在具體的考驗方法上，我們可以採用單側考驗的標準。

(三) 決定統計方法

假設考驗方法有很多種，最基本的方法有三種：平均數考驗、變異數分析與卡方分析。這幾種考驗方法的計算過程各不相同，但是最終的計算結果都是一個單獨的值，t考驗的計算產生一個t值，變異數分析的計算產生一個F值，卡方分析的計算產生一個卡方值。研究假設的寫法有二種：1.探討變項之間是否有顯著相關；

2.探討變項之間是否有顯著差異。所用的統計考驗方式則分為以下兩類：

1. 探討變項相關的統計方式有積差相關、多元相關等（如相關研究法所提到）。

2. 探討變項差異的統計分析有單因子變異數分析、卡方考驗等。

另有一點要注意的是：在計算考驗值之前要先了解σ是已知或未知，才能正確得到數值。

(四) 確立顯著水準與劃定拒絕區

假設考驗的第四步是針對不同的考驗方法建立一個臨界值，用來與考驗方法的計算結果相比較。臨界值的大小取決於兩個因素：自由度（degree of freedom）和概率水準（probability level）（即顯著水準）。自由度（df）是任何變數之中可以變化的數值之數目，例如：平均數為10的3個數字，可以有無限個組合，這3個數字可以是10、10、10，可以是2、8、20，也可以是5、15、10。任何3個數字，只要總數為30，平均數就等於10。但是，在這3個數字中，如果其中一個數字的值被確定，那麼可以自由變化的數字就只有2個了。也就是說，在3個數字的情況中，自由度是3−1 = 2。根據同樣的道理，在4個數字的情況中，自由度是4−1 = 3；換言之，自由度總是等於$N-1$。在概率水準已確定的情況下，不同的自由度常常導致不同的臨界值，概率水準也用p來表示，通常設在.05或者.01。

(五) 比較計算結果與查表得出的臨界值

假設考驗的最後一步是在一定的概率水準上比較計算結果與查表得出的臨界值的大小。在$p = .05$的情況下，如果計算絕對值大於臨界值，我們就可以排除虛無假設，轉而支持對立假設；如果計算絕對值小於臨界值，我們就無法排除虛無假設。

三、常用的統計方法

在統計方法中，我們將介紹三種常用的統計方法，即t考驗、單因子變異數分析及卡方考驗。本節僅探討其適用時機，詳細的計算公式請見統計的相關書籍。

(一) t 考驗

t考驗（t-test）或稱t檢定，目的在檢定兩組平均數的差異是否達顯著水準。t考驗有以下的先決條件：1.樣本採自隨機抽樣；2.被比較的變項須是連續變項；3.母群體為常態分配；4.兩個母群體的變異數相等。依研究設計的差異，可細分為獨立樣本（independent sample）和相依樣本（dependent sample）兩類，所用的統計方式亦有所不同。較常應用在樣本可以分為兩組的情況，例如：性別、高低分組等。

(二) 變異數分析

當依變項只有一個，而樣本分成三組，或是自變項有二個的狀況下，適用變異數分析（analysis of variance, ANOVA）作為統計的分析方法。其中比較常用的統計分析有以下幾項：單因子變異數分析、二因子變異數分析、共變數分析及多變項變異數分析。

1. 單因子變異數分析

單因子變異數分析（one-way Analysis of Variance，簡稱one-way ANOVA），用在考驗三組或以上的平均數差異。單因子變異數分析有以下的先決條件：(1)樣本的資料是隨機抽樣獲得的；(2)自變項為間斷變項，依變項為連續變項；(3)母群體呈常態分配；(4)母群體的變異數相等。因此種統計方法是以F分配為檢定基礎，故亦稱F檢定。若F值達到顯著水準，則繼續進行多重比較（或稱事後比較）。

2. 二因子變異數分析

二因子變異數分析（two-way ANOVA）之目的是檢定連續依變數如何受到兩個因子（A和B）的影響，其中自變項的不同類別

稱為水準（level），當一個自變項有二個水準，另一個自變項有三個水準，則稱為2×3的變異數分析。在二因子變異數分析中，每一個自變項會對依變項產生主要效果（main effect），也可以獲得二個自變項之間的交互作用效果（interaction effect），當統計結果顯示變項之間存有交互作用現象，研究者就不需要將焦點放在主要效果上。

3. 共變數分析

共變異數分析（analysis of covariance, ANCOVA）是研究者在進行實驗研究時，不能用隨機分派的方式分派受試者至各組，所以各組原本可能就有差異存在，因此採用統計控制的方法將影響依變項的因素加以排除。共變數分析最常應用在教學實驗方面，研究者要了解經實驗處理後實驗組或控制組的後測成績是否存在顯著差異，即可以前測成績為共變項，進行共變數分析。

4. 多變項變異數分析

單變項與多變項的差異在於依變項的數目，前者只有一個依變項，後者有二個以上。因此當變異數分析中的依變項由一個增加為兩個，即成為多變項變異數分析（multiple analysis of variance, MANOVA），共變數分析中的依變項由一個增加為二個時，即成為多變項共變數分析（multiple analysis of covariance, MANCOVA）。

(三) 卡方考驗

卡方考驗（chi-square test或χ^2 test）又稱為百分比考驗，其目的在於考驗實際觀察到的樣本次數或百分比與理論或母群體的期望次數或百分比是否有所關聯，或是否有顯著差異。常用交叉表（列聯表）來當分析工具，交叉表中的細格不是次數便是百分比，在考驗時應注意細格期望次數小於5之格數不得超過總格數的20%。由卡方考驗亦可計算出兩個變項之間的關聯強度，以推論母群體是否存在相關。

第四節　統計方法的選擇與結果的解釋

　　在撰寫研究設計時，就要思考用什麼統計方法來考驗研究假設，如果這個問題解決了，接著就要思考統計結果要怎麼解釋，在電腦套裝軟體日益普及的情況下，操作電腦執行統計分析變得相當簡單，但如果統計基礎不夠扎實，跑出來的結果可能不知道要如何解釋。研究者要寫好學術論文，有必要在統計學方面下一番功夫。

壹　統計方法的選擇

　　分析資料的統計方法相當多，一種研究資料可同時使用幾種不同的統計方法進行分析，所以研究者必須熟知各種統計方法，以便選擇最適合於研究問題的分析方法。通常研究者要依據研究假設來選擇統計方法，而研究假設又涉及變項的屬性與個數，變項屬性最簡單的二分法是分為類別變項或連續變項，我們將從變項屬性的觀點，來介紹常用的統計方法（郭生玉，1997；吳明隆，2022；周文欽，2001；Martella et al., 2013）：

一、一個變項

　　單獨描述一個變項的特性，就要使用單變項的統計分析，可以用來檢查資料、對此變數的分布特徵做初步判斷，再依據此變數分布特徵，選擇合適的統計模式，所以檢查所有變項的分配情形是在進行統計分析之前不可省略的步驟。若只針對一個變項進行統計分析，其所用的方法為描述統計，連續變項使用平均數、標準差、峰度、偏度、標準分數、單組t考驗等，類別變項使用次數分配、百分比、圖示法等。

二、兩個變項

　　兩個變項可分成自變項和依變項，如果兩個都是連續變項可

用積差相關、簡單迴歸分析；兩個都是類別變項可用二因子卡方考驗、ϕ相關，二個次序變項可用斯皮爾曼等級相關。一個類別變項（自變項）與一個連續變項（依變項），可以使用t考驗（自變項可分兩組）、單因子變異數分析（自變項可分為三組及以上）；一個類別變項（二分名義變項）與一個連續變項，可以使用點二系列相關。

三、三個變項

自變項是二個類別變項，依變項是一個連續變項，則可使用二因子變異數分析；也可使用多元迴歸分析，但是要將類別變項轉換成虛擬變項。

四、三個以上變項

依變項是一個連續變項，自變項有多個預測變項，可以使用多元迴歸分析，同樣要將類別變項轉換成虛擬變項。要探討三個自變項對一個依變項的影響，就要使用三因子變異數分析。

五、多變項統計分析

統計方法相當多，前面所提到的方法多屬於單變項統計，其目的在探討自變項對一個依變項的影響，許多心理與教育現象錯綜複雜，往往是由各種變項交互綜合影響結果，如果將各變項單獨分開分析，可能使分析的結果失去意義，因此多變項分析法（multivariate analysis）日益受到重視。多變項分析法主要是用來分析具有兩個或兩個以上依變項的資料，主要的方法有以下幾項：因素分析、典型相關、多變項多元迴歸、徑路分析、區別分析、多變項變異數分析、多變項共變數分析、結構方程模式等。

貳　統計結果的解釋

研究者經由統計分析獲得研究結果，便要進一步說明其意義與

關係。解釋不像描述那樣只告訴我們「發生了什麼」，而是要說明「爲什麼發生」，也就是要探討結果的可能原因。不同專家學者會對同一研究結果提出不同的解釋，所以歧見與爭論是很難避免的。研究結果的解釋是否得宜，有賴研究者本身的素養與能力，以下僅就解釋統計結果的注意事項說明之（黃光雄、簡茂發，2003；楊國樞等，2001；Gay, Mills, & Airasian, 2012）：

一、解釋要以統計分析的結果爲依據

爲了避免言無所本，在作分析結果的解釋時，宜配合表或圖來敘述，表與圖的製作要精簡、適宜，且能容易閱讀。根據表或圖來敘述並非只是作表面的說明而已，應要作深入的闡述。

二、解釋時應針對研究的問題

一個研究的研究問題不僅是研究者所界定的研究範圍，也是研究者研究的興趣所在。研究所需要的資料即應在研究範圍之內進行蒐集，資料分析的結果即是要解決所要研究的問題，因此在解釋時應隨時注意到所要解決的研究問題，宜避免超出研究範圍，作不必要的引申。

三、解釋勿忘研究限制

任何研究均有一些研究限制，這些限制都必須在解釋結果時加以考慮，例如：研究工具沒有良好的信度與效度，抽樣受到限制而無法隨機化等。

四、避免違反統計考驗的結果

統計考驗可視爲一種決策的歷程，考驗的結果即是要作爲決策的依據，如果在進行統計考驗之前設定統計考驗的顯著水準爲.05，只有在機率小於.05的情況下，研究者才可說考驗的結果具有統計上的意義。解釋時不能說差一點點就達到顯著水準，或者是

為了讓考驗達到顯著水準，而任意更改統計數字。

五、解釋時要明確指出分析結果的實質意義

　　一般常見的解釋僅以統計的術語作說明而已，而沒有做到解釋，例如：「兩組的差異達到.05的顯著水準」，這樣的說明並不明確，既然其差異具有統計上的意義，則應明確的指出哪一組較優哪一組較劣。

六、避免過度地引申

　　在解釋統計分析的結果時，宜避免超乎統計意義的解釋，以免造成誤導。舉例來說，如果研究中的某一個組在某一適應量表的得分低於平均數（假定此量表的得分愈高表示適應愈佳，愈低表示愈差），在解釋時應避免說得分低於平均數者在適應上有困難或適應有問題，除非研究者是在做一項診斷性研究，否則不要作診斷性的解釋。

七、避免作因果關係的解釋

　　在教育研究裡，關係研究十分普遍，但關係研究的解釋也最常出錯，變項之間的關係只是解釋的變異數大小的問題，不能解釋變項間有因果關係存在。

八、研究結果與假設不符的解釋

　　如果研究結果和假設不符合時，就要解釋研究過程中的每一個步驟是否有缺失存在。例如：理論與假設不正確、方法不適當或不正確、測量不適當或效度信度不夠、分析錯誤等。研究者細查之後，發現沒有錯誤，則可斷定問題出在假設或理論的不正確，此時可依據結果來修正理論。

九、獲得未曾假設結果的解釋

　　研究者在考驗假設的各種關係時，必須留心資料中是否有未曾
預期到的關係，未曾預期到的發現可能是錯誤的或是偶然的發現，
處理這種發現要抱著懷疑的態度，在決定接受這種發現之前，應單
獨加以研究，以驗證其眞實性。例如：我們假設：實施能力分班可
能有益於聰明的學生，而無益於能力較差的學生。假定考驗的結果
支持此項假設，但同時又發現到在都市與鄉村地區，學生的能力分
班與其學習成就的關係有顯著的差異，我們就要進一步就都市與鄉
村來分析能力分班的影響情形。

問題與討論

一、何謂描述性統計？常用的描述統計方法有哪些？

二、何謂推論性統計？常用的推論統計方法有哪些？

三、下列的問題適合使用何種統計進行考驗？

　　1. 城鄉地區教師對開放教育的贊同程度的差異情形

　　2. 性別在閱讀成就的差異情形

　　3. 不同家庭類型在家庭氣氛的差異情形

　　4. 不同社會階級學生在學業成就的差異情形

　　5. 不同社會階級學生在能力分班的差異情形

四、請解釋何謂第一類型錯誤、第二類型錯誤與統計考驗
　　力，並請說明三者之關係如何。

五、請說明變異數分析之基本假設、適用時機、假設寫法及
　　分析步驟。

六、請說明常態分配定義為何。如果統計資料不是呈現常態
　　分配，研究者該如何處理這些資料？

七、研究題目為「國小學童家庭背景、早餐習慣與學業成就
　　關係之研究」，請寫出研究假設及統計考驗方法。（家
　　庭背景包含父母教育程度、父母職業、母親就業與否三
　　項，早餐習慣分為在家吃、在外面買到學校吃二項）

八、使用統計方法進行假設考驗時，請問 t 考驗、單因子變
　　異數分析、多元迴歸分析適合應用在哪些情況？

九、研究者在解釋統計結果時，試寫出五點所要注意的事項。

第 *14* 章
學術論文的撰寫與發表

━━━━━━━━ 第一節　學術論文的格式 ◀━━━━

　　什麼是學術論文？從字義上來看，學術是指專深而有系統的學問，論文指研究、討論問題的文章，用文字形式把一項科學研究的歷程與結果表現出來，通常稱為學術論文。在教育領域方面，無論是應用研究或是基礎研究，只要對所研究的教育問題提出了新的見解或觀點，或運用新的研究方法，或得出新的結論，將這些成果寫成文章就是學術論文（裴娣娜，2004）。

　　學術論文可以分為四類：學位論文、研究報告、期刊論文和專書，學位論文和研究報告的結構比較相似，期刊論文則需遵照期刊所規定的架構，其內容沒有前二者那麼繁瑣。本節僅針對最常用的學位論文為範例，來探討撰寫的格式。

壹　學位論文的內容架構

　　一篇正式的學位論文至少要包含以下三個主要部分，即論文前置資料、論文主體架構及論文參考資料，以下分別說明之（葉重新，2017；周文欽，2004；潘慧玲，2022）：

一、論文前置資料

　　在論文主體之前的部分稱為前置資料（preliminary materials），其內容包括以下幾項：

(一) 主題頁

　　一篇論文如裝訂成單行本，除封面外，載有論文主題的一頁稱為主題頁，主題頁要撰寫以下內容：1.學術研究機構名稱；2.論文類別；3.指導教授；4.論文題目；5.研究者姓名；6.論文提出年月。其格式請見圖14-1。

圖14-1

論文主題頁格式

```
○○○○大學○○系（所）○○論文
指導教授：○○○博士


　　　　　論文題目




研究生：○○○撰
中華民國○○年○月
```

註：引自教育研究法（頁330），葉重新，2017，心理。

(二) 認可頁

　　又稱為簽名頁，是預留給指導教授、口試委員及系所主管簽字之用，表示本論文是通過學位論文口試。

(三) 致謝詞

　　旨在表達對幫助或協助完成論文的重要人士之謝意，致謝對象通常包括指導教授、口試委員、協助蒐集或處理資料的人，及自己的至親等。這部分的文字不宜太多，通常以不超過一頁為原則。

(四) 論文內容目次

　　論文內容目次（簡稱為目次），旨在將整本論文的各章節、參

考文獻與附錄的名稱依序列出，並加註頁碼，以利讀者能迅速找到想閱讀的頁數。一般論文內容目次只要包括到二級標題即可。

(五) 表格目次

如論文中有表格資料，將之列出成為表格目次（或簡稱表次），並加註頁碼。表格的編號方式可以使用三碼或兩碼，例如：表1-2-3、表1-2，三碼表示第一章第二節第三個表，如果表不多則可以使用兩碼。

(六) 圖形目次

如論文中有圖形資料，將之列出成為圖形目次（或簡稱圖次），並加註頁碼，圖形目次的寫法與表格目次相同。

(七) 中英文摘要與關鍵字

摘要（abstract）是論文中關鍵性內容的總結與概括，許多刊物在發表論文時要求在論文正文之前加一內容摘要。學位論文摘要可以讓讀者對整本論文有概略性的了解，以便決定是否要繼續閱讀該論文。摘要分中文摘要及英文摘要，撰寫時要將整篇論文的內容扼要敘述，實證性論文一般是撰寫研究問題、方法、結果、結論與建議等項目，評論性論文或理論性論文摘要的內容包括：分析的主題、目的或架構、資料的來源及最後的結論。撰寫時語言要簡明扼要，以不超過一頁為原則。摘要的最後要列出本論文的主要關鍵詞，一般論文會要求列出三至五個關鍵詞，其主要作用是方便使用電腦來檢索，而所列的關鍵詞要能準確反映論文的內容和主題。

二、論文主體架構

論文主體為整篇論文最重要的部分，其內容詳如表14-1。學位論文的主體通常都分成五章：1.緒論；2.文獻探討；3.研究設計與實施；4.研究結果與討論；5.結論與建議。量化與質性研究在撰寫的內容項目上亦稍有不同，例如：質性研究不列研究假設、研究對象有些以研究參與者替代等。

三、論文的參考資料

　　參考資料通常都是列在論文主體之後，這部分的資料包括兩種：參考文獻（reference）及附錄（appendixes）。參考文獻較早稱為參考書目（bibliography），但參考文獻所包含的範圍較廣，是指本論文所引用和參考的圖書資料或網路資料，參考文獻中所列舉者必須和論文中所引用者相符合，不可多列，也不可少列。附錄則是作者對其所用的研究工具作補充說明，有些資料放置在本文中，不但對了解文意沒有幫助，反而有礙於報告的流暢性，此時必須將這些資料放置在附錄中。例如：研究者自編的問卷、調查表或量表、訪談逐字稿、會議紀錄、不重要的統計資料（如項目分析等）等。如果附錄超過一種以上，必須加上附錄編號的標題，如附錄一、附錄二等。

表14-1

學位論文的內容項目

量化研究	質性研究
一、論文前置資料	一、論文前置資料
(一)主題頁	(一)主題頁
(二)認可頁	(二)認可頁
(三)致謝詞	(三)致謝詞
(四)目次	(四)目次
(五)表次	(五)表次
(六)圖次	(六)圖次
(七)中英文摘要與關鍵字	(七)中英文摘要與關鍵字
二、論文主體	二、論文主體
(一)緒論	(一)緒論
1.研究動機	1.研究動機
2.研究目的與問題	2.研究目的

（續）

量化研究	質性研究
3.名詞釋義	3.待答問題
4.研究範圍與限制	4.名詞釋義
(二)文獻探討	(二)文獻探討
(三)研究設計與實施	(三)研究設計與實施
1.研究架構與方法	1.研究方法
2.研究假設	2.研究對象或研究參與者
3.研究對象	3.研究程序
4.研究工具	4.研究信實度
5.實施程序	5.資料整理與分析
6.資料處理	6.研究者角色
(四)研究結果與討論	(四)研究結果與討論
(五)結論與建議	(五)結論與建議
1.結論	1.結論
2.建議：對教育實務的建議、對未來研究的建議	2.建議：對教育實務的建議、對未來研究的建議
(六)參考文獻及附錄	(六)參考文獻及附錄

註：修改自教育論文格式（頁5），潘慧玲，2022，雙葉。

貳　附註

　　撰寫論文時，要對論述內容做進一步之詮釋、補充，或是對引用之資料做出處的交待，就要使用附註（notes）。在美國的學術界，有三套最為通用的論文寫作格式，分別為Chicago style、APA style及MLA style，在教育領域的研究中，習慣用APA style，凡是註明資料出處的附註一律採用括弧註（parenthetical reference），括弧註必須與參考文獻搭配，內文中括弧註所引用的資料一定要列入參考文獻中，以註明資料的出處。另有腳註（footnotes）及尾註

（endnotes）的方式，於於本文頁底稱為腳註，放於本文之末的稱為尾註，可用來補充內文之不足，亦可用來交待資料的出處。APA格式也可使用腳註或尾註，只是其功能僅用來補充說明內文之不足（潘慧玲，2022）。

━━━ 第二節　論文主體部分的撰寫要領 ━━━

茲以量化研究學位論文的結構來敘述論文主體的撰寫要領（林生傳，2003；郭生玉，1997；楊孟麗、謝水南譯，2021；Mertler & Charles, 2008；Mertens, 2014）：

 壹　緒論

緒論（introduction）部分包括的內容主要有以下四項：

一、研究動機與目的

研究者在緒論一開始，就必須對讀者說明他所研究的是一個什麼樣的問題，做這樣的研究有什麼意義和價值。因此，研究動機與目的的內容須包括：研究的起源、問題的背景、研究的重要性和研究的目的，讓閱讀者了解研究的方向和理由。撰寫研究動機時必須從兩方面提示研究的理由：一為問題的重要性，二為當前的資訊不足，無法解釋或解決問題。而研究目的的撰寫必須簡要說明此研究的貢獻或價值，以具體舉例為宜。

二、待答問題或研究假設

待答問題的列舉係列在研究目的的敘述之後，以疑問句表示；研究假設則列在研究目的之後，或是在文獻探討之後的第三章列舉，以陳述句表達。任何研究都要以具體的待答問題或研究假設為行動的指引，因此，必須具體、明確地列舉待答問題或研究假設。

三、重要名詞釋義

為了向讀者更清楚地交代研究的重要變項或重要概念，以及為了使他人可以用同樣的方法驗證所得結果，研究者要將重要名詞及重要變項列舉出來，並加以定義。一般而言，較佳的定義方式是先運用概念性定義，接著再採用操作性定義。

四、研究範圍與限制

研究範圍與限制旨在界定研究所涵蓋的時間、空間、對象、內容，而研究限制則是研究者意識到在研究範圍、設計、方法等方面無法克服的問題。研究範圍大致可以分別從研究對象、研究時間、研究區域、研究變項等方面略作說明。許多研究的研究限制的寫法如下：「囿於時間與經費的限制，本研究無法從事更大規模且深入的調查與研究……」，時間和經費的限制是每個研究者都會遇到的困難，這項困難是可以克服的，因此不建議將之列為研究限制。研究者可以從以下五方面來思考研究的限制：1.研究情境；2.研究對象（抽樣方式）；3.研究方法；4.研究者的能力；5.研究結果的解釋。

貳　文獻探討

文獻探討（review of literature）即將有關研究問題的理論和相關的研究結果加以綜合探討。研究者必須在蒐集並閱覽相關文獻之後，才開始撰寫研究計畫，若在撰寫研究計畫時尚未完成文獻探討的工作，研究者也要在研究計畫中提示文獻蒐集的方向和綱要，作為進一步蒐集的依據。文獻的範圍極為廣泛，除非你是以歷史研究法進行研究，需要蒐集年代久遠的文獻資料，不然研究者應針對該領域重要學者的論文及最近十年發表的研究（資料愈新愈好），詳加蒐集並仔細研讀。因為文獻探討是研究假設及研究工具的重要依據，所以研究者需要有系統地陳述相關文獻，以提供研究假設的理論基礎，如此可使讀者確信研究設計的適切性與合理性。

研究設計與實施

　　這個部分主要是向讀者交待清楚研究者是如何取得研究結果的，所以在這個部分通常要從以下幾方面來作說明：

一、研究架構與方法

　　說明本研究有幾個自變項、中介變項、依變項，並且以箭頭標明變項之間的關係，以圖示方式呈現，這一部分為整個研究的藍圖。研究方法則說明本研究所使用的方法是調查研究或實驗研究。如果是敘述性研究、歷史研究或是質性研究，可能無法畫出研究架構圖，這個時候可以將此一部分省略或改以其他方法作呈現。如果研究方法採用相關研究或調查研究，則研究方法可以省略。

二、研究假設

　　目前研究假設的寫法有二：一是在緒論的待答問題之後；二是在「研究設計與實施」的第二部分。通常敘述性研究是沒有研究假設，相關研究、實驗研究則大都採用第二種寫法。研究假設的寫法是以條列式敘述句的方式陳述本研究的所有假設。

三、研究對象

　　研究對象要說明的問題有：1.對象是誰？國中生或高中生？來自何處？2.是採用普查或抽樣調查？如果是抽樣應說明如何抽取樣本，為什麼選定某一特定的抽樣方法？要將抽樣的程序詳細說明。如果不計畫抽樣也要說明理由。3.選取了多少研究樣本？有效的樣本有多少人？4.受試的特徵是什麼？研究報告中要將全部樣本依性別、年齡、教育程度……個人背景變項加以統計，列出人數及百分比，使讀者對受試者的特徵及代表性有所了解。

四、研究工具

研究工具是指研究過程中用來蒐集資料的儀器、量表、問卷或測驗等工具，研究者要說明這些工具如何取得，是自編？或是採用現成的工具？如係使用他人工具，應得到編製人的同意，如係自己修訂或編製，應說明編製流程，例如：理論依據、如何預試、項目分析資料、信度效度的高低等數據。

五、實施程序

主要說明研究過程是如何進行的，例如：使用調查研究法進行研究時，要說明樣本如何選取、研究工具如何編製、問卷如何施測、如何催收問卷等過程。在研究計畫中有關研究之流程可以流程圖或甘特圖（Gantt chart）呈現出來。

六、資料處理

資料處理或稱統計分析，說明以何種軟體或方式來處理問卷或觀察所得的資料。例如：量化資料可以統計套裝軟體SPSS或SAS進行分析，並依研究假設逐一說明驗證假設所使用的統計方法。如採用質性研究，則應說明如何將訪談資料轉成逐字稿、編碼、分類與分析。

肆　研究結果與討論

研究結果與討論是論文的核心部分，在這部分除呈現統計表、統計圖和說明外，尚須對所發現的事實和關係加以解釋。呈現結果的順序一般以研究假設或待答問題為架構，即分別以研究假設或待答問題為標題，在每一標題之下，最好先簡單地將研究假設再敘述一下，然後將有關的統計資料有組織地呈現出來，再說明資料所顯示的重要事實和關係。

討論是論文中最關鍵的部分，研究者要依據研究結果來說明研

究假設是否成立，而要對當前研究所得結果的意義進行解釋，同時還要對導致或產生這種結果的可能原因進行闡述。在這部分中，研究者也要將研究結果拿來與文獻探討所提及的相關實證研究結果做比較，解釋自己的研究結果與他人研究的異同。透過比較可達成三個目的：了解研究是否有新的突破、了解當前的研究結果是否具有普遍性、是否發現新的問題。

伍 結論與建議

結論與建議是論文的最後部分，所占的篇幅雖少，但對論文有畫龍點睛的功效。經過結果與討論後，就可以把研究所得歸納、概括出來，這部分稱為研究結論。撰寫結論之前要先敘述研究的主要發現，這部分是將研究結果與討論作一個重點式的摘述，然後再從主要發現中歸納出研究結論，說明研究結果是否支持所提出的研究假設。在撰寫時應注意文字的簡練，同時也要避免結論概括化的程度過大。

在結論之後是要針對研究結果在教育上的應用及未來更進一步研究提出建議。在實務應用的建議方面，建議的內容應依據結論而來，而且必須具體明確而不流於空談，使一般教師及行政人員能思考如何將這些建議應用到實務工作中，研究者所提的建議切忌令人有不做此研究也可提出此種建議的感覺。至於未來研究的建議，則應指出：研究的不足之處、應改善之處、重複這項研究應注意事項及可以繼續探討哪些變項的關係等。讓對此一主題感興趣者，得知未來要如何持續深入研究。

第三節 學術論文的撰寫體例

教育論文絕大部分採用APA格式來撰寫，所謂APA格式是指美國心理協會（American Psychological Association）在所其出版手

冊中，對有關投稿該協會旗下所屬期刊時必須遵守的規定作一說明。該手冊詳細規定文稿的架構、文字、圖表、數字、符號等的格式，通稱爲APA格式，相關領域的期刊、大學報告、學位論文也常參考其格式，作爲要求投稿者及研究生之依據。APA在2020年更新至第七版，該手冊的內容包括文章結構、資料引用、圖表製作、數字與統計符號及其他常用格式等五大項。爲尊重知識財產權及作者的著作權，任何人在撰寫著作時，凡曾參考、引用或轉述他人著作的文章，無論是複述作者意念或原文抄錄，均須在文章內註明引文出處及列出參考書目，因此，能使用規範化的引文及參考書目的格式，是個人必須具備的基本的資訊技巧（潘慧玲，2022；American Psychological Association, 2020）。本節就針對這種格式的寫作方式作重點說明（林天祐，2002b，2002c，2010；林君昱，2011；林雍智，2023；潘慧玲，2022；American Psychological Association, 2020）：

壹　資料引用

APA在正文的引註方面是採用括弧註，資料引用的目的，一方面指出引用資料的來源出處，幫助讀者進一步直接查閱有關文獻內容；另一方面在尊重與保障他人智慧財產權，避免產生抄襲的現象。

一、括弧註的格式

括弧註或稱爲文內註、文中註，使用這個方式可以省略加註腳或附註的麻煩，全篇論文可以不註腳或附註，只在正文內隨引用資料之後加括號，並在文末列出詳細文獻即可。以下爲括弧註的基本原則：

1.文獻引用的方式主要有兩種：一種是於行文當中直接引用作者姓氏，如：Razik（1995）的研究……，另一種是直接引用研究的結果或論點，如：教學領導爲校長的重要職責（Conway, 1993）……。

2.正文引註時之基本格式為：（作者，西元出版年份）。中文引註，其間以中文全形逗號「，」區隔之；西文引註，其間以英文半形逗號「,」區隔之。

3.在直接引用與可辨識來源的間接引用資料，需詳細註明頁碼，頁碼前應加上冒號，例如：（作者，西元出版年份：頁碼）。若同一次引註中，同一筆資料之引註頁碼超過兩頁以上，且頁碼是連續的，則起迄頁碼間以破折號「-」相連，例如：（作者，西元出版年份：11-15）。中文引註裡使用全型標點符號，西文引註裡則使用半型標點符號。

4.出版年份與參考書目的寫法相同，以西元表示。若同一作者同一年之多筆資料，需於年份後加小寫a、b、c……以資區別，也可便於與參考書目對照。

二、常用的文獻引用的格式

APA文獻引用的格式主要有11種，以下僅就較常用的格式作一說明：

1.同作者在同一段中重複被引用時，第一次須寫出日期，第二次以後則日期可省略。例如：秦夢群（2001）強調掌握教育券之重要性，……；秦夢群同時建議……。

2.作者為一個人時，格式為：林清山（1991）、Porter（2001）或（林清山，1991）、（Porter, 2001）。若引用特定的頁、圖表、公式，則須標明頁次，例如：中文為（林清山，1991，頁41），西文為（Porter, 2001, p. 6），超過兩頁以上則用：頁41-45，pp. 21-22。

3.二位以上作者時，文中引用時作者之間用and（與）連接，在括弧內以及參考文獻中用&（、）連接。例如：吳清山與林天祐（2001）……或……（吳清山、林天祐，2001）、Wassertein and Rosen（1994）……或……（Wassertein & Rosen, 1994）。

4.當作者人數大於或等於三人時，文內引用格式為"Author1 et

al., 2020"，包含第一次的引用，僅需列出第一位作者姓氏並以"et al."來代表其他作者。例如：Zhang et al.（2020）發現……、吳清山等人（1995）指出……、……兩變項有顯著相關（Zhang et al., 2020）。

5. 作者為組織、團體或單位時，第一次應將團體名稱逐字寫出來，加註其縮寫方式，第二次以後可用縮寫，但在參考文獻中一律要寫出全名。易生混淆之單位，每次均用全名。例如：第一次出現行政院教育改革審議委員會（簡稱行政院教改會）（1998），第二次以後寫成行政院教改會（1998）。

6. 未標明作者的文章，通常把引用文章的篇名或章名當作作者，中文文獻將其置於〈〉內，西文文獻則置於雙引號" "內，例如：（〈教學效能〉，1993）、（"Educators," 1993）。未標明作者之期刊、書籍、手冊或報告，則用《》，例如：（《教育優先區》，1992）；西文則以斜體表示，且每一字之字首以大寫呈現。作者署名為無名氏（anonymous）時，以「無名氏」當作作者。例如：（Anonymous, 1998）或（匿名，1998）。

7. 括弧內同時包括多筆文獻時，依姓氏字母（中文用筆畫）、年份、印製中等優先順序排列，不同作者之間用分號「；」號分開，相同作者不同年份之文獻用逗號「，」分開（西文用半形）。例如：（Pautler, 1992; Razik & Swanson, 1993a, 1993b）或（吳清山、林天祐，1994，1995a，1995b）。若同時含有中西文作者，則先列中文作者，再列西文作者

8. 引用翻譯著作時，當引註作者而非譯者；在年份部分以斜線「／」區分出原著與譯本之出版年份，例如：（Beck, 1981/1999），原著年份在前，譯本在後。也有期刊採用：（Foucault, 1980／尚衡譯，1990）這樣的引註方式。

9. 引用網路資料時，其寫作方式與其他正文引註的寫法一致，例如：蓋浙生（2003）、（蓋浙生，2003）。新聞文獻引註的寫法為作者加上年月日，例如：（吳靜美，2003年5月7日）；若為

本報訊或無署名報導、評論時，則以報刊名為作者，加上年月日，例如：（蘋果日報，2019年10月15日）。

　　10.未直接閱讀原文而間接引用他人引註之資料稱之為二手資料的引註（間接引註），其寫法為：何希慧（2014，引自張堯雯，2020）認為……、林本於1952年提出……（林本，1952，引自陳伯璋，1987）、Rabbitt曾提出……（Rabbitt, 1982，引自Rogers, 1983）。引用二手資料時，參考文獻中只要列出閱讀過的二手文獻出處。

　　11.在文章中引註書名時以《》呈現；篇名或論文名則以〈〉呈現。例如：在馬信行（1998）的《教育科學研究法》一書中提到，李子建（2002）在其〈「求異存同」：學校環境價值觀教育的實施策略〉一文中提到……。惟正文中，古籍書名與篇名運用時，可省略篇名符號，如《論語‧子路篇》。

貳　圖表的製作

　　圖表是直觀、簡明呈現研究結果的重要方式，是研究報告中不可或缺的部分，因此在製作圖表時要注意格式的要求。在安插圖表之前，要先有相關文字的說明，也就是先出現說明文字再出現圖表。每一圖表的大小，應以不超過一頁為原則。

一、表格的製作

　　將資料繪製成表格，一方面可以使研究者節省空間，另一方面可使大量的資料能清楚呈現並方便比較。以下分別從表格的標題、內容、註記以及資料來源作一說明：

(一) 表格標題

　　表格標題包括表的編號和表的名稱，寫在表格之左上方，將表的編號和名稱分成兩列，「名稱」要用粗體字。因表的標題是對表格內容的概括，故用語要簡潔扼要，使人一看便知該表的內容。如果表格跨頁時，在第一頁表右下角括註「（續）」，另頁接續的表

不再出現標號與標題，例如：

表1

標題
_____

_____

（續）

(二) 表格內容

　　論文所呈現的表，不外統計表及文字表兩類，表的內容由標目和數字兩部分所組成，是表的主體部分。標目即分類的項目，一般列在表的最上面一行和左側一列。表格的另一內容是數字，數字占表格的大部分空間，書寫時要整齊劃一，位數要上下對齊。如果數值永遠不可能大於1（如相關係數），則小數點前不需加上「0」；其餘數值小於1則需要加上「0」，例如t值為0.55。製作表格時須注意以下事項：

　　1. 表的框線儘量簡化，上、中、下三條橫線一定要畫出，最外框上下線建議為粗體「1 1/2 pt」。

　　2. 表中欄位的標目（標題）置中對齊，最左欄位下的內容以靠左對齊為原則。

　　3. 表中文字置中對齊，如呈現統計數字，以數字置中並以小數點對齊為原則。

(三) 表格註解

　　表格註解是對表中有關內容的說明，通常是在待註資料右上端加上符號，如：＊、＊＊、＃等，然後在表格底部下方加以說明，其位置要靠左對齊，字體要比正文小些。例如：對機率註解的寫法如下：$*p < .05$　$**p < .01$　$***p < .001$，直接寫機率不必寫註。一般註解則在表的下方加註說明，例如：**註：**（加粗）……。

(四) 表格資料來源

如果表格不是自行整理，而是引用他人資料，這時要加註資料來源，其格式如下：

1. 來自期刊文章類的寫法

引用自期刊文章類的寫法如下：引（出／取／修改）自「文章名稱」，作者，年份，期刊名稱，卷期別，頁別。若有DOI或URL則附上。中文期刊名及卷是粗體字，而西文期刊名及卷是斜體字。例如：**註：引自「網路成癮」，吳清山、林天祐，2001，教育資料與研究，42，111**。

引用自英文資料的寫法如下：**註：出自或修改自"Relationship of personal-social variables to belief in paternalism in parent caregiving situations," by V. G. Cicirelli, 1990, *Psychology and Aging*, 5, 436.**

2. 來自書籍類的寫法

引用自書籍類的寫法如下：引自書名（頁別），作者，年份，出版社。中文書名為粗體字，英文書名為斜體字。例如：**註：引自初等教育（23-24頁），吳清山，1998，五南**。

引自英文資料的寫法如下：**註：引自*The functions of the executive* (p. 26), by C. I. Barnard, 1971, Harvard University Press.**

二、圖形的製作

圖形可以清楚地顯現某種趨勢，尤其可以呈現變項之間交叉或互動的關係，如運用妥當，圖形所提供的資料一眼便可清楚了解。論文中最常用到圖形可分為統計圖與非統計圖兩種，統計圖有多種樣式，例如直方圖、圓形圖、線形圖等；非統計圖則有流程圖、變項關係圖、照片、圖畫等。以下分製圖原則及圖形的格式來說明：

(一) 製作圖形的原則

在製作圖形時要注意以下原則：

1. 圖的名稱需能清晰描述所指資料的性質。

2.圖以簡單清楚為原則，只要足以表達明確之觀點即可，使讀者在未閱讀正文之前，就能了解大概。

3.圖宜謹慎使用，不宜過多，過多的圖形同氾濫。

4.圖中的數字，宜以阿拉伯數字填註，而不宜以其他的數字符號編排。

5.文字內容提及圖時，宜說如「圖1」、「圖3-1」，而不宜以「上圖」或「下圖」表示。

(二) 圖形的格式

不論何種圖形均須包括：標題、內容、註解及資料出處等四部分。以下為撰寫之原則：

1.圖的名稱及編碼宜置於該圖之上且靠左切齊，與表格的寫法相同。

2.繪製統計圖時，縱座標與橫座標本身的單位都要一致，並且要在圖形中標示出不同形式的圖形代表何種變項。

3.圖如有附帶說明或是要說明資料出處，這時需要加以註解，註解則寫在圖的下方加註說明，其寫法與表格註解相同，資料的出處則是緊接其後。圖14-2為圖形格式的範例。

圖表資料出處APA是將完整的參考資料寫出，鈕文英（2007）認為這種方式較為複雜，建議採取括弧註的方式，例如：取自作者（年份，頁次），而將完整的資料出處列於參考資料中。各個學術期刊或學位論文在撰寫體例方面均有其規定，研究者需依要求撰寫論文。

參考文獻的寫法

參考文獻係研究者在論文中所參考的各種資料的總稱，通常置於全文最後，不僅可以提供讀者進一步查閱原著的線索，同時還可顯示研究者對本主題的理論和研究現況的把握程度。因APA格式的引註格式採用括弧註，括弧註必須將正文引註與參考文獻互相配合使用，所以參考文獻裡必須清楚地交待資料出處，以便讓讀者容易

圖14-2

社會階層化影響教育的理論模式

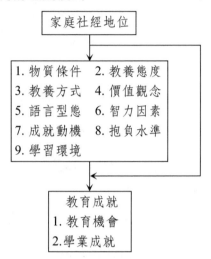

註：出自教育社會學研究（頁69），陳奎憙，1990，師大書苑。

找到資料的來源。以下將參考文獻的寫作方法作如下的闡述：

一、文獻編排方式

茲將文獻編排方式之原則說明如下：

1.中文文獻的書名、期刊名以粗體字來呈現，西文文獻資料以斜體字呈現。

2.中西參考文獻，需分別編排，中文在前，西文在後。

3.中文資料之排列，依作者姓氏筆畫排序；如同姓，則依名排序。西文資料之排列，依作者姓氏字母排序；如同姓，則依名的第一個字母排序。

4.同一作者有多篇論著，則依年份遠近排序，遠在先、近在後。

5.同一作者在同一年內有數篇論著時，則在年份後用英文小寫a、b、c等符號標明。

6. 合作或編輯的著作，列於單獨或個人的著作之後。

7. 出版年份爲求國際流通之便，一律以西元表示。

8. 參考文獻的寫法是第一行靠左，超過一行時，從第二行起均縮排兩個全形字距，英文文獻縮排四個半形字距。

9. 參考書目的排序，可以借助word軟體中的「表格」次指令「排序」來執行，每筆書目要先按「enter」鍵，才能執行排序。

二、參考文獻的格式

APA出版手冊把參考文獻分爲：1.期刊；2.中文雜誌、報紙文章；3.圖書；4.專書篇章；5.會議報告；6.學位論文；7.網頁與網路社群媒體；8.影音媒體類；9.法規等類。在撰寫研究論文時，還是要注意引用文獻的品質，通常學術論文較被認可的參考文獻是有同儕審閱制的期刊論文，書籍次之，因爲一般專書未經審閱。其他碩博士論文、會議報告、研究報告、非學術文章及網頁資料等，因較不具公信力，應避免引用（林君昱，2011）。每一類文獻的格式的寫法都不一樣，以下僅就較常用的格式舉例說明之。

(一) 期刊文獻

期刊文獻的格式如下：「作者（年份）。題目。**期刊名稱，卷**（期），頁碼。DOI（若有）」，通常卷（vol.）、期（no.）與頁碼（p.或pp.）等字均可省略，而期刊名稱、卷中文爲粗體，西文爲斜體。如果期刊論文取自電子網路版，則需加上數位辨識碼（digital object identifier, DOI），若無DOI則需加上網址。以下爲範例：

林生傳（1995）。我國公立高中升學率分配之成因與預測。**教育研究資訊，3**(2)，57-84。

郭靜晃、吳幸玲（2003）。臺灣社會變遷下之單親家庭困境。**社區發展季刊，102**，144-161。

White, J. (1994). The dishwasher's child: Education and the end of egalitarianism. *Journal of Philosophy of Education, 28*(2),

173-182.

VandenBos, G., Knapp, S., & Doe, J. (2001). Role of reference elements in the election of resources by psychology undergraduates. *Journal of Bibliographic Research*, 5, 117-123. doi:10.1048/17688799022548

(二) 專書文獻及翻譯書籍

專書文獻的格式包含作者一人、作者二人以上、有編輯者、翻譯為中文者，其基本格式如下：「作者（年份）。書名（版次）。出版商名稱。DOI或URL」。以下為範例：

歐陽教（1992）。**教育哲學導論**。文景。

郭為藩、高強華（1998）。**教育學新論**（第二版）。正中。

吳清山（主編）（1996）。有效能的學校。國立教育資料館。

Biklen, S. K. (1995). *School work: Gender and the cultural construction of teaching*. State University of New York Press.

Connelly, F. M., & Clandinin, D. J. (1988). *Teachers as curriculum planners: Narratives of experiences*. OISE press.

另一類專書為翻譯類書籍，因是中文著作，故列為中文部分的文獻中，下列在中文作者之後。其參考文獻的格式如下：「作者（年份）。書名〔翻譯者譯，版本〕。譯本出版商。（原著出版年：年份）」其範例如下：

Stewart, D. S., & Shamdasani, P. N. （2000）。**焦點團體：理論與實務**（歐素汝譯）。弘智。（原著出版於1990年）

(三) 專書篇章或論文集

專書篇章或論文集是由多人合著或編輯的專書其中的一章，其格式：「作者（年份）。章名。載於編者（主編），書名（版次）（頁xx-xx）。出版商名稱。DOI」。以下為範例：

吳清山（2002）。國民小學行政組織再造之研究。載於潘慧玲（主編），**教育改革的未來**（頁35-79）。高等教育。

黃昆輝（1989）。教育行政理論的演進。載於**教育行政學**（第二版）（頁61-117）。東華。

Stufflebeam, D. L., & Shinkfield, A. J. (1989)。Stufflebeam的改進導向評鑑（陳舜芬譯）。載於黃光雄（主編），**教育評鑑的模式**（頁181-242）。師大書苑。（原著出版於1985年）

Acker, J. (1992). Gendering organizational theory. In A. J. Mills & P. Tancred (Eds.), *Gendering organizational analysis* (pp. 248-260). London: Sage.

(四) 學位論文、研究報告、研討會等未出版文獻

學位論文、技術與研究報告、研討會論文等皆屬未出版的文獻，以下分別說明寫作格式：

1. 學位論文

學位論文的格式為：「作者（年份）。**學位論文題目**（未出版之碩士／博士論文）。大學名稱。」若取自資料庫，其格式寫法如下：「作者姓名（年份）。**論文名稱**（博／碩士論文，○○大學）。資料庫名稱。網址：……」。其範例如下：

邱天助（1991）。**Bourdieu文化再製理論之研究**（未出版之博士論文）。國立臺灣師範大學。

湯秀琴（2012）。**國民中學校長知識領導、組織學習與學校創新經營效能關係之研究──以桃竹苗四縣市為例**（碩士論文，國立政治大學）。https://nccur.lib.nccu.edu.tw/retrieve/82186/101201.pdf

Hipsher, P. (1994). *Political processes and the demobilization of the Shantytown Dwellers' movement in redemocratizing Chile.* [Unpublished doctoral dissertation], Cornell University.

2. 技術與研究報告

技術與研究報告以政府部門的報告，以及政府部門補助的報告為主，其撰寫格式有二：「作者（年份）。報告名稱。委託／贊助

單位研究計畫成果報告（編號）。執行單位。」、「政府部門（年份）。報告名稱。網址⋯⋯」。中文的報告名稱為粗體字，英文的報告名稱為斜體字，其範例如下：

黃政傑、李隆盛、林新發、張煌熙（1993）。**大臺北都會區教育體系調整之整體規劃**。教育部委託專案研究報告。國立臺灣師範大學教育研究中心。

潘慧玲等（2000）。**學校革新整合型計畫（I）**。行政院國家科學委員會專題研究成果報告（計畫編號：NSC87-2413-H-003-005）。國立臺灣師範大學教育系。

Mead, J. V. (1992). *Looking at old photographs: Investigation the teacher tales that novice teachers bring with them* (Report No. NCRTL-RR-92-4). National Center for Research on Teacher Learing. (ERIC Document Reproduction Service No. ED346082)

3. 研討會論文

研討會的論文是指在學術會議中所宣讀或收錄的論文集，大都以未出版的形式呈現，如果研討會成果經由出版社出版，則視為論文集。其類型有未集結成冊及集結成冊兩類，撰寫格式分別為：「作者（年份，月）。**論文名稱【發表形式】**。會議名稱。舉行地點。」、「作者（年份，月）。論文名稱。載於主辦者主辦之**「會議名稱」**會議論文集（頁□-□），會議舉行地點。」其範例如下：

楊國樞（1999，6月）。**社會科學研究的本土化與國際化**。論文發表於國立臺灣師範大學教育學系、教育部國家講座聯合舉辦之「教育科學：國際化或本土化？」國際學術研討會，臺北市。

溫明麗、歐陽教（1995，3月）。愛、自主性自律與道德。載於國立臺灣師範大學教育系舉辦之**「教育改革：理論與實踐」國際學術研討會論文集**（頁1-39），臺北市，臺灣。

(五) 報紙及法令

在撰寫論文時也經常會引用報紙上面文章，其參考文獻的寫法則區分為有作者及無作者兩種，其格式如下：「作者（年份，月日）。文章標題。報紙名，版別或頁碼。」、「文章標題（年份，月日）。報紙名，版別或頁碼。」其範例為：

林中斌（2012，9月26日）。鬥而不破：東亞海域爭端的戲碼。聯合報，A4版。

明星高中不必消除，明星教育心態務須改進（2003，8月21日）。聯合報，A2版。

至於法令的格式如下：「法令名稱（年份）。取自之網址。」範例如下：

教師法（2019）。https://law.moj.gov.tw/LawClass/LawAll.aspx?pcode = H0020040

(六) 網路資料文獻

網路資料較常的引註的資料包括：一般網頁、電子報、線上論壇、社群媒體、電子布告欄等資料。通常網路資料的文獻引註要寫出年月日，若無法取得確切日期資訊，僅需標示年份、月，或僅是年份，但是內文的引註則只要引註作者與年份。第六版的英文文獻要在網址前加上「Retrieved from」等字，中文文獻則用「取自」二字，第七版就將之取消，連擷取日期也取消。但網頁如果不是固定不變的，還是要加上擷取時間，其格式如下：「作者（年月日）。文章名稱。檢索日期，取自網址……」。網路文獻如未註明出版日期，英文文獻以（n.d.）註明；中文文獻以（無日期）註明。中文文章名稱以粗體字表示，英文文章名稱以斜體字表示，當作者不明時，以書名或篇名代替，另須注意的一點是網址（URL）後不加句點。因為網路資料的種類眾多，茲以較常用的範例陳述如下：

林明地（無日期）。「小班教學精神」之理念與作法。http://ssig.
tnc.edu.tw/teach/doing.htm

張明輝（2002，12月24日）。教育革新方案之形成與推動—以
英美及我國為例。http://web.ed.ntnu.edu.tw/~minfei/artical/
artical(eduadmin)-12.htm

教育部國語推行委員會（編）（1998）。國語辭典。http://dict.
revised.moe.edu.tw/

U. S. Department of Education (n.d.). *The class-size reduction
program: Boosting student achievement in schools across the
nation-A first year report.* http://www/ed.gov/offices/OESE/
ClassSize/

其他如參閱維基百科的格式：關鍵詞（年月日）。載於維基百
科。取自網址……

第四節　研究計畫與報告的撰寫

　　研究工作的一部分是發表研究的成果，研究幾乎全是透過書面
文字發表，即使是會議上口頭發表，但也是要提供書面資料給與會
的參與者。學位論文的正式發表有兩種形式：研究初期的研究計畫
和研究結束後的研究報告。畢業生要依據研究計畫準備畢業論文或
學位論文，大學教師或研究生要申請研究經費補助，要撰寫研究計
畫，研究成果還要撰寫成精簡的研究報告投稿到學術期刊。所以如
何撰寫研究計畫或研究報告成為一項相當重要的課題。因為研究計
畫和研究報告有很大的重疊之處，本節捨去重複部分，分別說明如
何撰寫研究計畫和研究報告。

壹 研究計畫的撰寫

在從事一項正式研究的過程中，撰寫研究計畫是一個很重要的步驟，因為一篇有價值的研究往往是根據事前的完善計畫所獲致的。研究計畫是研究工作進行之前所作的書面規劃，討論要進行的研究主題是什麼，為什麼要進行這一研究，以及打算怎麼去做，將主要的研究步驟和研究假設作詳細敘述，英文稱為"research proposal"或"research plan"。研究工作是一個相當複雜的過程，故須事先縝密規劃，並寫成書面資料，作為研究工作的執行依據。以下將說明撰擬教育研究計畫的方法。

一、撰寫研究計畫的目的

並不是在進行研究之前都要撰寫研究計畫，研究計畫是使用在一些特定場合，例如升學、取得學位或申請補助經費等，撰寫研究計畫的目的可歸出下列幾項：

1. 撰寫學位論文之前，先審查研究的可行性如何。
2. 為了參加碩士班或博士班入學考試。
3. 為了向特定機構申請研究經費補助。

二、研究計畫的功用

一篇好的研究或有價值的研究，往往根據事前的完善計畫，才能獲得良好的成果。在正式進行問卷施測之前，研究者如果能撰寫出完整的研究計畫，經過與師長及同儕的討論，可以避免許多研究過程中的缺失，使自己的研究可以做得盡善盡美。撰寫研究計畫就是在進行研究，計畫一旦完成，整個研究幾乎等於完成了一半。所以撰寫研究計畫具有下列的功用（林生傳，2003；董奇、申繼亮，2003）：

(一) 協助研究者思考與組織

因為研究是一個複雜的過程，牽涉的因素頗多，因此必須事先

規劃。在規劃研究過程時，不僅要掌握重點，也要顧及細節，研究者在選定研究問題，閱讀相關文獻後，便需鉅細靡遺地考慮研究的內容、方法及程序等相關事項。而因爲有待考慮的事項眾多，若僅憑概括性記憶，就容易有所疏忽，因此，須撰寫研究計畫，以充分構思研究的項目與細節。

(二) 評鑑研究結果的依據

撰寫好研究計畫，即可從頭至尾，逐項評估研究的價值與可行性。有了書面的研究計畫之後，可請教專家學者或同儕，請其提供建議與指導，使研究工作更趨完善。如果研究資料蒐集的方法與步驟，都能遵循被認可研究計畫而進行，其所獲得結果自然較能被接受。

(三) 引導研究實際行動

研究計畫是實施研究的藍圖，研究計畫的可貴，是在具體引導實際研究行動，一般而言，在研究計畫中必須詳細規劃研究的程序與步驟，亦需安排研究的資源，預想可能遭遇的困難，以及解決的方法。有了研究計畫之後，研究行動有所依據，因此可以節省研究資源，避免錯誤，提高研究品質。如果研究的實施程序是經過審慎評估，則研究計畫可以作爲管制研究進度的一項依據，告訴自己目前的研究進度是落後還是超前。

(四) 訂定研究合約的依據

從事研究工作時，常需得到行政上的支持，以及經費上的補助，因爲研究工作不僅複雜，而且需要頗多資源。在爭取行政支持與經費補助時，書面的研究計畫是溝通的必要工具，因爲研究者可以藉研究計畫表達其構想，顯示研究的可行性和價值，爭取有關人員的支持。

三、研究計畫的內容

通常研究計畫有一定的格式，大學的研究所或補助經費的機構，都會對研究計畫的格式有所規定，雖然格式不同，但是內容上是相差無幾。以下將詳細說明研究計畫的內容。

(一) 研究計畫的主要內容

　　完整的論文包括緒論、文獻探討、研究設計與實施、研究結果與討論、結論與建議等五章，論文是一本書，所以標示章節，而研究計畫只是一篇文章，內容只能是不分章節的。研究計畫的內容架構包括：壹、緒論；貳、文獻探討；參、研究設計與實施；肆、預期成效；伍、研究進度；陸、研究經費預算；柒、參考文獻與附錄。因為壹、貳、參等部分的撰寫要領已於前文討論過，本節僅就肆、伍、陸三項作一說明：

1. 預期成效

　　撰寫預期成效時，可以從三方面來說明：一為先提示研究的預期結果，二為說明研究完成之後可能發揮的效用，三為敘述研究的重要性。預期結果可以指出研究將如何改善、修正或擴充現有的知識；研究可能發揮的效用則可提出對教師及研究人員有何幫助；研究的重要性則可探討研究對個人研究發展有何幫助。研究的預期成效不僅是研究者的目標與理想，也是爭取支持與贊助的有利條件，因此必須用心撰寫。

2. 研究進度

　　研究進度的擬訂，在於促使研究者估計他完成研究所需的時間，可以督促研究者依照進度完成工作，使拖延之情形減到最低。規劃研究進度的方式可以從兩個方向來考量：一是時間，二是工作項目。通常在研究計畫中說明研究進度時，大都以「甘特圖」來表示。甘特圖將有待完成的活動列在左邊，時間置於上橫列，採用棒狀圖標示每項活動起始至結束的日期如圖14-3所示。

3. 研究經費預算

　　為爭取經費補助，在研究計畫中必須適當規劃經費預算。預算包括哪些項目，則視申請機構的補助經費而定，有些機構可以買儀器設備，有些只規定可以買耗材。如果是學位論文，不必申請經費補助，故本項可以省略。

圖14-3

甘特圖示擬訂進行的研究進度

活動項目＼日期	第一月 113.9	第二月 113.10	第三月 113.11	第四月 113.12	第五月 114.1	第六月 114.2	第七月 114.3	第八月 114.4	第九月 114.5	第十月 114.6	第十一月114.7
1. 準備工作	▬										
2. 蒐集資料	▬▬▬										
3. 編製問卷			▬▬								
4. 預試					▬						
5. 調查實施及訪談					▬▬▬▬						
6. 資料整理							▬▬▬▬				
7. 撰寫報告					▬▬▬▬▬▬▬▬▬▬▬▬▬						

4. 其他

有時研究計畫會要求撰寫研究人員的主要學經歷、發表的著作列出來，作為經費補助的重要依據。但學位論文除非有規定要寫，不然這項可以省略。

(二) 研究計畫和研究報告的差異

從事實際研究工作時，是先撰擬研究計畫，然後進行研究工作，最後再撰寫研究報告。因此，在思考的程序上，應該先構思研究計畫，經過口試或審查之後，研究者將研究計畫的內容作適當修改後即開始執行，最後寫成研究報告。所以研究計畫是事前的構想與規劃，而研究報告則是事後的整理與報導，兩者有下列幾項差異（林生傳，2003）：

1. 敘述的語氣

(1) 研究計畫是未來式。例如：本研究擬採用問卷調查法蒐集相關資料。

(2) 研究報告是過去式。例如：本研究採用問卷調查法蒐集相關資料。

2. 敘述的內容

(1) 研究計畫只有預期結果及成效，而沒有實際研究結果。

(2) 研究報告已有研究結果，必須以研究結果的分析和討論為主要內容。

3. 敘述的長度

(1) 研究計畫的篇幅有限，各項敘述必須提綱挈領，簡潔扼要。

(2) 研究報告有較多篇幅，必須詳盡、完整。

四、撰寫研究計畫（研究報告）的注意事項

撰寫研究計畫時，有一些注意事項要遵守，這些原則亦適用於撰寫研究報告（林君昱，2011；郭生玉，1997；葉重新，2017；鈕文英，2015）：

(一) 請用撰寫文章的方式行文，除研究問題、研究假設外，儘量不要使用條列方式來陳述，除非是使用條列方式比較清楚的情況下才使用。

(二) 研究計畫中的研究工具是否編製完成，則視指導教授之要求而定，通常博士論文計畫口試時會要求編好問卷。

(三) 用字遣詞的注意事項

1. 避免在文字中使用主觀且帶有感情成分的話，也要避免使用誇張、攻擊或批評的文字。

2. 只求把事實告訴讀者，不要企圖去說服別人。

3. 避免使用第一人稱的寫法，例如：我發現……、我們認為……，宜使用第三人稱寫法，例如：作者發現……、研究者認為……。

4. 引證學者資料避免寫恭維的話，例如：某博士，只寫出姓名即可。

5. 重要的專有名詞與外國學者姓氏僅在第一次出現時附原文，眾人皆知的名詞不必附上英文，例如：輔導（guidance）、教育（education）等，儘量減少外國文字。

6.使用白話文平鋪直述，避免使用過於艱深或累贅的字詞。

7.研究報告各章節的撰寫體例應力求統一，一般而言，學位論文採用劃分章節的方式，章節的標題置中，各節內的標號可以分成以下幾層：「壹、」、「一、」、「(一)」、「1.」、「(1)」，「壹」從左邊第一格開始，往後的每一層向內縮排一格。研究計畫或期刊論文可以不採用章節的分法，直接以國字壹、貳為標號。鈕文英（2015）建議章可用20號字體，節用18號字體，壹用16號字體，一用14號字體，(一)以後則用12號字體。論文內文通常使用12號字體。

8.一般統計符號均用斜體，如N、M、df、SSE、MSE、t、F、p。

9.統計結果一般是取小數二位，其寫法的範例如下：雙尾相依樣本t檢定顯示男生和女生的平均回憶率有顯著差異，$t = 1.90$，$p < .001$。女生的回憶率（85.23%）較男生的（80.16%）為高。

10.引用他人文章都要加上引註，若未註明資料出處即構成抄襲，嚴重抄襲若被檢舉，則學位論文會被判定無效；而且引用要適度，若引用太多（三行以上）就算有加引註，也會被視為抄襲，研究者不可不慎。

五、研究計畫的評鑑

一份好的教育研究計畫，不僅要以流暢的文字說明研究目的及方法，以顯示研究的價值與可行性，同時，也要充分表達方法與目的之間的邏輯關聯，以提示達成研究目的之可能性。所以研究計畫評鑑的核心是研究目的、方法以及目的與方法之間的連結，只要掌握此一基本關鍵，便可判別研究計畫的優劣了。所以研究計畫的評鑑要考慮以下的問題（林生傳，2003；Wiersma, 2000）：

(一) 研究的價值

1.對有關解決教育問題的基礎知識有貢獻。

2.對教育理論有貢獻。

3. 對教育研究和教育實踐的方法論有貢獻。

4. 對解決長期和短期教育問題的貢獻。

5. 預期結論對改善教育實踐具有影響力。

(二) 研究的品質

1. 研究者對先前有關研究全面了解的程度。

2. 先前的研究與打算進行研究的相關程度。

3. 研究設計的綜合性和適當性。

4. 研究實施程序的合倫理性。

5. 研究方法的適當性。

6. 統計分析的適當性。

7. 研究成功完成的可能性。

第五節 學術論文的評鑑

　　學術論文的評鑑係指對研究報告的撰寫格式與內容的檢查、分析與評定，研究報告撰寫完畢，研究者可依據一些指標評鑑自己論文缺失並進行修改，雖然沒辦法做到零缺點，但是可以讓論文的缺失降到最低。茲將論文評鑑的規準敘述如下（王文科、王智弘，2017；郭生玉，1997；葉重新，2017；董奇、申繼亮，2003；Gay, 1996）：

 壹 題目

1. 題目是否明確？是否存在過大或過小的現象？

2. 題目是否可研究？即是否可以透過資料的蒐集來進行研究？

3. 題目是否有研究的價值？

4. 題目是否具有教育方面的重要性？

貳　寫作格式

1.論文結構是否完整？是否缺少摘要、關鍵詞或論文中的某一部分？

2.各個章節的撰寫體例是否統一？

3.是否依APA最新版的格式撰寫？

4.是否使用適當的標題和次標題？

參　文字表達

1.語句是否順暢？

2.遣詞造句是否恰當？是否詞可達意？

3.語言是否晦澀難懂？

4.敘述是否簡明、扼要？

5.標點符號使用是否合理？

肆　論文摘要

1.摘要是否概括地報告了最核心的內容？諸如研究方法、研究結論。

2.關鍵詞選擇是否恰當？關鍵詞的個數是否為3-5個？

伍　研究目的

1.研究目的是否源自研究動機？

2.研究目的是否明確？

陸　研究問題

1.研究問題的敘述是否清楚且可驗證？

2.研究問題是否與研究目的有關？

3.研究問題是否對解決實際問題和理論具有價值？

4.重要名詞是否明確界定？

5. 是否述及限制和範圍？

柒　文獻探討

1. 是否涵蓋相關的重要文獻？
2. 文獻探討是否將重要的研究發現有條理地敘述？
3. 文獻探討是否與研究問題和研究假設有所關聯？
4. 文獻探討的組織是否嚴謹？

捌　研究假設

1. 是否列出待答的特定問題或陳述待考驗的特定假設？
2. 每一假設的敘述是否包含兩個變項（或以上）的關係或差異？
3. 每個假設是否可以考驗？

玖　研究設計與實施

1. 研究設計或研究架構是否妥當？
2. 研究方法是否適當？
3. 抽樣的方法是否適當？樣本是否具有代表性？
4. 用以蒐集資料的研究工具是否適當？信度效度如何？
5. 實施過程是否嚴謹？
6. 資料分析方法是否適當？

拾　研究結果與討論

1. 統計圖表是否清楚地呈現研究結果？
2. 每項研究假設是否都加以檢驗？待答問題是否都提供量化資料？
3. 結果與討論是否圍繞待答問題或研究假設而展開？
4. 研究結果是否與文獻探討部分相結合？
5. 研究結果的分析、推論是否客觀和合乎邏輯？

6. 研究結果的討論是否深入？

拾壹 結論與建議

1. 呈現和分析的資料是否能夠證實研究發現和結論？
2. 結論的提出與研究結果是否有關？
3. 是否根據研究結論提出實用上的建議？
4. 是否提出進一步研究的建議？

拾貳 參考文獻與附錄

1. 在文中引用的資料是否全部列在參考文獻之中？
2. 參考文獻的書寫格式及排列順序是否符合要求？
3. 有參考價值的資料是否列在附錄中？

💡 問題與討論

一、量化研究與質性研究的學位論文，在內容格式上有何差異？

二、何謂APA格式？請扼要敘述這種格式包含哪些要點。

三、請依據APA格式第七版，分別寫出專書、期刊、引用論文集一篇文章的參考文獻格式。

四、何謂研究計畫？研究計畫與研究報告有何差異？

五、試選一篇學位論文，依評鑑論文的規準評定之。

參考書目

一、中文部分

文化薪傳（2006）。電話訪問法。取自http://mail.mcps.kh.edu.tw/~db1027/
　　big6/second/ta.doc

方永泉（1999）。九年一貫課程與教師行動研究。2002年11月2日，取自
　　http://www.ncnu.edu.tw/~ycfang/actionresearch.htm

王文科（1996）。教育研究法。五南。

王文科（2000）。質的研究的問題與趨勢。載於中正大學教育研究所（主
　　編），質的研究方法（頁1-24）。麗文。

王文科、王智弘（2017）。教育研究法（17版）。五南。

王文科、王智弘譯（2003）。焦點團體訪談：教育與心理學適用。五南。

王文科編譯（1994）。質的教育研究法。師大書苑。

王俊明（2005）。問卷與量表的編製及分析方法。2006年10月12日，取自
　　國立體育學院體育研究所網站。http://www.ncpes.edu.tw/~physical/6/
　　night-002.doc

王政彥（1990）。事後回溯法。載於蔡保田等著，教育研究法（頁224-
　　238）。復文。

王麗雲（2005）。進入量化研究的世界。教育資料與研究，62，167-174。

卯靜儒（2006）。我們如何研究女性教師的性別經驗與意識——一種女性
　　主義觀點的後設分析。教育研究月刊，147，68-79。

卯靜儒等譯（2004）。教育研究法：規劃與評鑑。麗文。（J. R. Fraenkel &
　　N. E. Wallen, 2003）

合作經營綜合研究（2000）。第八章　抽樣設計與抽樣方法。2006年9月12
　　日，取自http://knight.fcu.edu.tw/~d8928752/BRM/ch8.doc

朱柔若譯（2000）。社會研究方法：質化與量化取向。揚智。（W. L.

Neuman, 1997）

朱敬一（1999）。華人家庭動態資料庫主樣本的抽樣原則。2006年9月12日，取自http://srda.sinica.edu.tw/webpages/psfd/index.htm

朱經明（2024）。教育統計學（第三版）。五南。

何炳松（2005）。歷史研究法。2006年7月10日，取自http://www.xxsh.net/Artlilun/ShowArticle.asp?ArticleID=387

余民寧（2012）。心理與教育統計學（第三版）。三民。

吳和堂（2024）。教育論文寫作與實用技巧（第七版）。高等教育。

吳明清（1991）。教育的科學研究方法。臺灣省政府教育廳。

吳明清（2004）。教育研究：基本觀念與方法分析。五南。

吳明隆（2001）。教育行動研究導論：理論與實務。五南。

吳明隆（2022）。SPSS統計應用學習實務——問卷分析與應用統計（第二版）。五南。

吳雅玲（1999）。中等教育學程中兩性平等教育課程內涵之德懷研究。未出版碩士學位論文，國立高雄師範大學教育學系。

李克東（2003）。教育技術領域中量的研究與質的研究。2006年9月3日，取自http://www.blogms.com/blog/CommList.aspx?BlogLogCode=1000000569

李奉儒（1999）。教育學的歷史研究之現況與趨勢。載於中正大學教育學研究所（主編），教育學研究方法論文集。麗文。

杜維運（1999）。史學方法論。三民。

秀秀（2000）。一位幼稚園實習教師實習困擾的省思。2002年11月3日，取自http://www.inservice.pccu.edu.tw/ktaction/1-1-2-2.htm

阮惠華（2002）。國民小學親師溝通之行動研究——以一個班級為例。未出版碩士論文。國立臺東師範學院。

周文欽（2001）。研究方法概論。空中大學。

周文欽（2004）。研究方法：實徵性研究取向。心理。

周文欽、周愚文（2000）。歷史研究。載於賈馥茗、楊深坑（主編），教育研究法的探討與應用（頁1-34）。師大書苑。

周愚文（2003）。歷史研究法。載於黃光雄、簡茂發（主編），**教育研究法**（頁203-228）。師大書苑。

周新富（2004）。家庭結構、家庭社會本對國中三年級學生學習結果影響之研究。行政院國家科學委員會專題研究計畫成果報告。計畫編號：NSC 92-2413-H-230-001

林天祐（2010）。APA格式第六版。取自http://web.ed.ntnu.edu.tw/~minfei/APA6th.pdf

林天祐（2002a）。認識研究倫理。載於臺北市立師範學院學生輔導中心（主編），**研究論文與報告撰寫手冊**（頁73-80）。臺北市立師範學院。

林天祐（2002b）。APA格式第五版。**教育資料與研究，44**，102-120。

林天祐（2002c）。APA格式——網路等電子化資料引用及參考文獻的寫法。**教育資料與研究，44**，121-129。

林天祐（2005）。教育研究倫理準則。**教育研究月刊，132**，70-86。

林生傳（2000）。新世紀教師行動研究的定位與實機要略。**教育學刊，16**，1-31。

林生傳（2003）。**教育研究法：全方的統整與分析**。心理。

林君昱（2011）。**實驗心理學與實驗：實驗報告APA格式要求**。取自http://moodle.ncku.edu.tw/mod/resource/view.php?id=103908Sjehbu

林建銘（2019）。教育質性研究的倫理規範。**教育論叢，7**，89-118。

林重新（2001）。**教育研究法**。揚智。

林振春（1998）。**社會調查**。五南。

林新發（2003）。調查研究法。載於黃光雄、簡茂發（主編），**教育研究法**（頁255-289）。師大書苑。

林清山（1987）。實驗研究法在教育研究上的應用及限制。載於中國教育學會（主編），**教育研究方法論**（頁31-62）。師大書苑。

林清山（2014）。**心理與教育統計學**。東華。

林瑞榮（1999）。內容分析法。載於中正大學教育學研究所（主編），**教育學研究方法論文集**（頁47-56）。復文。

林雍智（2023）。教育學門論文寫作格式指引：APA格式第七版之應用（第

二版）。心理。

邱兆偉（1995）。質的研究的訴求與設計。教育研究，**4**，1-35。

邱淞瑋（2002）。**質的研究**。2006年7月5日，取自http://tx.shu.edu.tw/CG/Methodology-MA/rm-mao/M90660034-邱淞瑋-質的研究/

邱皓政（2019）。**量化研究與統計分析：SPSS中文視窗版資料分析範例解析**（第六版）。五南。

姚開屏（1996）。從心理計量的觀點看測量工具的發展。**職能治療學會雜誌**，14(1)，5-20。

姚開屏、陳坤虎（1998）。如何編製一份問卷：以「健康相關生活品質」問卷為例。**職能治療學會雜誌**，**16**，1-24。

洪志成、楊家瑜（2013）。教育行政領域應用紮根理論研究方法之分析。**國立臺南大學教育研究學報**，**47(2)**，1-20。

胡幼慧（1998）。**質性研究：理論、方法及本土女性研究實例**。巨流。

唐盛明（2003）。**社會科學研究方法新解**。社會科學院。

夏林清譯（2000）。**行動研究方法導論**。遠流。

夏林清與中華民國基層教師協會譯（1997）。**行動研究方法導論：教師動手做研究**。遠流。（H. Altrichter, P. Posch, & B. Somekh, 1993）

徐振邦等譯（2004）。**教育研究法**。韋伯文化。（L. Cohen, L. Manion, & K. Morrisson, 2000）

翁定軍（2004）。**社會定量研究的數據處理**。上海大學。

袁振國譯（2003）。**教育研究方法導論**。教育科學。（W. Wiersma, 2000）

馬信行（1998）。**教育科學研究法**。五南。

高義展（2004）。**教育研究法**。群英。

康自立、蕭錫錡（1993）。**我國師範院校培育機電整合師資核心課程規劃研究**。國科會研究報告，NSU82-0111-S-018-019。

張世平（2003）。行動研究法。載於黃光雄、簡茂發（主編），**教育研究法**（頁341-374）。師大書苑。

張世平、胡夢鯨（2000）。行動研究法。載於賈馥茗、楊深坑主編，**教育研究法的探討與應用**（頁103-139）。師大書苑。

張民生、金寶成（2003）。現代教師：走近教育科研。教育科學。

張芬芬（2001）。研究者必須中立客觀嗎：行動研究知識論與幾個關鍵問題。載於中華民國課程與教學學會（主編），行動研究與課程教學革新（頁1-32）。揚智。

張芬芬（2010）。質性資料分析的五步驟：在抽象階梯上爬升。初等教育學刊，**35**，87-120。

張芬芬（2011）。文本分析方法論及其對教科書分析研究的啟示。教科書百年演進國際學術研討會會議手冊研討會論文（頁54-87）。國家教育研究院。

張春興（2006）。張氏心理學辭典。東華。

張紹勳（2001）。研究方法。滄海。

張紹勳、林秀娟（2005）。SPSS高等統計分析。滄海。

張景煥等（2000）。教育科學方法論。人民。

莊靜怡譯（2005）。社會研究法的設計。韋伯文化。（David de Vaus, 2001）

郭生玉（1997）。心理與教育研究法（14版）。精華。

陳向明（2000）。質的研究方法與社會科學研究。教育科學。

陳伯璋（1988）。教育研究方法的新取向：質的研究方法。南宏。

陳伯璋（2000）。質性研究方去的理論基礎。載於中正大學教育研究所（主編），質的研究方法（頁25-50）。麗文。

陳奎憙（1990）。教育社會學研究。師大書苑。

陳春秀（2002）。課程行動研究與教師專業成長。課程與教學季刊，5(4)，37-56。

陳順宇（2000）。多變量分析。華泰。

陳龍安、莊明貞（2000）。實驗研究。載於賈馥茗、楊深坑（主編），教育研究法的探討與應用（頁69-73）。師大書苑。

陳麗華（2003）。九年一貫社會學習領域課程本土化之研究。臺北市立師範學院初等教育學系。

陶保平、黃河清（2005）。教育調查。華東師範大學。

傅粹馨（2002）。信度、Alpha係數與相關議題之探究。教育學刊，**18**，163-184。

游美惠（2000）。內容分析、文本分析與論述分析在社會研究的運用。調查研究，**8**，5-42。

游家政（1996）。德懷術及其在課程研究上的應用。花蓮師院學報，**6**，1-24。

鈕文英（1999）。自然探究法之理論與方法分析。高雄師大學報，**10**，61-83。

鈕文英（2007）。教育研究方法與論文寫作。雙葉。

鈕文英（2015）。研究方法與論文寫作（第二版）。雙葉。

黃光國（2001）。事後回溯研究。載於楊國樞等（主編），社會及行為科學研究法（上冊）（頁259-276）。東華。

黃光雄（1987）。教育的歷史研究方法。載於中國教育學會主編，教育研究方法論（頁195-213）。師大書苑。

黃光雄、簡茂發（主編）（2003）。教育研究法。師大書苑。

黃光雄譯（2005）。質性教育研究。濤石。（R. C. Bogdan & S. K. Biklen, 2003）

黃瑞琴（2021）。質的教育研究方法（第三版）。心理。

楊孟麗、謝水南譯（2021）。教育研究法：研究設計實務（第三版）。心理。（J. R. Fraenkel & N. E. Wallen, 2003）

楊國樞、文崇一、吳聰賢、李亦園（2001）。社會及行為科學研究法（上、下冊）。東華。

楊龍立（2016）。教育研究法。師大書苑。

葉立誠、葉至誠（1999）。研究方法與論文寫作。商鼎。

葉重新（2017）。教育研究法（第三版）。心理。

董奇、申繼亮（2003）。心理與教育研究法。東華。

詹志禹、賴世培（2005）。應用統計。國立空中大學。

彰師大科學教育研究所（2006）。科學教育研究法。2006年11月30日，取自http://www.sciedu.ncue.edu.tw/~methodsummer

甄曉蘭（1996）。從典範轉移的再思論質的研究崛起的意義。嘉義師院學報，10，119-146。

裴娣娜（2004）。教育研究方法導論。安徽教育。

趙長寧（1999）。教師與行動研究。行動研究國際學術研討會論文。2002年11月3日，取自http://www.nttc.edu.tw/ige/1999行動研究國際學術研討會/趙長寧.htm

劉世閔（2005）。淺談研究倫理(二)。教育研究月刊，**140**，139-141。

劉娜（2006）。非概率抽樣。2006年9月14日，取自www.tsinghua.edu.cn/docsn/shxx/site/teacher/peijx/fglcy.doc

劉湘川（2003）。抽樣的方法。載於黃光雄、簡茂發（主編），教育研究法（頁91-114）。師大書苑。

歐用生（1989）。質的研究。師大書苑。

歐用生（2003）。內容分析法。載於黃光雄、簡茂發（主編），教育研究法（頁229-254）。師大書苑。

歐用生（2005）。內容分析法及其在教科書研究上的應用。載於莊梅枝（主編），教科書之旅（頁149-170）。中華民國教材研究發展學會。

歐素汝譯（2000）。焦點團體：理論與實務。弘智。（D. S. Stewart & P. N. Shamdasani, 1990）

潘中道、胡龍騰、蘇文賢譯（2014）。研究方法：步驟化學習指南（第二版）。學富文化。（R. Kumar, 2010）

潘明宏譯（1999）。社會科學研究方法（上下冊）。韋伯文化。（F. N. Chava & D. Nachmias, 1996）

潘慧玲（2004）。教育論文格式。雙葉。

潘慧玲（2022）。教育論文格式（第三版）。雙葉。

潘慧玲主編（2003）。教育研究的取徑：概念與應用。高等教育。

蔡清田（2000）。行動研究及其在教育研究上的應用。載於國立中正大學教育研究所（主編），質的研究方法（頁53-76）。麗文。

蔡雅泰、田奇玉、徐婉貞（1999）。一個國小六年級班級的危機與重建。行動研究國際學術研討會論文。2002年11月5日，取自http://www.nttc.

edu.tw/ige/1999行動研究國際學術研討會/蔡雅泰.htm

鄭文芳（2003）。俗民誌教育研究：方法策略與研究倫理的省思。人文及社會學科教學通訊，**14**(2)，153-167。

鄭宇庭（2004）。問卷設計。2006年10月7日，取自http://stat.nccu.edu.tw/statnccu/download/teacher/ting/93sampling.htm

燕山大學（2006）。第七講抽樣。2006年9月7日，取自http://stc.ysu.edu.cn/article/uploadfiles/200605/20060530224159362.doc

蕭英勵（2001）。行動研究與教師專業。中等教育，**52**(5)，100-113。

鍾聖校、劉錫麒（2000）。俗民方法論。載於賈馥茗、楊深坑（主編），教育研究的探討與應用（頁141-168）。師大書苑。

羅世宏譯（2008）。質性資料分析。五南。（M. W. Bauer & G. Gaskell, 2000）

蘇諼（年代不詳）。談圖書資訊學的研究方法課程。中華民國人文類學門「研究方法與論文寫作」課程規劃研討會議論文。2006年3月29日，取自http://www.english.moe.edu.tw/Research/Conference/su.htm

蘇蘅、吳淑俊（1997）。電腦網路問卷調查可行性及回覆者特質的研究。新聞學研究，**54**，75-83。

顧瑜君（2006）。置身事內：論教育研究的倫理。發表於教育研究理論與實務之整合學術研討會。2006年11月10-11日。國立高雄師範大學教育系。

二、英文部分

Altrichter, H., Posch, P., and Somekh, B. (1993). *Teachers investigate their work: An introduction to the methods of action research*. Routledge.

American Psychological Association (2020). *Publication manual of the American Psychological Association: the official guide to APA style* (7th ed.). American Psychological Association.

Ary, D., Jacobs, L. C., & Razavieh, A. (2002). *Introduction to research in education*. Holt, Rinehart, and Winston.

Babbie, E. (2005). *The basic of social research* (3rd edition). Wadsworth.

Ballantine, J. H. (1983). *The sociology of education: A systematic analysis.* Prentice-Hall.

Best, J. W., & Kahn, J. V. (1998). *Research in education.* Allyn & Bacon.

Bielick, S. (2017). *Surveys and questionnaires.* In D. Wyse, S. Neil, E. Smith, & L. E. Suter (Ed,), *The BERA/SAGE handbook of educational research* (pp. 640-658). Sage.

Black, T. R. (1999). *Doing quantitative research in the social sciences: An integrated approach to research design, measurement and statistics.* Sage.

Borg, W. R., & Gall, M. D. (1989). *Educational research: An introducation.* Longman.

Campbell, D., & Stanley, J. (1966). *Experimental and quasi-experimental designs for research.* Rand McNally.

Cohen, L., & Manion, L. (1996). *Research methods in education.* Routledge.

Cohen, L., Manion, L., & Morrison, K. (2000). *Research methods in education* (5th ed.). Routledge.

Flanders, N. A. (1970). *Analyzing teaching behavior.* Addison-Wesley.

Fraenkel, J. R., & Wallen, N. E. (2019). *How to Design and Evaluate Research in Education* (7th ed.). McGraw.

Freeman, D. (1998). *Doing teacher-research: From inquiry to understanding.* Heinle & Heinle.

Gall, M. D., Gall, J. P., & Borg, W. R. (2007). *Educational research: An introduction.* Allyn & Bacon.

Gay, L. R. (1996). *Educational research: Competencies for analysis and application.* Merrill.

Gay, L. R., & Airasian, P. (2000). *Educational research: Competencies for analysis and application.* Merrill.

Gay, L. R., Mills, G. E., & Airasian, P. (2006). *Educational research: Competencies for analysis and applications.* Pearson Prentice Hall.

Gay, L. R., Mills, G. E., & Airasian, P. (2012). *Educational research: Competencies for analysis and applications*. Pearson.

Henson, K. (1996). *Teachers as researchers*. In John Sikula (Ed.), *Handbook of research on teacher education* (pp.53-66). Macmillan Library Reference USA.

Kirk, R. E. (1995). *Experimental design*. Brooks/Cole.

Lewin, K. (1947). Group decisions and social change. In T. M. Newcomb & E. L. Hartley (Eds.). *Readings in Social Psychology*. Henry Holt.

Mann, C., & Stewart, F. (2000). *Internet communication and qualitative research: A handbook for researching online*. Sage.

Martella, R., Nelson, J., Morgan, R., & Marchand-Martella, N. (2013). *Understanding and interpreting educational research*. Guilford Press.

McMillan, J. H., & Schumacher, S. (2001). *Research in education: A conceptual introduction*. Longman.

McMillan, J. H., & Schumacher, S. (2010). *Research in education: Evidence-Based inquiry* (7th ed.). Allyn & Bacon.

Mertens, D.M. (2014) *Research and evaluation in education and psychology: Integrating diversity with quantitative, qualitative, and mixed methods*. Sage.

Mertler, C. C., & Charles, C. M. (2008). *Introduction to educational research* (7th ed.). Pearson.

Mettetal, G. (2002). *Classroom action research overview*. Retrieved Nov 21, 2002 from the World Wide Web: http://www.iusb.edu/~gmetteta/classroom_Action_Research.html

Miller, A. C. (2002). *Action research as a framework for school improvement*. Retrieved Nov 21, 2002 from the World Wide Web: http://www.fau.edu/divdept/coe/sfcel/default.htm

Mills, G. E. (2000). *Action research: A guide for the teacher researcher*. Prentice-Hall, Inc.

Noffke, S. (1997). Professional, personal and political dimensions of action research. *Review of Research in Education, 22*, 305-43.

Ryans, D. G. (1963). Assessment of teacher behavior and instruction. *Review of Educational Research, 33*(4). 415-441. https://doi.org/10.2307/1169559

Sprinthall, R. C., Schmutte, G. T., & Sirois, L. (1991). *Understanding educational research.* Prentice Hall.

Stevens, K. B., Slanton, D. B., & Bunry, S. (1992). A collaborative research effort between public school and university faculty members. *Teacher Education and Special Education, 15*(1), 1-8.

Travers, R. M. W. (1978). *An introduction educational research.* Macmillan.

Vockell, E. L., & Asher, J. W. (1995). *Educational research.* Merrill.

Wiersma, W. (2000). *Research methods in education: An introduction.* Allyn & Bacon.

索 引

國家圖書館出版品預行編目資料

教育研究法／周新富著. -- 三版. -- 臺北
市：五南圖書出版股份有限公司, 2025.04
　　面；　　公分.
　ISBN 978-626-423-193-0（平裝）

1.CST: 教育研究法

520.31　　　　　　　　　114001144

1ISA

教育研究法

作　　者 ― 周新富

編輯主編 ― 黃文瓊

責任編輯 ― 郭雲周、李敏華

文字校對 ― 郭雲周

封面設計 ― 姚孝慈

出 版 者 ― 五南圖書出版股份有限公司

發 行 人 ― 楊榮川

總 經 理 ― 楊士清

總 編 輯 ― 楊秀麗

地　　址：106臺北市大安區和平東路二段339號4樓

電　　話：(02)2705-5066　　傳　　真：(02)2706-6100

網　　址：https://www.wunan.com.tw

電子郵件：wunan@wunan.com.tw

劃撥帳號：01068953

戶　　名：五南圖書出版股份有限公司

法律顧問　林勝安律師

出版日期　2007年2月初版一刷（共四刷）
　　　　　2016年5月二版一刷（共四刷）
　　　　　2025年4月三版一刷

定　　價　新臺幣520元

經典永恆・名著常在

五十週年的獻禮 —— 經典名著文庫

五南，五十年了，半個世紀，人生旅程的一大半，走過來了。

思索著，邁向百年的未來歷程，能為知識界、文化學術界作些什麼？

在速食文化的生態下，有什麼值得讓人雋永品味的？

歷代經典・當今名著，經過時間的洗禮，千錘百鍊，流傳至今，光芒耀人；

不僅使我們能領悟前人的智慧，同時也增深加廣我們思考的深度與視野。

我們決心投入巨資，有計畫的系統梳選，成立「經典名著文庫」，

希望收入古今中外思想性的、充滿睿智與獨見的經典、名著。

這是一項理想性的、永續性的巨大出版工程。

不在意讀者的眾寡，只考慮它的學術價值，力求完整展現先哲思想的軌跡；

為知識界開啟一片智慧之窗，營造一座百花綻放的世界文明公園，

任君遨遊、取菁吸蜜、嘉惠學子！